000953

ROSLYN HIGH SCHOOL
ROUND HILL ROAD
ROSLYN HEIGHTS, NEW YORK 11577

Encuentros

PRIMER CURSO

HOLT, RINEHART AND WINSTON
Harcourt Brace & Company

Austin • New York • Orlando • Atlanta • San Francisco • Boston • Dallas • Toronto • London

CREDITS

EDITORIAL

Project Director: Fannie Safier
Managing Editor: Richard Sime
Book Editor: Laura Baci
Editorial Staff: Belén Ayestarán, Sonya Canetti-Mirabal, Daniela Guggenheim, Bobbi Hernandez, Jennifer E. Osborne, Cintia M. Santana
Editorial Support: Isabell Coffey, Mark Koenig, Barbara Sharp Turner
Editorial Permissions: Lee Noble

PRODUCTION, DESIGN, AND PHOTO RESEARCH

Director: Athena Blackorby
Design Coordinator: Ruth Riley
Program Design: Lillie Caporlingua, BILL SMITH STUDIO
Studio Production Manager: Dorothy Irwin, BILL SMITH STUDIO
Photo Research: Omni-Photo Communications, Inc.
Photo Research Coordinator: Mary Monaco
Cover Photography: R. Glander/Superstock
Cover Photo Researcher: Angi Cartwright
Cover Design: Bob Prestwood and Katie Kwun

ISBN 0-03-095163-1

2 3 4 5 6 041 99 98 97

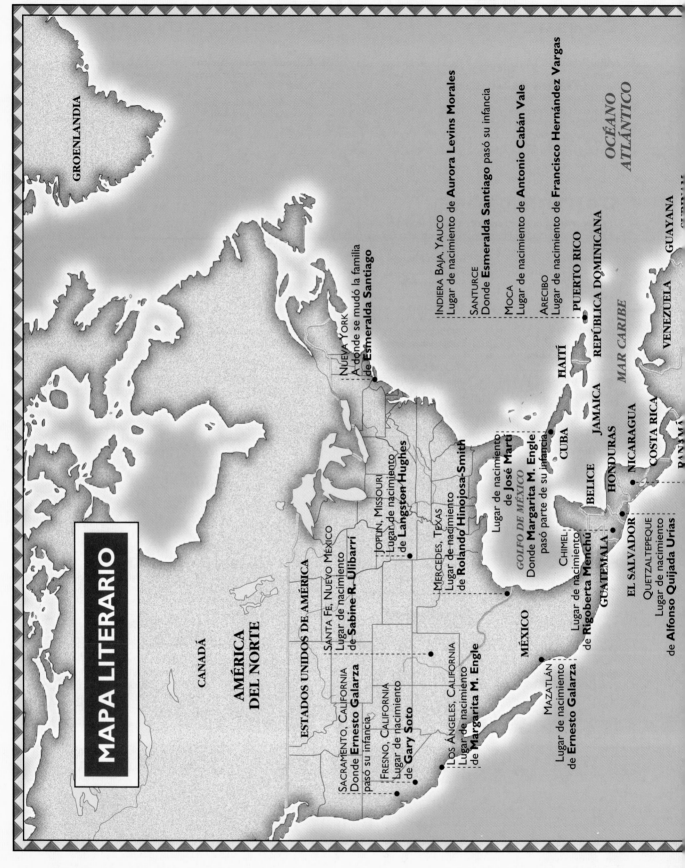

MAPA LITERARIO

GROENLANDIA

CANADÁ

AMÉRICA DEL NORTE

ESTADOS UNIDOS DE AMÉRICA

SANTA FE, NUEVO MÉXICO
Lugar de nacimiento
de **Sabine R. Ulibarrí**

SACRAMENTO, CALIFORNIA
Donde **Ernesto Galarza**
pasó su infancia

FRESNO, CALIFORNIA
Lugar de nacimiento
de **Gary Soto**

LOS ÁNGELES, CALIFORNIA
Lugar de nacimiento
de **Margarita M. Engle**

JOPLIN, MISSOURI
Lugar de nacimiento
de **Langston Hughes**

MERCEDES, TEXAS
Lugar de nacimiento
de **Rolando Hinojosa-Smith**

NUEVA YORK
A donde se mudó la familia
de **Esmeralda Santiago**

MAZATLÁN
Lugar de nacimiento
de **Ernesto Galarza**

MÉXICO

GOLFO DE MÉXICO
Donde **Margarita M. Engle**
pasó parte de su infancia

Lugar de nacimiento
de **José Martí**

CUBA

HAITÍ

JAMAICA

REPÚBLICA DOMINICANA

PUERTO RICO

MAR CARIBE

CHIMEL
Lugar de nacimiento
de **Rigoberta Menchú**

GUATEMALA

BELICE

HONDURAS

EL SALVADOR

QUETZALTEPEQUE
Lugar de nacimiento
de **Alfonso Quijada Urías**

NICARAGUA

COSTA RICA

PANAMÁ

INDIERA BAJA, YAUCO
Lugar de nacimiento de **Aurora Levins Morales**

SANTURCE
Donde **Esmeralda Santiago** pasó su infancia

MOCA
Lugar de nacimiento de **Antonio Cabán Vale**

ARECIBO
Lugar de nacimiento de **Francisco Hernández Vargas**

OCÉANO ATLÁNTICO

VENEZUELA

GUAYANA

OCÉANO
PACÍFICO

MÉTAPA
Lugar de nacimiento
de **Rubén Darío**

TRUJILLO
Lugar de nacimiento
de **Ciro Alegría**

LOS ANDES
Donde tiene lugar
«Valle del Fuego» de
Alejandro Balaguer

CÓRDOBA
Lugar de nacimiento
de **Luis Alberto Ambroggio**

SANTIAGO
Donde **Isabel Allende**
pasó su infancia

PARRAL
Lugar de nacimiento
de **Pablo Neruda**

ECUADOR

PERÚ

BOLIVIA

AMÉRICA
DEL SUR

BRASIL

PARAGUAY

ALTO PARANÁ
Donde tiene lugar
«La guerra de los yacarés»
de **Horacio Quiroga**

SALTO
Lugar de nacimiento
de **Horacio Quiroga**

URUGUAY

ARGENTINA

BUENOS AIRES
Lugar de nacimiento
de **Ana María Shua** y
Alejandro Balaguer

CHILE

ISLAS MALVINAS

N

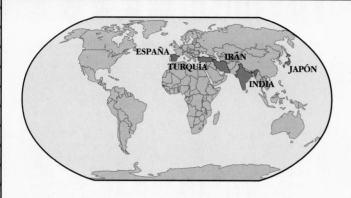

Donde tiene lugar «Posada de las Tres Cuerdas» de **Ana María Shua**

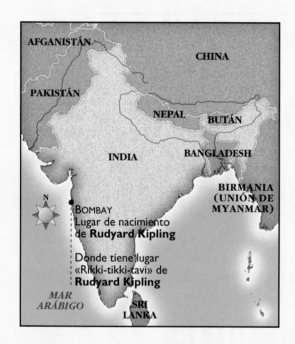

BOMBAY
Lugar de nacimiento de **Rudyard Kipling**

Donde tiene lugar «Rikki-tikki-tavi» de **Rudyard Kipling**

BARCELONA
Lugar de nacimiento de **Jordi Sierra i Fabra**

MOGUER, HUELVA
Lugar de nacimiento de **Juan Ramón Jiménez**

UTRERA, SEVILLA
Lugar de nacimiento de **Serafín** y **Joaquín Álvarez Quintero**

GERZE
Donde tiene lugar *Aydin* de **Jordi Sierra i Fabra**

(Antes conocido como PERSIA)

Donde tiene lugar la «Historia del pájaro que habla, el árbol que canta y el agua de oro»

ÍNDICE

COLECCIÓN 4
Fábulas y leyendas

COLECCIÓN 5
¿Quién soy?

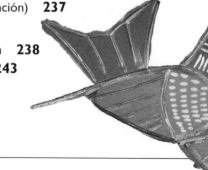

ÍNDICE DE RECURSOS

¡Viva la juventud!

ANTES DE LEER
Mis primeros versos

Punto de partida

Una gran expectativa

¿Alguna vez sentiste un gran entusiasmo antes de participar en un evento o actividad? ¿Por ejemplo, una competencia deportiva, una fiesta o una presentación en la escuela? Piensa en alguna experiencia de este tipo que hayas tenido y que te gustaría contar. Para organizar tus ideas, haz un cuadro como el que sigue.

Evento	Por qué sentí entusiasmo
Partido final de la temporada	Me gustaba el entrenador y el equipo

Mis expectativas	Qué sucedió
Una victoria fácil	Perdimos

Toma nota

Escribe un breve relato sobre tu experiencia. Luego reúnete con algunos de tus compañeros y que cada uno lea el trabajo de los demás. ¿Son similares las historias? ¿O te parece que algunas son serias o tristes y que otras son alegres y divertidas?

Diálogo con el texto

Cuando lees una historia con mucha atención, piensas en muchas cosas:

- Relacionas lo que lees con tus propias experiencias.

PRIMERAS NOTAS DE RUBEN DARIO

MANAGUA · 1888

Tipografía Nacional—Calle de Zavala, Núm. 41

Editorial La Muralla, S. A.

- Te haces preguntas y haces predicciones sobre lo que ocurrirá.

- Cuestionas el texto.

- Reflexionas sobre el significado del texto.

Cuando leas «Mis primeros versos», ten papel y lápiz a mano para ir anotando tus pensamientos. En el margen de los primeros párrafos aparecen los comentarios de un lector como ejemplo.

Elementos de literatura

Autobiografía

A lo largo de la historia, la gente siempre ha sentido una gran fascinación por las vidas de otras personas. Un relato verídico que una persona escribe sobre su vida se llama **autobiografía**. Las autobiografías pueden ser muy interesantes; tienen un gran sentido de intimidad puesto que el escritor describe sus sentimientos y experiencias de una manera muy directa.

> Una **autobiografía** es un relato verídico que una persona hace sobre su propia vida.
>
> *Para más información sobre la autobiografía, ver la página 11 y el GLOSARIO DE TÉRMINOS LITERARIOS.*

mis primeros versos

Rubén Darío

Tenía yo catorce años y estudiaba humanidades.

Un día sentí unos deseos rabiosos de hacer versos, y de enviárselos a una muchacha muy linda, que se había permitido darme calabazas.[1]

Me encerré en mi cuarto, y allí en la soledad, después de inauditos esfuerzos, condensé como pude, en unas cuantas estrofas, todas las amarguras de mi alma.

Cuando vi, en una cuartilla de papel, aquellos rengloncitos cortos tan simpáticos, cuando los leí en alta voz y consideré que mi cacumen los había producido, se apoderó de mí una sensación deliciosa de vanidad y orgullo.

Inmediatamente pensé en publicarlos en *La Calavera,* único periódico que entonces había, y se los envié al redactor, bajo una cubierta y sin firma.

Mi objeto era saborear las muchas alabanzas de que sin duda serían objeto, y decir modestamente quién era el autor, cuando mi amor propio se hallara satisfecho.

Eso fue mi salvación.

Pocos días después sale el número 5 de *La Calavera,* y mis versos no aparecen en sus columnas.

Los publicarán inmediatamente en el número 6, dije para mi capote,[2] y me resigné a esperar porque no había otro remedio.

Pero ni en el número 6, ni en el 7, ni en el 8, ni en los que siguieron había nada que tuviera apariencias de versos.

1. **darme calabazas:** rechazar mis intereses amorosos.
2. **para mi capote:** interiormente, para mí mismo.

Es difícil cuando alguien rechaza tus intereses amorosos; seguramente el narrador estaba muy triste.

Parece muy presumido. Me pregunto si sus versos eran realmente buenos.

Presiento que esta aventura no tendrá un final feliz.

¿Por qué no se publicaban sus versos?

Aduéñate de estas palabras

humanidades *f. pl.:* letras.
inaudito, -ta *adj.:* extraordinario.
cacumen *m.:* inteligencia, agudeza.

Metapa, Nicaragua.

Casi desesperaba ya de que mi primera poesía saliera en letra de molde, cuando caten[3] ustedes que el número 13 de *La Calavera* puso colmo a mis deseos.

Los que no creen en Dios, creen a puño cerrado[4] en cualquier barbaridad, por ejemplo, en que el número 13 es fatídico, precursor de desgracias y mensajero de muerte.

Yo creo en Dios, pero también creo en la fatalidad del maldito número 13.

Apenas llegó a mis manos *La Calavera*, me puse de veinticinco alfileres,[5] y me lancé a la calle, con el objeto de recoger elogios, llevando conmigo el famoso número 13.

A los pocos pasos encuentro a un amigo, con quien entablé el diálogo siguiente:

—¿Qué tal, Pepe?

—Bien, ¿y tú?

—Perfectamente. Dime, ¿has visto el número 13 de *La Calavera?*

—No creo nunca en ese periódico.

Un jarro de agua fría en la espalda o un buen pisotón en un callo no me hubieran producido una impresión tan desagradable como la que experimenté al oír esas seis palabras.

Mis ilusiones disminuyeron un cincuenta por ciento, porque a mí se me había figurado que todo el mundo tenía la obligación de leer por lo menos el número 13, como era de estricta justicia.

—Pues bien, —repliqué algo amostazado—, aquí tengo el último número y quiero que me des tu opinión acerca de estos versos que a mí me han parecido muy buenos.

ADUÉÑATE DE ESTAS PALABRAS

colmo *m.*: satisfacción completa.
fatídico, -ca *adj.*: fatal, de mala suerte.
amostazado, -da *adj.*: irritado, enojado.

---

3. **caten:** miren, observen.
4. **a puño cerrado:** firmemente, con obstinación.
5. **me puse de veinticinco alfileres:** vestí mi mejor ropa.

Mi amigo Pepe leyó los versos y el infame se atrevió a decirme que no podían ser peores.

Tuve impulsos de pegarle una bofetada al insolente que así desconocía el mérito de mi obra; pero me contuve y me tragué la píldora.[6]

Otro tanto me sucedió con todos aquellos a quienes interrogué sobre el mismo asunto, y no tuve más remedio que confesar de plano... que todos eran unos estúpidos.

Cansado de probar fortuna en la calle, fui a una casa donde encontré a diez o doce personas de visita. Después del saludo, hice por milésima vez esta pregunta:

—¿Han visto ustedes el número 13 de *La Calavera?*

6. **me tragué la píldora:** acepté la situación sin protestar.

—No lo he visto —contestó uno de tantos—, ¿qué tiene de bueno?

—Tiene, entre otras cosas, unos versos, que según dicen no son malos.

—¿Sería usted tan amable que nos hiciera el favor de leerlos?

—Con gusto.

Saqué *La Calavera* del bolsillo, lo desdoblé lentamente, y lleno de emoción, pero con todo el fuego de mi entusiasmo, leí las estrofas.

Enseguida pregunté:

—¿Qué piensan ustedes sobre el mérito de esta pieza literaria?

La respuestas no se hicieron esperar y llovieron en esta forma:

—No me gustan esos versos.

—Son malos.

—Son pésimos.

—Si continúan publicando tantas necedades en *La Calavera*, pediré que me borren de la lista de suscriptores.

—El público debe exigir que emplumen al autor.

—Y al periodista.

—¡Qué atrocidad!

—¡Qué barbaridad!

ADUÉÑATE DE ESTAS PALABRAS

infame *m.* y *f.:* persona odiosa, vil, indecente, sin honra.
pésimo, -ma *adj.:* muy malo.
emplumen, de **emplumar** *v.:* dar una paliza, castigar.

Retrato de Rafaela Contreras, un amor de la niñez de Rubén Darío.

Editorial La Muralla, S. A.

—¡Qué necedad!

—¡Qué monstruosidad!

Me despedí de la casa hecho un energúmeno,[7] y poniendo a aquella gente tan incivil en la categoría de los tontos: «Stultorum plena sunt omnia»,[8] decía ya para consolarme.

Todos esos que no han sabido apreciar las bellezas de mis versos, pensaba yo, son personas ignorantes que no han estudiado humanidades, y que, por consiguiente, carecen de los conocimientos necesarios para juzgar como es debido en materia de bella literatura.

Lo mejor es que yo vaya a hablar con el redactor de *La Calavera*, que es hombre de letras y que por algo publicó mis versos.

Efectivamente: llego a la oficina de la redacción del periódico, y digo al jefe, para entrar en materia:

—He visto el número 13 de *La Calavera*.

—¿Está usted suscrito a mi periódico?

—Sí, señor.

—¿Viene usted a darme algo para el número siguiente?

—No es eso lo que me trae: es que he visto unos versos...

—Malditos versos: ya me tiene frito el público a fuerza de reclamaciones. Tiene usted muchísima razón, caballero, porque son, de los malos, lo peor; pero ¿qué quiere usted?, el tiempo era muy escaso, me faltaba media columna y eché mano a esos condenados versos, que me envió algún quídam[9] para fastidiarme.

Estas últimas palabras las oí en la calle, y salí sin despedirme, resuelto a poner fin a mis días.

Me pegaré un tiro, pensaba, me ahorcaré, tomaré un veneno, me arrojaré desde un campanario a la calle, me echaré al río con una piedra al cuello, o me dejaré morir de hambre, porque no hay fuerzas humanas para resistir tanto.

Pero eso de morir tan joven... Y, además, nadie sabía que yo era el autor de los versos.

Por último, lector, te juro que no me maté, pero quedé curado, por mucho tiempo, de la manía de hacer versos. En cuanto al número 13 y a las calaveras, otra vez que esté de buen humor te he de contar algo tan terrible, que se te van a poner los pelos de punta.

7. **energúmeno:** persona muy exaltada, furiosa.
8. **stultorum plena sunt omnia:** expresión del latín que significa que el mundo está lleno de gente tonta.

9. **quídam:** expresión que significa que una persona no tiene valor, una persona que no merece nombrarse.

Casa donde Rubén Darío pasó su niñez.
Editorial La Muralla, S. A.

CONOCE AL ESCRITOR

Si **Rubén Darío** (1867–1916) hubiera cumplido con la amenaza que expresa en este texto, jamás habríamos experimentado la influencia que su poesía ha ejercido en todo el mundo. Un escritor dijo que la carrera de Darío fue la de «un poeta vagabundo que influyó, definitivamente, en la literatura latinoamericana y española».

La tía que se ocupó de criar a Rubén Darío fue quien primero se dio cuenta de que al joven le gustaba la poesía. Gracias a esta señora que lo animó a leer y a escribir, años después Darío sería un poeta magistral.

De origen nicaragüense, nacido en Metapa, Darío comenzó a escribir en la década de los años ochenta del siglo diecinueve, al mismo tiempo que ejercía su carrera periodística en Santiago y en Valparaíso, Chile, y en Buenos Aires, Argentina. Llegó a ser corresponsal extranjero del diario argentino *La Nación* en Madrid y París, poco antes de que sus poemas y narraciones breves contribuyeran a inaugurar el movimiento *modernista* en la literatura. Se convirtió en una figura de renombre internacional al combinar elementos sudamericanos y europeos en su pensamiento y en su literatura. También trabajó para el cuerpo diplomático de Colombia y de su tierra natal, Nicaragua.

Azul (1888) y *Cantos de vida y esperanza* (1905) presentan sus ideas más importantes. En el prólogo de *Azul*, Darío explica que la literatura es un alcázar interior que sirve como refugio sosegado del mundo, un ambiente donde rige el «arte puro». En *Cantos de vida y esperanza*, una de sus obras más conocidas, su tema principal es el sentimiento nacionalista de los pueblos latinomericanos. Darío publicó una gran cantidad de libros a lo largo de su vida y utilizó varios estilos con el fin de reflejar sus experiencias vitales. En su poesía, experimentó con un lenguaje y un ritmo nuevos, y tuvo un profundo impacto en la literatura latinoamericana.

CREA SIGNIFICADOS

Primeras impresiones

1. ¿Qué sentiste por el narrador cuando los demás criticaban su trabajo?

Interpretaciones del texto

2. ¿Por qué tiene el narrador tanto interés en que se publiquen sus versos?

3. ¿Por qué el narrador no quiere que se sepa que él escribió el poema?

4. El narrador describe cómo se siente cuando termina de escribir los versos y cómo se siente después de escuchar las críticas. ¿Qué nos dicen estas descripciones sobre su personalidad y carácter?

Repaso del texto

a. ¿Qué acontecimiento incitó al narrador a escribir un poema?

b. ¿Cuál fue la opinión de Pepe, su amigo, sobre los versos?

c. ¿Por qué cree el narrador que a la gente no le gusta el poema?

d. ¿Por qué el editor de *La Calavera* finalmente publicó los versos?

Conexiones con el texto

5. El narrador se siente feliz y orgulloso después de escribir sus versos. ¿Has experimentado alguna vez una sensación de satisfacción similar después de completar una tarea o de hacer algo por primera vez?

6. Es probable que recuerdes una ocasión en la que sentiste dolor y enojo, al igual que el escritor cuando su amigo Pepe critica sus versos. ¿Qué otras emociones expresadas en este texto te recuerdan sentimientos que has tenido antes?

Preguntas al texto

7. Al final del texto, el narrador promete contar otra historia en el futuro. ¿Logró el autor escribir una historia tan interesante que esperas ansiosamente la próxima? Explica tu respuesta.

Más allá del texto

8. El narrador se queja de que sus críticos no tienen los conocimientos suficientes para juzgar textos literarios. ¿Cuáles crees que son los elementos esenciales de un buen cuento o de una buena poesía?

OPCIONES: Prepara tu portafolio

Cuaderno del escritor

1. Compilación de ideas para un episodio autobiográfico

En su narrativa autobiográfica, Rubén Darío recuerda una experiencia bochornosa que ocurrió cuando él tenía catorce años. Piensa en una situación que te haya hecho sentir incómodo o incomprendido. ¿Cómo te comportaste en esa situación? ¿Qué aprendiste de la experiencia? ¿Qué imágenes, olores, sonidos, sabores o sentimientos relacionas con ese recuerdo? Escribe notas y consérvalas para una futura consulta.

> Cuando tenía seis años, se me rompieron los pantalones mientras hacía volteretas.
> —Durante el resto del día me escondí para que los demás niños no se dieran cuenta.

Redacción creativa

2. Elabora una revista

Familiarízate con el formato de una revista al mirar detenidamente varios ejemplares en la biblioteca. Luego reúnete con tus compañeros y elaboren una revista escolar. Cada estudiante puede presentar una historia, un poema o un artículo. Aquellos a quienes les guste dibujar pueden encargarse de la portada, las ilustraciones, la composición y el diseño.

Hablar y escuchar

3. Desarrolla una escena cómica

Este tipo de escena se puede incluir en una representación teatral. Una escena cómica a veces se improvisa, es decir, se hace sin libreto ni ensayo. Reúnete con un pequeño grupo de compañeros y escojan uno o varios de los encuentros que tuvo el autor con sus críticos. Representen la situación como una escena cómica.

LENGUA Y LITERATURA MINI LECCIÓN

El lenguaje coloquial tiene chispa

Imagina que tienes que explicarle a un(a) compañero(a) que no habla español estas expresiones de Rubén Darío. ¿Cómo lo harías?

Dar calabazas

Creer a puño cerrado

Ponerse de veinticinco alfileres

Sentir un jarro de agua fría o un pisotón en un callo

Tragarse la píldora

Estar frito

Poner los pelos de punta

Todas estas expresiones son propias del **lenguaje coloquial**, el lenguaje que utiliza la mayoría de la gente cuando habla. Está lleno de expresiones cuyo significado todos entendemos y que le dan chispa a lo que decimos. Estas expresiones son **modismos** y muchas veces no tienen sentido en otro idioma.

En la lengua coloquial, hay diferentes estilos de hablar según la ciudad, la edad o la profesión de cada uno. Escucha una conversación entre tus amigos y toma nota de lo que dicen. ¿Qué expresiones usan que no entenderían los mayores?

Al escribir, usa expresiones coloquiales para darle vida a los diálogos. También puedes usar el lenguaje coloquial para darle un tono personal a tu autobiografía.

Inténtalo tú

Ayuda a Katie a expresar en español coloquial estos modismos del inglés:

Cuando vi a Brendan me dijo «*Good luck! Break a leg!*». O sea «Buena suerte, rómpete una pierna». ¿Cómo se pudo atrever después de lo que me hizo? Casi tengo un *cow*. ¡Vaya rabia! Me tuve que contener para no meterme un *foot in my mouth*.

VOCABULARIO LAS PALABRAS SON TUYAS

¡Vaya colmo!

La palabra **colmo** quiere decir el punto extremo de algo. Viene de *colmar*. Es como la última gota en un vaso lleno de agua. ¿Conoces chistes de colmos?

¿Cuál es el colmo de la paciencia?

Meter un zapato en una jaula y esperar a que cante.

Haz chistes de colmos con otras palabras.

Elementos de literatura

Biografías, autobiografías, ensayos y artículos

La literatura que no es de ficción presenta personas y eventos de la vida real. Los escritores usan una variedad de formas para hacerlo, como la biografía, la autobiografía, el ensayo y el artículo.

Los lectores a veces piensan que puesto que la ficción es un «invento», su contraparte debe ser «verdadera». Pero sería más preciso decir que los escritores de ficción se inventan situaciones, mientras que los escritores de obras que no son de ficción basan sus textos en personas y eventos reales.

Autobiografía y biografía

La **autobiografía** es una forma de relato verídico en que el autor describe toda o parte de su vida. El autor de una autobiografía usa el pronombre «yo» para narrar eventos reales y sentimientos personales. *Cuando era puertorriqueña* (página 79) es un ejemplo de este género literario, al igual que *Me llamo Rigoberta Menchú* (página 126) y *Barrio Boy* (página 189).

Una autobiografía completa puede llenar cientos de páginas. En una versión más corta de este género literario llamada **episodio autobiográfico**, el autor enfatiza un solo evento o episodio breve de su vida. Con frecuencia, el propósito de relatar el episodio es expresar una idea o tema principal, así como entretener al lector. Rubén Darío logra ambos objetivos en «Mis primeros versos».

La **biografía** es la historia verdadera de una persona escrita por otra persona. Una descripción breve que ofrece información selecta sobre la vida de una persona se llama **semblanza**.

Por lo general, las autobiografías y biografías se escriben para ser publicadas. Otros géneros literarios más personales pueden ser para un público más reducido o para el propio placer del autor. Este tipo de género literario incluye las **cartas** y los **diarios**.

Los textos en los medios de comunicación

En los medios de comunicación —periódicos, revistas, radio y televisión— se utilizan formas narrativas que no son de ficción. El **artículo de noticia**, por ejemplo, ofrece una descripción verídica de un hecho importante. El propósito del escritor de un artículo de noticia es despertar el interés del lector; esto se logra a menudo con el título y el primer párrafo. Luego, el escritor ofrece información sobre el evento al responder a ciertas preguntas: ¿quién?, ¿qué?, ¿cuándo?, ¿dónde?, ¿por qué? y ¿cómo?

Otros dos géneros utilizados con frecuencia en los medios de comunicación son los artículos de opinión y los ensayos. En un **artículo de opinión**, el autor trata de que los lectores acepten cierto punto de vista o asuman posiciones ante un tema controvertido. En un **ensayo**, el autor analiza un tema desde un punto de vista personal, como en «Fiestas quinceañe-

ras» (página 24). Por lo general, puedes encontrar ensayos en las páginas del periódico dedicadas a las cartas al editor.

Hecho y opinión

Cuando lees artículos es importante distinguir entre hechos y opiniones. Un **hecho** es algo que ha ocurrido o es verídico. Una **opinión** es una declaración que representa un punto de vista o una actitud personal que no se puede comprobar. Por ejemplo, en «Mis primeros versos», el narrador presenta hechos: su edad y el nombre del periódico que publicó sus poemas. También expresa su opinión: que sus «rengloncitos cortos» eran «tan simpáticos».

Los autores de autobiografías, biografías, ensayos y artículos describen situaciones verdaderas e incluyen hechos. Sin embargo, también juzgan y expresan opiniones. Por ejemplo, tanto Rubén Darío como Esmeralda Santiago comparten con el lector sus opiniones y emociones acerca de los hechos que describen en sus escritos autobiográficos.

El arte de narrar

En «Mis primeros versos», Rubén Darío sugiere que un sentimiento intenso no necesariamente constituye buena poesía. Lo cierto es que para escribir buena poesía, al igual que cualquier obra literaria, entran en juego varios elementos. De la misma manera que lo hacen los músicos y los pintores, los escritores necesitan adquirir la destreza que les permitirá expresar sus sentimientos eficazmente. Como los artesanos, los escritores deben familiarizarse con las herramientas y técnicas de su oficio.

Al comparar un relato verídico, un ensayo o un artículo con una obra de ficción como un cuento o una novela, descubrirás que ambos tipos de composición tienen varios elementos en común: **conflicto**, **suspenso**, **ambiente**, **caracterización** y **tema**. Por ejemplo, en «Mis primeros versos» Rubén Darío rápidamente establece un conflicto o una lucha entre dos fuerzas en su descripción de cómo empezó a escribir poesía. En el pasaje de *Cuando era puertorriqueña,* Esmeralda Santiago usa la caracterización cuando describe a sus maestras y a su madre. Ambas narraciones contienen una serie de eventos relacionados que alcanzan un clímax o punto culminante.

Los dos tipos de narraciones incorporan **imágenes sensoriales**: palabras descriptivas que estimulan los cinco sentidos. Los escritores que narran hechos verídicos pueden usar también un **lenguaje figurado**: palabras y frases que no deben tomarse literalmente. La escritura que no es ficción comparte muchas técnicas con otros géneros literarios. Si bien hace hincapié en hechos de la vida real, refleja también la imaginación del autor.

ANTES DE LEER
Primero de secundaria

Punto de partida

Alardear

¿Qué significa «alardear»? ¿Qué motivos tienen las personas para alardear? ¿Qué puede ocurrir cuando lo hacen? Reúnete con un pequeño grupo de compañeros y comenten las respuestas a estas preguntas.

Toma nota

DIARIO DEL LECTOR

Escribe un párrafo sobre una ocasión en la que tú o alguien que tú conoces estaba haciendo alarde de algo. Piensa en las circunstancias que motivaron tu acción o la de la otra persona, y en las consecuencias de tal comportamiento. Es posible que para comenzar te sea útil hacer un diagrama como el que aparece a continuación.

Estrategias para leer

Uso de métodos de comparación y contraste

A medida que leas «Primero de secundaria», es posible que te recuerde «Mis primeros versos». Una manera de entender y apreciar mejor una obra literaria es compararla con una obra que hayas leído antes.

Al comparar dos cosas, notas las semejanzas entre ambas. Cuando contrastas dos cosas, notas las diferencias. A medida que leas «Primero de secundaria», piensa en qué se parece a «Mis primeros versos» y en qué se diferencia.

Situación
Mi fiesta
de cumpleaños.

Alardear
Mi hermanito hizo alarde
de la cantidad enorme de pasteles
que se podía comer.

Consecuencia
Durante el resto del día se sintió mal
e incómodo y estaba que no se podía ni mover.

PRIMERO DE SECUNDARIA

GARY SOTO

El primer día de clases Víctor estuvo parado en una cola media hora antes de llegar a una <u>tambaleante</u> mesa de juegos. Se le entregó un fajo de papeles y una ficha de computadora en la que anotó su única materia optativa: francés. Ya hablaba español e inglés, pero pensaba que algún día quizá viajaría a Francia, donde el clima era frío; no como en Fresno, donde en el verano el calor llegaba hasta 40 grados[1] a la sombra. En Francia había ríos e iglesias enormes y gente con tez clara por todas partes, no como la gente morena que <u>pululaba</u> alrededor de Víctor.

Además, Teresa, una niña que le había gustado desde que habían ido al catecismo juntos en Santa Teresa, iba a tomar francés también. Con algo de suerte estarían en la misma clase. Teresa será mi novia este año, se prometió a sí mismo cuando salía del gimnasio lleno de estudiantes vestidos con sus nuevas ropas de otoño. Era bonita. Y buena para las matemáticas también, pensó Víctor mientras caminaba por el pasillo rumbo a su primera clase. Se topó con su amigo Miguel Torres junto a la fuente de agua que nunca se cerraba.

Se dieron la mano al estilo raza[2] y movieron la cabeza como se hacía en el saludo de vato.[3]

—¿Por qué pones esa cara? —preguntó Víctor.

—No estoy poniendo ninguna cara. Ésta *es* mi cara.

Miguel dijo que su cara había cambiado durante el verano. Había leído una revista de moda masculina que alguien le había prestado a su hermano y había notado que todos los modelos tenían la misma expresión. Aparecían de pie, con un brazo alrededor de una mujer bella y una especie de *mueca*. Aparecían sentados junto a una alberca, con los músculos del estómago delineados de sombras y con una *mueca*. Aparecían sentados a una mesa, con bebidas frescas entre sus manos y una *mueca*.

—Creo que funciona —dijo Miguel. Hizo una mueca y un temblor recorrió su labio superior. Se le veían los dientes y también la ferocidad de su alma—. Hace un rato pasó Belinda Reyes y se me quedó viendo.

Víctor no dijo nada, aunque le pareció que a su amigo se le veía bastante extraño. Hablaron de las películas más recientes, del béisbol, de sus padres y del horror de tener que recolectar uvas a fin de poder comprarse su ropa de otoño. Recolectar uvas era igual a vivir en Siberia,[4] salvo que hacía calor y era más aburrido.

—¿Qué clases vas a tomar? —dijo Miguel con una mueca.

—Francés. ¿Y tú?

—Español. Aunque soy mexicano, no soy muy bueno para el español.

—Yo tampoco, aunque mejor que en matemáticas, te lo aseguro.

Una campana con eco metálico sonó tres veces y los alumnos se movieron hacia sus salones. Los dos amigos dieron un golpe en el brazo del otro y se fueron cada uno por su camino. Qué extraño, pensó Víctor, Miguel cree que por hacer una mueca parece más guapo.

En su camino al salón, Víctor ensayó una mueca. Se sintió ridículo, aunque con el

---

1. **grados:** centígrados.
2. **al estilo raza:** saludarse con una serie de movimientos que grupos de amigos méxicoamericanos han desarrollado y conocen.
3. **saludo de vato:** saludo entre dos amigos íntimos.

4. **Siberia:** Un lugar de Rusia, Siberia es uno de los lugares más fríos de la Tierra donde algunos prisioneros cumplían sus sentencias.

ADUÉÑATE DE ESTAS PALABRAS

tambaleante *adj.*: inestable, que se mueve.
pululaba, de **pulular** *v.*: abundar.
mueca *f.*: gesto o expresión del rostro.

---

rabillo del ojo vio que una niña lo miraba. Ah, pensó, quizá sí funcione. Hizo una mueca aún más marcada.

En la clase se pasó lista, se entregaron las fichas de emergencia y se repartió un boletín para que lo llevaran a casa a sus padres. El director, el señor Beltrán, habló por el altavoz y dio la bienvenida a los alumnos a un nuevo año, a nuevas experiencias y a nuevas amistades. Los alumnos se movieron nerviosamente en sus asientos y lo ignoraron. Estaban ansiosos de irse a su siguiente clase. Víctor, sentado tranquilamente, pensaba en Teresa, que estaba a dos filas de distancia leyendo una novela de bolsillo. Éste sería un año de suerte. Ella estaba en su clase de la mañana y probablemente estaría en sus clases de inglés y matemáticas. Y, claro, de francés.

Sonó la campana de la primera clase, y los alumnos se amontonaron ruidosamente en la puerta. Sólo Teresa se demoró, pues se quedó hablando con la maestra.

—¿Entonces cree que debo hablar con la señora Guzmán? —le preguntó a la maestra—. ¿Ella sabe algo de danza?

—Sería la persona adecuada —dijo la maestra. Luego añadió—: O la maestra de gimnasia, la señora Garza.

Víctor esperó, con la cabeza agachada, mirando fijamente el escritorio. Quería salir al mismo tiempo que Teresa para toparse con ella y decirle algo ingenioso.

La miró de reojo. Cuando Teresa se dispuso a salir, él se levantó y corrió hacia la puerta, donde logró atraer su atención. Ella sonrió.

—Hola, Víctor —dijo.

Él le sonrió a su vez y repuso:

—Sí, así me llamo.

Su cara morena se sonrojó. ¿Por qué no dijo «Hola, Teresa»? o «¿Qué tal estuvo el verano?» o alguna cosa agradable.

Teresa se fue por el pasillo. Víctor tomó la dirección opuesta y se volteó a verla, fascinado con su forma tan graciosa de caminar, un pie delante del otro. Ahí terminó lo de tomar clases juntos, pensó. Mientras se dirigía lentamente a su clase de inglés practicó la mueca.

En la clase de inglés repasaron los elementos de la oración. El señor Lucas, un hombre corpulento, se movió con torpeza entre los asientos y preguntó:

—¿Qué es un sustantivo?

—El nombre de una persona, lugar o cosa —dijo la clase al unísono.

—Bueno, ahora alguien que me dé un ejemplo de persona. Usted, Víctor Rodríguez.

—Teresa —dijo Víctor sin pensar.

Algunas de las niñas se rieron. Sabían que le gustaba Teresa. Sintió que se volvía a sonrojar.

—Correcto —dijo el señor Lucas—. Ahora quiero un ejemplo de lugar.

El señor Lucas escogió a un niño pecoso que contestó:

—La casa de Teresa con una cocina llena de hermanos mayores.

Después de la clase de inglés, Víctor tenía la de matemáticas, materia en la que estaba fallando más. Se sentó hacia atrás, cerca de la ventana, con la esperanza de que no se le preguntara nada. Víctor entendía la mayor parte de los problemas, pero con otros tenía la impresión de que la maestra los inventaba conforme iba avanzando. Era confuso, como el interior de un reloj.

Después de la clase de matemáticas tuvo un descanso de quince minutos; luego la clase de ciencias sociales y, finalmente, el recreo. Compró un guisado de atún, unos bollos con mantequilla, una ensalada de frutas y leche. Se sentó con Miguel, que ensayaba la mueca entre cada mordida.

Las muchachas pasaban a su lado y se le quedaban viendo.

- -

ADUÉÑATE DE ESTAS PALABRAS

al unísono *expresión adverbial:* a coro, al mismo tiempo, simultáneamente.

- -

—¿Ves lo que quiero decir? —Miguel hizo la mueca—. Les encanta.

—Sí, supongo.

Comieron lentamente mientras Víctor escudriñaba el horizonte en busca de Teresa. No la vio. Seguramente trajo su propio almuerzo, pensó, y está comiendo afuera. Víctor limpió su plato y abandonó a Miguel, que le hacía una mueca a una muchacha a dos mesas de distancia.

El patio triangular y pequeño de la escuela bullía con estudiantes que hablaban de sus nuevas clases. Todo el mundo estaba de buen humor. Víctor se apresuró hacia la zona donde comían los alumnos que habían traído sus propios almuerzos y se sentó y abrió su libro de matemáticas. Movió los labios como si leyera, pero pensaba en otra cosa. Levantó la vista y miró a su alrededor. No estaba Teresa.

Bajó la vista y fingió que estudiaba; luego se volvió lentamente hacia la izquierda. No estaba Teresa. Pasó una página del libro y miró fijamente unos problemas de matemáticas que le causaban temor, pues sabía que tarde o temprano los tendría que resolver. Miró hacia la derecha. Aún no aparecía Teresa. Se estiró perezosamente con la intención de disimular su curiosidad.

Fue entonces cuando la vio. Estaba sentada con una amiga bajo un ciruelo. Víctor se pasó a una mesa cerca de ella y se puso a soñar en que la invitaría al cine. Cuando sonó la campana, Teresa levantó la vista y sus ojos se encontraron con los de Víctor. Sonrió con dulzura y recogió sus libros. Su próxima clase era francés, igual que Víctor.

Fueron de los últimos alumnos en llegar al salón, por lo cual todos los buenos escritorios de atrás ya estaban ocupados. Víctor tuvo que sentarse hacia el frente, a unos cuantos escritorios de Teresa; mientras tanto, el señor Bueller escribía palabras francesas en el pizarrón. La campana sonó, y el señor Bueller se limpió las manos, se volvió hacia la clase y dijo:

—*Bonjour*.

ADUÉÑATE DE ESTAS PALABRAS

escudriñaba, de **escudriñar** *v.*: examinar, mirar intensamente.
bullía, de **bullir** *v.*: mover(se), agitar(se).
fingió, de **fingir** *v.*: disimular, aparentar o engañar.

—*Bonjour* —dijeron valientemente algunos alumnos.

—*Bonjour* —susurró Víctor. Se preguntó si Teresa lo habría oído.

El señor Bueller dijo que si los alumnos estudiaban mucho, al final del año podrían ir a Francia y comunicarse con la población.

Un niño levantó la mano y preguntó:

—¿Qué es población?

—La gente, la gente de Francia.

El señor Bueller preguntó si alguien sabía francés. Víctor levantó la mano, pues deseaba impresionar a Teresa. El maestro se puso feliz y dijo:

—*Très bien. Parlez-vous français?*

Víctor no supo qué decir. El maestro se pasó la lengua por los labios y dijo algo más en francés. La clase guardó silencio. Víctor sintió cómo lo miraban todos. Intentó salir del aprieto haciendo ruidos que sonaban a francés.

—*La me vavá con le gra* —dijo con inseguridad.

El señor Bueller arrugó la cara con un gesto de curiosidad y le pidió que hablara más fuerte.

Enormes rosales rojos florecieron en las mejillas de Víctor. Un río de sudor nervioso le recorrió las palmas. Se sentía muy mal. Teresa, sentada a unos cuantos escritorios de distancia, seguramente estaba pensando que Víctor era un tonto.

Sin ver al señor Bueller, Víctor balbuceó:

—*Francé oh sisí gagá en septiembré.*

El señor Bueller le pidió a Víctor que repitiera lo que había dicho.

—*Francé oh sisí gagá en septiembré* —repitió Víctor.

El señor Bueller se dio cuenta de que el niño no sabía francés y miró hacia otro lado. Caminó al pizarrón y con su regla de acero señaló las palabras escritas allí.

—*Le bateau* —cantó.

—*Le bateau* —repitieron los alumnos.

—*Le bateau est sur l'eau* —cantó.

—*Le bateau est sur l'eau.*

Víctor estaba demasiado debilitado por el fracaso como para participar con el resto de la clase. Miró el pizarrón fijamente y deseó haber tomado español y no francés. Mejor aún, deseó poder empezar su vida de nuevo. Nunca se había sentido tan avergonzado. Se mordió el pulgar hasta arrancarse un jirón de piel.

La campana sonó para la siguiente clase, y Víctor salió velozmente del salón tratando de evitar las miradas de los otros niños, pero tuvo que regresar por su libro de matemáticas. Miró con vergüenza al profesor, que borraba el pizarrón, y luego abrió los ojos aterrorizado al ver a Teresa parada en frente de él.

—No sabía que supieras francés —dijo—. Estuvo bien.

El señor Bueller miró a Víctor, que a su vez miró al profesor. Ah, por favor no diga nada, rogó Víctor con sus ojos. Le lavaré su coche, le cortaré su pasto, sacaré a pasear a su perro: ¡cualquier cosa! Seré su mejor alumno y limpiaré sus borradores después de las clases.

El señor Bueller removió los papeles en su escritorio. Sonrió y tarareó al tiempo que se sentaba a trabajar. Recordó su época universitaria cuando salía con su novia en coches prestados. Ella pensaba que era rico porque siempre que la recogía traía un coche diferente. Fue divertido hasta que gastó todo su dinero en ella y tuvo que escribirles a sus padres porque se había quedado sin un centavo.

Víctor no podía mirar a Teresa. Estaba sudoroso a causa de la vergüenza.

—Sí, bueno, aprendí un poco viendo películas y libros y cosas así.

Salieron del salón juntos. Teresa le preguntó si la ayudaría con su francés.

ADUÉÑATE DE ESTAS PALABRAS

susurró, de **susurrar** *v.*: murmurar, hablar en secreto, hablar en voz muy baja.

jirón *m.*: pedazo, trozo, tira pequeña.

tarareó, de **tararear** *v.*: «cantar» una melodía o canción con la boca cerrada.

—Sí, cuando quieras.

—No te molestaría, ¿o sí?

—En lo absoluto, a mí me gusta que me molesten.

—*Bonjour* —dijo Teresa, y se metió a su siguiente clase, dejando a Víctor afuera. Sonrió y apartó los mechones de pelo de su cara.

—Sí, claro, *bonjour* —dijo Víctor.

Se dio la vuelta y caminó rumbo a su siguiente clase. Los rosales de vergüenza en su cara se convirtieron en ramilletes de amor. Teresa es una gran muchacha, pensó. Y el señor Bueller es un buen tipo.

Corrió al taller de estructuras metálicas. Después del taller vino la biología y después de la biología un viaje veloz a la biblioteca pública, donde sacó tres libros de francés.

Le iba a gustar primero de secundaria.

—Traducción de Tedi López Mills

CONOCE AL ESCRITOR

Gary Soto (1952–   ) que nació y creció en Fresno, California, tiene recuerdos muy gratos de su infancia; disfrutaba explorar, jugar y vivir en el seno de una familia alegre y con cinco niños. Estos recuerdos han sido la base de gran parte de su narrativa.

La vida de Soto cambió cuando, siendo aún estudiante de secundaria, descubrió lo que era la poesía. Refiriéndose a aquella época nos dice: «Leía todo lo que caía en mis manos y ese amor por la lectura fue el que me impulsó a tratar de escribir». A Soto le gustaba especialmente la poesía contemporánea y su autor favorito era Pablo Neruda.

Soto ha escrito cerca de veinte libros de relatos, poemas y ensayos, y dos novelas. Es famoso por sus libros autobiográficos *Living up the Street* (1985) y *Béisbol en abril* (en inglés, 1990), al que pertenece «Primero de secundaria».

En la narrativa de Soto ha influido en gran manera la clase obrera méxicoamericana con la que creció. Soto ha dicho en alguna ocasión: «Escribo porque esas personas entre las que me crié y trabajé no saben cómo hacerlo. Sólo tengo que pensar en aquel obrero de la fábrica con el que trabajé en L.A. o en el desdentado campesino al lado de quien cavaba en el campo a las afueras de Fresno... ellos lo son todo.»

De 1979 a 1993, Soto trabajó como profesor de inglés en la Universidad de California en Berkeley, donde vive con su familia y dedica la mayor parte de su tiempo a escribir.

CREA SIGNIFICADOS

• ## Primeras impresiones

1. ¿Cómo habrías reaccionado tú si hubieras estado en el lugar de Víctor y el señor Bueller te hubiera pedido que repitieras lo que dijiste?

Interpretaciones del texto

2. ¿Qué motivos tiene Víctor para estudiar francés? ¿En qué se parecen esos motivos a los motivos de Miguel para hacer muecas?

3. ¿Por qué crees que las niñas miran a Miguel cuando hace muecas?

4. ¿Por qué el señor Bueller no dice nada cuando se da cuenta de que Víctor no habla francés?

> ### Repaso del texto
>
> a. ¿Por qué decide Víctor estudiar francés?
>
> b. ¿Por qué Miguel hace muecas?
>
> c. ¿Qué hacen Víctor y Miguel a fin de ganar dinero para comprar ropa de otoño?
>
> d. ¿Por qué se queda Víctor en el aula después de que suena la campana?

Conexiones con el texto

5. ¿Has hecho alguna vez algo tonto para tratar de impresionar a alguien, como Víctor hace para impresionar a Teresa?

Más allá del texto

6. Víctor espera algún día viajar a Francia. ¿Qué país te gustaría visitar si tuvieras la oportunidad? Además de aprender el idioma, ¿qué otra cosa harías para prepararte para el viaje?

Opciones: Prepara tu portafolio

1. Compilación de ideas para un episodio autobiográfico

Tanto este texto como el anterior tratan de las primeras experiencias en la vida de una persona joven: el primer intento de escribir poesía y el primer día del primer año de la secundaria. Escribe comentarios sobre una de tus primeras experiencias: por ejemplo, la primera vez que practicaste un deporte o tocaste un instrumento musical o la primera vez que tuviste que hablar en público. Trata de que tus comentarios sean específicos y detallados.

> Aprendiendo a andar en bicicleta —pensé que nunca aprendería. Mi papá corría detrás de mí sosteniéndome.
> —Una tarde mientras pedaleaba me di cuenta de que mi padre había quedado atrás y yo estaba andando sin ayuda.

Redacción creativa

2. Otra versión

En «Primero de secundaria», ves los eventos desde el punto de vista de Víctor. Intenta ver la historia desde el punto de vista de otro de los personajes. Elige uno de los demás personajes: Teresa, Miguel o el señor Bueller. Identifícate con ese personaje y vuelve a escribir parte de la historia desde su punto de vista. Cuenta lo que ese personaje piensa y siente con respecto a Víctor.

Hablar y escuchar

3. Aprender frases en otro idioma

Los libros de frases en otros idiomas son muy populares entre la gente que piensa viajar al extranjero. Este tipo de libros contiene frases de uso cotidiano como «Encantado de conocerlo» y «¿Cuánto cuesta?» Generalmente se incluye la pronunciación correcta de las frases. Saca un libro de frases en otro idioma de tu biblioteca local. Aprende a decir algunas de las expresiones que aparecen en el libro y luego enséñales esas frases a tus compañeros.

Arte

4. Un folleto de viaje

En «Primero de secundaria», Víctor dice que le gustaría visitar Francia, por sus ríos, sus grandes iglesias y su clima fresco. Busca información sobre algún país que te gustaría visitar. Averigua cómo son su clima, su paisaje y sus lugares de interés. Usa la información para ilustrar un pequeño folleto de viajes. Muestra tu folleto a la clase.

ESTRATEGIAS PARA LEER

Uso de métodos de comparación y contraste

Al comparar algo, buscas semejanzas. En cambio cuando contrastas, buscas las diferencias. Una manera de comprender y apreciar mejor un texto es establecer comparaciones y contrastes con otra obra literaria.

Para decidir si dos textos son apropiados para compararlos y contrastarlos, busca los elementos que éstos tengan en común.

- **Argumento:** ¿Se parecen de alguna manera los eventos de las historias?

- **Personajes:** ¿Tienen algo en común los personajes?

- **Conflicto:** ¿Se enfrentan los personajes a problemas similares?

- **Tema:** ¿Están los textos tratando de enseñar la misma lección?

«Mis primeros versos» y «Primero de secundaria» son dos buenas lecturas para comparar y contrastarlas. Ambas se refieren a muchachos que hacen cosas tontas por amor. A medida que compares estos relatos, hazte las siguientes preguntas.

1. ¿Qué propósito en común comparten Víctor y el narrador de «Mis primeros versos»?

2. ¿Qué hace cada joven para alcanzar su meta?

3. ¿En qué se diferencian los jóvenes en cuanto a personalidad y temperamento?

4. ¿Qué error comete cada uno de ellos? ¿Qué consecuencias tiene para cada uno?

5. En cada texto, ¿qué papel desempeñan los demás personajes?

6. ¿Cómo se resuelven finalmente los problemas de los dos jóvenes?

Piensa en qué se parecen y en qué se diferencian «Mis primeros versos» y «Primero de secundaria». Puede serte útil organizar tus observaciones en un cuadro como el que se muestra a continuación:

«Mis primeros versos»	«Primero de secundaria»
Semejanzas	
El personaje principal es un joven de 14 años.	El personaje principal es un joven de primer año de secundaria.
Al estar enamorado de una joven, el narrador escribe versos que resultan malos.	Víctor se comporta tontamente en clase porque está enamorado de una muchacha.
El narrador quiere que sus amigos lo admiren.	Víctor está preocupado por la opinión de los demás.
_____	_____
_____	_____
_____	_____
Diferencias	
El narrador es seguro de sí mismo, orgulloso e independiente.	Víctor es inseguro.
El episodio no tiene un final feliz para el narrador.	El episodio tiene un final feliz para Víctor.
_____	_____
_____	_____
_____	_____

FIESTAS
QUINCEAÑERAS

Rolando Hinojosa-Smith

Yo contaba con trece años y era demasiado bajo para andar bailando con una chica de quince, pero se trataba de su presentación a la sociedad. Era, pues, su <u>agasajo</u> como quinceañera. Esto tomó lugar en los años cuarenta, en Mercedes, Texas, en el Valle del Río Grande, donde las fiestas para las quinceañeras eran de rigor. Yo era uno de los chambelanes[1] y mi pareja y yo formábamos una de las catorce

1. **chambelanes:** En una fiesta de quinceañera o boda, son los acompañantes de las damas de honor.

parejas en la corte de honor de la quinceañera. Ella, y su pareja, sumaban a quince, es decir, una pareja por cada año de vida.

Las fiestas para las quinceañeras son algo desconocido para muchos angloamericanos ya que las fiestas forman parte de la cultura mexicana y de los hispanoparlantes de los Estados Unidos. Son, en parte, algo parecidas a una boda o a una fiesta de *bas mitzvah* para las chicas judías. La chica lleva un vestido largo y blanco con velo a lo novia, los padres y amigos de la familia gastan sus buenos dólares para que haya comida y música, y todo empieza con una misa en la iglesia de la parroquia. En fin, la fiesta de quinceañera señala la entrada de la muchacha al estado de señorita.

Dos años más tarde, y yo cumpliendo con mi deber social, mis padres me llevaron a Brownsville para mi segundo encuentro con otra quinceañera. Esta fiesta, igual que la primera, era lo que se dice «muy mexicana» y, como Brownsville era una ciudad más bien grande, la fiesta también era más <u>ostentosa</u>.

Para empezar, se formaron las filas de los chambelanes con las damas y luego vino la quinceañera con su chambelán a la cabeza. La orquesta tocó una marcha aparatosa y las quince parejas pasamos en desfile alrededor de la sala de baile del hotel El Jardín. En la sala, adornada con papel de china y con ramos de flores, había un proyector de luz que apuntaba hacia la quinceañera y su chambelán. Después del desfile general, la quinceañera bailó primero con su padre mientras nosotros rodeábamos la sala. Al bajarse las luces, entramos, chambelanes y damas, para acompañar a la agasajada y a su padre.

Entrada la noche y nosotros rumbo a Mercedes, mi padre me explicó que eso de las quince-

---

ADUÉÑATE DE ESTAS PALABRAS

agasajo *m.*: honor, atención y detalle que se le presta a alguien.

ostentosa, -so *adj.*: aparatosa, lujosa, que se nota.

---

añeras era algo traído al Valle desde México. Según él, las quinceañeras también se celebraban en partes de Sudamérica y que bien podía ser que esas fiestas provenían de España. En el Valle, según mi padre, las familias «muy mexicanas» eran aquellas que celebraban tales fiestas. Esas familias llevaban una, quizás dos, generaciones en los Estados Unidos y por consiguiente mantenían fuerte la tradición de quinceañera.

Hoy en día, las fiestas de quinceañera son más grandes, de más lujo. Muchas veces empiezan con una misa solemne seguida de una recepción, luego viene la cena formal y el baile de presentación. En vez de un trío musical, muchas veces se alquilan dos orquestas, cada una con un contrato señalando tanto el número de piezas como el tipo de música que se ha de tocar. Y, en vez de un vestido hecho en casa, la chica lleva un vestido más o menos lujoso ya que esto depende de lo que la familia pueda gastar en esos casos. Bien pueden asistir unas mil personas, y es de notarse que los periódicos del Valle informan sobre el vestuario de los invitados así como pasan lista de los invitados que provienen dentro y fuera del Valle que hicieron acto de presencia.

Debido a lo mucho que una fiesta puede costar, el papel de los padrinos y las madrinas es ahora más importante que antes. En vez de que los padres tengan que pagar por todo, las fiestas quinceañeras se han convertido en un esfuerzo colectivo.

Y así tiene que ser. Tomando en cuenta que muchas familias del Valle ganan un promedio de doce mil dólares por año, el papel de los padrinos es de suma importancia ya que los gastos bien pueden llegar a ser cinco mil dólares. Debido al costo, hay padrinos y madrinas para lo que se preste: el vestido, el sombrero, los guantes, los anillos, los zapatos, el velo, el pastel, el cuchillo del pastel y las flores. Además, el gasto de las orquestas, los fotógrafos, la misa y cualquier gasto que pudiera surgir inesperadamente. En verdad, la fiesta es algo único, pero ¿qué pasa si el matrimonio llegara a tener tres hijas?

Para eso ahora hay negocios y proveedores de comida que se especializan en fiestas quinceañeras y el costo se puede arreglar con préstamos a las familias. El costo se debe a la vieja costumbre de echar la casa por la ventana y no dar lugar al «qué dirá la gente» por falta de bastante comida, refrescos, etcétera. A veces, a la orquesta se le paga doble para que siga tocando y en ese momento el dinero no importa. Cabe decir que también entra la competencia entre familias para ver si el compadre o la comadre tal hace una fiesta tan buena como *ésta*.

Ahora vivo en Austin, y noto que la comunidad méxicoamericana profesional, aunque viva lejos del Valle, mantiene en gran parte esas raíces del Valle y del Sur de Texas aunque haciendo ciertos ajustes. La clase profesional bien puede invitar al sacerdote de la parroquia a casa para un almuerzo discreto y formal. La fiesta de fin de semana es más chica, sí, pero también más lujosa, y si el dinero alcanza, la quinceañera se va de viaje ese fin de semana con unos amigos, y todo a costo de la familia.

En las ciudades de Houston y Dallas, las fiestas son muy parecidas ya que muchas familias que allí radican son «muy mexicanas». Y, como es de esperar, en San Antonio, las cuatro tiendas *La Feria* anuncian que llevan un vestuario bastante surtido para las fiestas de quinceañera. Ahora bien, en la ciudad de El Paso, muchos texanos compran sus vestidos festivos en Juárez, Chihuahua, México, donde el surtido es mucho más grande y variado. Al cruzar el Río Grande (en México se le llama el Río Bravo), son pocas las diferencias ya que las fiestas fueron exportadas por ese país. En México sucede lo mismo que en este país, es decir, cuanto más dinero tenga la familia, más se ha de gastar. Además, también existe la presión social de que hay que gastar el dinero y por eso a veces se gasta demasiado. Esto bien puede verse en todas las clases sociales.

¿Y cuándo empezó todo esto? Tengo en mano una invitación de lo más elaborada y vistosa que incluye un retrato de una quinceañera en 1929 (ahora esa quinceañera es la abuela), una foto del 1951 (la madre de la agasajada) y la presente de 1979 con la foto de la actual quinceañera. En otras páginas se incluye el árbol genealógico de la quinceañera con fotos de su nacimiento, bautizo, primera comunión y en varios trajes de bailarina. La invitación (consta de ocho páginas) también incluye los nombres de los chambelanes y las damas. Una nota en la penúltima página dice que hay que presentar la invitación a la entrada del hotel para asistir a la recepción, a la cena y, como debe esperarse, al baile. En la última página se pueden leer unos versos escritos por un poeta, amigo del abuelo, y dedicados a la quinceañera.

¿Y adónde irá a parar tanto gasto? No se sabe, pero ¿por qué hay que dejarse de gastos? Como decimos en el Valle, esas fiestas dan gusto a todos, y, bien visto, con los vestidos haciéndose cada año más y más caros, y más parecidos a los vestidos de novia, ¿por qué no ahorrarse el gasto de otro vestido?

¿Bailamos?

CONOCE AL ESCRITOR

A **Rolando Hinojosa-Smith** (1929–   ), educador de profesión y ganador de varios premios como escritor, se le relaciona estrechamente con la cultura méxico-americana de Texas y del suroeste de los Estados Unidos. Hinojosa-Smith nació en Mercedes, Texas, un pueblo en el valle del Río Grande. Fue educado en el seno de una familia bilingüe aunque el español era el idioma que hablaban con más frecuencia.

Hinojosa-Smith se dio cuenta de que tenía un don especial para la escritura cuando, siendo estudiante de secundaria, ganó un premio de redacción con dos ensayos sobre la vida en Mercedes. Tras acabar los estudios de enseñanza media, Hinojosa-Smith se alistó en el ejército de los Estados Unidos. También fue alumno de la Universidad de Texas en Austin, donde estudió historia y literatura española. Asimismo fue profesor pero pronto prefirió otros trabajos que le dejaran más tiempo para escribir; luego terminó sus estudios para doctorarse en literatura española por la Universidad de Illinois. En la actualidad ocupa la cátedra Ellen Clayton Garwood de inglés en la Universidad de Texas.

Hinojosa-Smith es considerado como uno de los narradores más importantes dentro de la literatura contemporánea méxicoamericana. Entre sus muchas obras publicadas se encuentran *Estampas del Valle y otras obras* (1976), *Klail City y sus alrededores* (1976), que es su título más conocido, y *Becky and Her Friends* (1990). Él mismo ha traducido al inglés algunos de sus libros.

En la obra de Hinojosa-Smith se nos muestra cómo la gente méxicoamericana a lo largo del Río Grande hace frente a la herencia de sus dos culturas.

El maíz y otros alimentos de los latinoamericanos

ACTIVIDADES PARA EMPEZAR

¿Cuál es tu comida favorita? Pídele a tus familiares o busca en un libro de cocina la receta de tu plato casero favorito. Trae la receta a la clase y compártela con tus compañeros. Di si alguna vez has preparado este plato.

Mujeres zunil de Quetzaltenango, Guatemala, deshojando maíz.

El maíz, regalo de los dioses

De todos los principales alimentos de los indígenas del hemisferio occidental —el maíz, los frijoles, los chiles y la calabaza— el maíz ha sido a lo largo de la historia el más importante. Hace alrededor de 5.000 años, en el Valle de Tehuacán en el sur de México, se descubrió que el maíz seco podía almacenarse. Puede decirse que este descubrimiento fue un factor vital para el desarrollo de la civilización, ya que produjo el establecimiento de comunidades en localidades permanentes.

Tan importante como la capacidad de almacenar el maíz era su preparación. Los indígenas de América Central hervían los granos de maíz en una mezcla de agua y cal. Luego, con dos utensilios de piedra —un molino llamado **metate** y una piedra llamada **mano**— molían la mezcla, llamada **nixtamal**, hasta convertirla en una masa sin levadura que sería el ingrediente principal de las tortillas y los tamales.

En todo este proceso la cal era el elemento fundamental para una alimentación apropiada. El maíz no procesado no contiene niacina, la cual es una vitamina esencial; al cocinarlo con cal —o con cenizas, como lo hacían los indígenas de América del Norte— se restituye un balance apropiado de elementos nutritivos. El hallazgo de técnicas apropiadas de preparación de alimentos hizo posible la vida sedentaria. A través de Centro y Sudamérica, el maíz se convirtió en el alimento más importante en la dieta de los mayas, los aztecas y los incas.

El maíz no se conoció en Europa hasta el final del siglo XV, cuando Colón y otros exploradores lo llevaron a su regreso del Nuevo Mundo. Para el siglo XVI, los indígenas habían logrado aprovechar más de 200 variedades de maíz para el uso doméstico. Hoy en día, el maíz es uno de los cuatro cultivos de mayor importancia mundial (los otros son el trigo, el arroz y las papas).

Códice florentino de México (hacia 1540) que muestra a mujeres aztecas sirviendo maíz. Un códice es un libro manuscrito antiguo procedente de la Biblia, literatura clásica o documentos históricos.

Laurie Platt Winfrey.

Los habitantes nativos de Norte y Sudamérica también contaron a los primeros exploradores muchos mitos, leyendas y cuentos populares sobre el maíz. Según el *Popol Vuh*, la epopeya de la creación maya quiché, los dioses hicieron varios tipos de criaturas. Luego, crearon hombres con la masa de maíz. Una leyenda boliviana cuenta que una hermosa doncella llamada Maiza Chojclu fue víctima de una guerra absurda entre su pueblo, los charcas, y sus enemigos, los chayantas. Cuando las lágrimas de su esposo regaron la tierra de su sepultura, una planta de maíz, regalo de los dioses, creció allí. Estas tradiciones sagradas del maíz y el lazo tan estrecho entre el maíz y la humanidad aparecen también en una extraordinaria novela moderna del escritor guatemalteco Miguel Ángel Asturias: *Hombres de maíz* (1949). Asturias ganó el Premio Nobel de Literatura en 1967.

Otras comidas de los latinoamericanos

Las comidas de los latinoamericanos se han ido haciendo cada vez más populares en los Estados Unidos. Los restaurantes de comida rápida venden tacos, burritos y fajitas a las personas ajetreadas y con prisa. El guacamole, las quesadillas y las empanadas se disfrutan como entremeses en todo el país. La salsa picante es actualmente el condimento más popular en los Estados Unidos. En San Antonio, Texas, donde dicen haber creado el chile con carne, ¡los cocineros todavía discuten si deben ponerle carne a este plato!

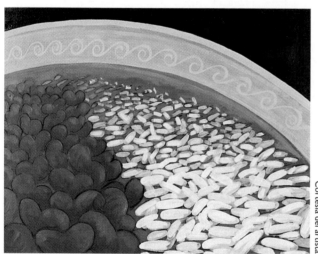

Arroz con habichuelas (1974) de Carmelo Sobrino. Acrílico sobre masonite (30" X 36").

Cortesía del artista.

Algunas comidas se asocian con ciertas fiestas. Por ejemplo, la sopa espesa llamada **pozole** y la **birria** asada son especialidades que se sirven usualmente el día de la Independencia de México, el 16 de septiembre. Durante ese día, verás a veces **tostadas** cubiertas con cebollas, tomates y aguacates. Esto se debe a que el verde, el blanco y el rojo son los colores de la bandera mexicana.

Mujeres de Santa Catarina Palopó, Guatemala,
moliendo maíz para hacer tortillas.

ACTIVIDADES DE CIERRE

1. Crea un anuncio de revista para tu plato favorito. Usa dibujos o fotografías. Inventa un eslogan ingenioso que invite a las personas a comer o comprar esta comida.

2. Investiga qué platos pueden hacerse con maíz. Consulta libros de cocina y otras fuentes de referencias. También podrías entrevistar a tus amigos, familiares y vecinos. Comparte tus hallazgos con la clase.

3. Algunas comidas especiales son una parte importante de la celebración de ciertos días de fiesta. Muchas de estas comidas tienen significados simbólicos porque se asocian con ideas o sucesos tradicionales. Trabaja con un grupo pequeño para hacer una lista de estas comidas especiales. Indiquen en qué días de fiesta se comen. Deben estar preparados para explicar por qué cada comida se sirve tradicionalmente en esa fiesta.

4. Barbara McClintock ganó el Premio Nobel de Medicina en 1983 por su trabajo en la genética, que es la rama de la biología que se ocupa de la herencia y las variaciones en los animales y las plantas. Ve a la biblioteca e investiga más sobre McClintock. ¿Qué importancia tuvo el análisis de granos de maíz para su investigación? Presenta un informe oral ante la clase con los resultados de tu investigación.

Bazurto (1988) de Ana Mercedes Hoyos.
Óleo sobre lienzo (1.20 x 1.20 cm).
Courtesy of the Galería Alfred Wild, Bogotá.

Taller del escritor

Tarea
Escribe un episodio autobiográfico.

LA NARRACIÓN

EPISODIO AUTOBIOGRÁFICO

Un **episodio autobiográfico** es una historia personal en la cual narras un evento de tu vida y explicas lo que ese evento significó para ti. Escribir sobre un acontecimiento importante en tu vida es una buena manera de entender tus pensamientos y sentimientos.

Antes de escribir

1. Cuaderno del escritor

TRABAJO EN CURSO

Piensa en ideas para tu episodio autobiográfico al revisar las notas que has escrito en tu CUADERNO DEL ESCRITOR. A medida que pienses sobre posibles temas, hazte las siguientes preguntas:

- ¿Con qué claridad recuerdo la experiencia?
- ¿Estoy dispuesto a compartir la experiencia con otros?
- ¿Qué aprendí de la experiencia?

2. Ordena tus ideas

Para desarrollar más ideas, haz un cuadro como el que se muestra a continuación. ¿Qué asociaciones de ideas haces al leer las palabras que encabezan cada columna? (Puedes usar otros apuntes si te ayuda.)

Comidas	Música	Deportes	Ropa	Automóviles

3. Escritura libre

Si todavía no has pensado en un tema, trata de escribir libremente sobre uno de estos temas: mascotas, actividades favoritas, días feriados, momentos bochornosos, proyectos y sueños. Cuando

Escritura libre
Aprendí una valiosa lección cuando Carlos, mi mejor amigo, me llevó a las canchas de Riverside Park y me dijo que en dos semanas iba a convertirme en un jugador de tenis. Esto ocurrió un sábado por la mañana durante un soleado día de junio. Sólo una vez había tenido una raqueta de tenis en las manos. No había duda de que iba a hacer el ridículo...

The history
of the written
word is rich and

Page 1

Había una vez

termines, vuelve a leer tu texto y marca con un círculo las partes que
puedas desarrollar en un episodio autobiográfico.

4. Objetivo y público

Una vez que encuentres un tema interesante, piensa en el **objetivo**
y en tu **público**. En un episodio autobiográfico, tu objetivo es
contar una experiencia y explicar el significado que tuvo para ti.
Trata de resumir este significado en una o dos oraciones. Para
hacer hincapié en el significado del episodio, hazte estas preguntas:

- ¿Qué pensé y sentí durante el acontecimiento?

- ¿Cómo era yo antes de la experiencia?

- ¿En qué he cambiado como resultado de esta experiencia?

Es probable que tu público se componga de tus compañeros de
clase, tu maestro(a) y un pequeño grupo de familiares y amigos.
Apunta comentarios para responder a estas preguntas:

- ¿Cómo puedo captar la atención de mi público desde un
  principio?

- ¿Qué información adicional necesitarán mis lectores?
  (Recuerda que tu público probablemente no fue testigo de
  los eventos que describes.)

5. Compilación de datos

Empieza a juntar datos para tu texto. Es posible que desees
enumerar los datos en un cuadro como el que se muestra a
continuación.

Tema para un episodio autobiográfico

«Ten confianza en ti mismo,
y te sorprenderá lo que eres
capaz de hacer». Ésa fue la
lección que aprendí cuando
Carlos, mi mejor amigo, me
enseñó a jugar al tenis.

Datos para un episodio autobiográfico			
Personajes	Acontecimiento	Lugar	Pensamientos/ Sentimientos

Esquema para un episodio autobiográfico

I. Introducción
   A. Capta la atención del lector.
   B. Da los antecedentes del relato.
II. Cuerpo
   Cuenta los acontecimientos en el orden en que sucedieron, con información sobre personas, lugares y pensamientos o sentimientos.
III. Conclusión
   A. Explica las consecuencias.
   B. Muestra el sentido de la experiencia.

Pautas de escritura

Las palabras de enlace ayudan al lector a seguir la exposición de datos e ideas.

primero	mientras
después	más tarde
antes	cuando
ya	posteriormente
luego	repentinamente
finalmente	entre tanto

Trata de que tu diálogo suene natural: como habla la gente en la vida real. Asimismo, usa verbos para mostrar cómo habla una persona: por ejemplo, se rio, se quejó, susurró, murmuró, discutió.

El borrador
1. Organización

En esta etapa del proceso de escritura, concéntrate en anotar tus ideas y no tanto en la ortografía y en el estilo. A medida que escribas, trata de seguir un esquema como se indica a la izquierda.

2. Relaciona ideas

Usa una **secuencia de tiempo** para contar los eventos de tu episodio autobiográfico en el orden en que ocurrieron. Relaciona tus ideas usando algunas de las palabras de enlace que se proponen a la izquierda. Cuando escribas, presta especial atención a los tiempos de los verbos. Asegúrate de usar los tiempos de una manera lógica y consistente.

3. Desarrollo

Usa diálogos para lograr un relato más gráfico, o describe las palabras exactas que usaron las personas que participaron en el episodio. Compara estos ejemplos:

Lo primero que me enseñó Carlos fue a sostener la raqueta correctamente.	«Sostén la raqueta como si le estuvieras dando la mano a alguien», dijo Carlos mientras me mostraba cómo sostenerla correctamente.

También puedes lograr que el relato de tu experiencia sea más interesante y real si usas imágenes específicas que se refieren a los sentidos: vista, oído, sabor, olor y tacto. Compara estos ejemplos:

Al final de nuestra primera lección, sentía mi brazo pesado y adolorido.	Sentía como si mi brazo derecho hubiera sido el perdedor en la lucha del juego de la cuerda contra un elefante.

Evaluación y revisión
1. Intercambio entre compañeros

Reúnete con un pequeño grupo de compañeros y lean por turno los borradores en voz alta. Después de cada lectura debe haber tiempo suficiente para que los miembros del grupo completen una o más de las oraciones siguientes:

• Mi parte favorita del episodio fue...

• Me interesaba saber más sobre...

• Quería saber cómo te sentías cuando...

- Entiendo por qué este episodio fue tan importante para ti, porque...

A medida que escuches las preguntas y comentarios de tus compañeros, anota las ideas que te gustaría agregar, sacar o cambiar de orden.

2. Autoevaluación

Usa las pautas siguientes para revisar tu texto. Agrega o quita datos o cambia el orden de los mismos. Haz cualquier otro cambio necesario en la estructura u organización.

Pautas de evaluación

1. ¿Capto la atención del público lector desde el comienzo?
2. ¿Están claros los antecedentes?
3. ¿He narrado los eventos en orden cronológico?
4. ¿He usado detalles gráficos que dan vida a mi relato?
5. ¿He incluido mis pensamientos y sentimientos?
6. ¿Están bien definidos el significado y las consecuencias del episodio?

Técnicas de revisión

1. Empieza con un diálogo o con una oración más impactante.
2. Agrega los datos necesarios.
3. Cambia la secuencia de los eventos.
4. Agrega imágenes que se refieran a los sentidos.
5. Agrega datos específicos sobre tus reacciones.
6. Revisa tu conclusión para hacerla más específica y personal.

Compara las dos versiones siguientes de la introducción de un episodio autobiográfico.

MODELOS

Borrador 1

Carlos, mi mejor amigo, estaba seguro de que me podía enseñar a jugar al tenis si yo dejaba que él me diera lecciones. Yo estaba seguro que nunca aprendería a jugar. La única vez que había intentado jugar, nunca le pegaba a la pelota o siempre la mandaba al lugar equivocado.

Evaluación: Este párrafo ofrece información de fondo, pero el autor no usa diálogo ni imágenes para dar vida a la historia.

Estímulos para la evaluación
- Mi parte favorita del episodio fue...
- Me interesaba saber más sobre...
- Quería saber cómo te sentías cuando...
- Entiendo por qué este episodio fue tan importante para ti, porque...

Borrador 2

«Dame una hora por día durante dos semanas, ¡y te lo demostraré!» exclamó Carlos girando la cabeza. Íbamos en bicicleta una clara y soleada mañana de junio hacia las canchas de tenis en Riverside Park. Lo que mi mejor amigo quería probar era que me podía convertir en un jugador de tenis si tomaba lecciones con él. Yo tenía pocas esperanzas. La única vez que había tratado de jugar, sentí que mis brazos eran molinos y que mis piernas daban volteretas.

Evaluación: Mejor. El autor capta la atención del público con una línea de diálogo al principio. Luego el párrafo ofrece información de fondo y establece el argumento del relato.

Corrección de pruebas

Intercambia relatos con un(a) compañero(a) y lee su episodio autobiográfico cuidadosamente, marcando errores gramaticales, de ortografía y puntuación.

Publicación

Éstas son algunas de las maneras en que puedes publicar o compartir tu episodio autobiográfico:

- Lee tu relato en voz alta a tus familiares o amigos.
- Ilustra tu relato con dibujos o fotografías y conviértelo en la base para un álbum de recuerdos.
- Reúnete con algunos compañeros para organizar una representación teatral de tu episodio autobiográfico para otros estudiantes.

Reflexión

Escribe una breve reflexión sobre tu experiencia mientras trabajabas en este episodio autobiográfico. Tal vez quieras terminar una o dos de las oraciones iniciales que aparecen a la izquierda.

Estímulos para la reflexión
- La técnica más útil para encontrar un tema fue... porque...
- Me gustó escribir sobre mis propios pensamientos y sentimientos porque...
- Escribir me demostró que soy bueno para.... pero necesito más práctica en....
- Si tuviera que hacer otra tarea como ésta, escribiría sobre aquella ocasión....

EL LENGUAJE ES UN CÓDIGO

En un libro viejo que sacas de la biblioteca te encuentras este mensaje:

SOPORTO NO MIGUEL SABIO MUCHACHA ESTA QUE MÁS EN CALABAZAS DÉ ME DE MUERO ME CLASE SU CONTEMPLAR AL AMOR EN VERSOS MIS BELLEZA SUFRIDO HAN CALAVERA LA CÓMO VERGONZOSO FIN UN TRECE NÚMERO EL DETESTO TE REVISTA ESA DE AYUDA Y CONSEJO PIDE RUBÉN AMIGO DESESPERADO TU

¿Será posible? ¿Qué dirá exactamente?

Para entender lo que dicen las palabras, hace falta un **orden**. La clave para descifrar el mensaje es seguir este orden: pon una raya entre cada cuatro palabras y luego lee cada grupo empezando por la última palabra. Inténtalo con un compañero. ¿Qué le aconsejarías a Rubén?

Rubén no ha puntuado el mensaje. Pon signos de puntuación. Los signos de **puntuación** también nos ayudan a entender las oraciones.

1. Los **puntos** separan las oraciones. Gracias a los puntos se sabe qué palabras van en cada oración. ¿Qué palabras en el mensaje podrían ir al final de una oración o al principio de la siguiente?

2. Las **comas** separan partes de una oración. ¿Hay algún sitio donde se puede o no poner una coma? ¿Por qué?

3. Los signos de **exclamación** o **interrogación** indican que empieza una exclamación o una pregunta. Al ver uno de estos signos, se cambia la entonación. ¿Dónde se pueden colocar signos de exclamación en el mensaje?

¿Qué otros signos de puntuación conoces? ¿Para qué se utilizan? Consulta la GUÍA DEL LENGUAJE si no te acuerdas bien.

Al revisar tu trabajo:

Intercambia trabajos con un(a) compañero(a). Tu compañero(a) debe leer tu trabajo en voz alta y grabarlo. Luego, escucha su grabación. ¿Ha leído algo distinto a como tú querías? ¿Se ha atascado en la lectura? Revisa estas partes de tu trabajo y piensa si la puntuación ha sido el motivo de la dificultad. Comenta con tu compañero(a) los problemas que ha experimentado al leer el trabajo en voz alta.

Guía del lenguaje

Ver Puntuación, pág. 349.

Inténtalo tú

Las cartas tienen una puntuación especial. También siguen un orden particular los renglones. Convierte el mensaje en una carta, siguiendo el formato de la carta en el MANUAL DE COMUNICACIÓN (página 337).

COLECCIÓN 2

Grandes hazañas

Punto de partida

Hazañas

¿Qué es para ti una «hazaña»? Lo que sabes de hazañas, ¿lo has aprendido en libros, en películas o por experiencia propia?

Antes de leer el cuento que sigue, tal vez te sea útil hacer un diagrama en forma de escalera, como el que aparece abajo. Escribe en la parte superior del diagrama algo que te gustaría lograr, y en los escalones inferiores, los nombres de las personas que podrían ayudarte o las tareas que tendrías que realizar para alcanzar tu objetivo.

ser piloto de aviación
recibir entrenamiento de un piloto con experiencia
aprender a pilotar aviones
alistarse en el ejército
ir a la universidad
terminar la escuela secundaria
aprobar los cursos

Toma nota

Escribe tres ejemplos de hazañas. Escoge tus ejemplos de obras literarias, películas o de tu propia experiencia.

Diálogo con el texto

Normalmente, a partir de los primeros párrafos de un cuento, podemos hacernos una idea de lo que va a suceder a continuación. Las observaciones de un lector aparecen junto a los párrafos iniciales de «Rikki-tikki-tavi».

Telón de fondo

¿Macho o hembra?

Como ya sabes, en español un nombre puede ser del género masculino o femenino. En inglés, el idioma en el que originalmente fue escrita esta historia, los nombres no poseen género. Rikki-tikki-tavi es un *mongoose,* y no hay duda en el contexto de la versión original de que es una mangosta macho. Por lo tanto, cuando leas la historia, debes tener en cuenta que los pronombres que hacen referencia a Rikki-tikki a veces son femeninos porque la palabra «mangosta» es femenina.

Elementos de literatura

Caracterización

Si disfrutamos leer relatos sobre hazañas, es en parte porque nos hemos interesado por los personajes. Después de conocer a estos personajes, sentimos curiosidad por saber cómo se desenvuelven en situaciones difíciles o cómo reaccionan ante los problemas que se les presentan.

La **caracterización** es la técnica que utiliza el autor de un relato para dar vida a sus personajes. La caracterización puede ser **directa** o **indirecta**. Es directa cuando el autor le cuenta al lector cómo es el personaje. Es indirecta cuando el carácter del personaje se conoce por medio de sus propias palabras y acciones, o de lo que otros personajes dicen sobre él o ella. En muchos casos, el autor utiliza una combinación de ambos métodos.

> La **caracterización** es la técnica por la cual cobran vida los personajes de una obra literaria.
>
> *Para más información sobre la caracterización, ver la página 65 y el GLOSARIO DE TÉRMINOS LITERARIOS.*

RIKKI-TIKKI-TAVI

Rudyard Kipling

Esta es la historia de la gran guerra que Rikki-tikki-tavi libró en solitario por los cuartos de baño del gran bungalow[1] del acuartelamiento de Segowlee.[2] Darzee, el pájaro tejedor, le prestó ayuda, y Chuchundra, la rata almizclera,[3] que nunca pasa por el centro de una habitación, sino que camina a hurtadillas[4] pegado a las paredes, le ofreció sus consejos; pero fue Rikki-tikki el que libró todos los combates.

Era una mangosta, un animal parecido a un gato en la piel y la cola, pero más como una comadreja[5] por la forma de la cabeza y las costumbres. Sus ojos y la punta de su siempre inquieta naricilla eran rosas; era capaz de rascarse donde quisiera con cualquiera de las patas, delantera o trasera; podía hinchar la cola hasta hacerla parecer un cepillo de los que se usan para limpiar botellas y el grito de guerra que lanzaba cuando correteaba por la larga hierba era:

—¡*Rikk-tikk-tikki-tikki-tchk!*

Un buen día, una gran riada estival[6] lo arrancó de la madriguera en la que vivía con su padre y con su madre, y lo llevó, entre pataleos y chasquidos con la lengua, hasta la cuneta del camino. Allí se topó contra una pequeña mata de hierba y se agarró hasta desmayarse. Cuando despertó, se encontró embarrado de arriba abajo y tendido bajo el cálido sol en mitad de la senda de un jardín. En ese mismo instante, a su lado había un niño pequeño que decía:

—Ahí hay una mangosta muerta. Celebraremos su funeral.

—No —dijo su madre—; vamos a llevárnosla adentro a secarla. A lo mejor no está muerta del todo.

Lo llevaron a la casa y un hombretón lo cogió entre dos dedos y dijo que no estaba muerto, aunque sí medio ahogado; de modo que lo envolvieron entre algodones, lo calentaron junto a un pequeño fuego y abrió los ojos y estornudó.

1. **bungalow:** casa de un piso.
2. **acuartelamiento de Segowlee:** base militar en Segowlee, India.
3. **rata almizclera:** mamífero roedor.
4. **a hurtadillas:** silenciosamente y con mucho cuidado para no ser notado.
5. **comadreja:** mamífero carnívoro nocturno de unos 25 cm de largo. Tiene cabeza pequeña, patas cortas y pelo de color café rojizo.
6. **riada estival:** inundación que ocurre por las lluvias torrenciales del verano.

—Y ahora —dijo el hombretón, que era un inglés que acababa de mudarse al bungalow— no la asustéis[7] y vamos a ver lo que hace.

Asustar a una mangosta es probablemente la cosa más difícil del mundo, pues la curiosidad las corroe de punta a rabo. El lema de toda la familia de las mangostas es «Corre a enterarte», y Riki-tikki era una mangosta como es debido. Examinó el algodón, decidió que no era comestible, corrió alrededor de toda la mesa, se sentó erguida y se aseó el pelo, se rascó y, finalmente, saltó al hombro del niño pequeño.

—No te asustes, Teddy —le dijo su padre—. Ésa es su manera de decirte que quiere ser tu amiga.

—¡Ay! Me está haciendo cosquillas debajo de la barbilla —dijo Teddy.

Rikki-tikki echó una ojeada entre la camisa y el cuello del niño, le olisqueó la oreja y descendió hasta el suelo, donde se quedó sentado frotándose la nariz.

—¡Cielo santo! —exclamó la madre de Teddy—, ¡y ésa es una criatura salvaje! Supongo que es tan dócil porque hemos sido buenos con ella.

—Todas las mangostas son así —le dijo su marido—; si Teddy no la coge de la cola, ni intenta meterla en una jaula, se pasará todo el día entrando y saliendo de la casa. Vamos a darle algo de comer.

Le dieron un trocito de carne cruda. A Rikki-tikki le gustó muchísimo, y una vez que acabó de comer salió al porche y se sentó al sol, hinchando el pelo para que se le secara hasta la raíz. Aquello lo hizo sentirse mucho mejor.

—Hay más cosas de las que enterarse en esta casa —se dijo a sí mismo— de las que toda mi familia podría enterarse en todas sus vidas. No hay duda de que debo quedarme a enterarme de todo.

Se pasó todo ese día rondando por la casa.

Casi se ahogó en las bañeras, metió el hocico en el tintero de un escritorio y luego se lo quemó con la brasa de un puro que fumaba el hombretón —esto fue cuando se subió a su regazo para ver cómo se hacía eso de escribir—. Al anochecer entró corriendo en el cuarto de Teddy para saber cómo se encendían las lámparas de petróleo, y cuando Teddy se metió en la cama, Rikki-tikki trepó detrás, pero resultó ser una compañía muy inquieta, porque se pasó toda la noche levantándose ante el menor ruido para enterarse de dónde venía. Los padres de Teddy entraron en el cuarto a última hora para echarle un vistazo a su hijo y Rikki-tikki estaba despierto sobre la almohada.

—No me gusta eso —dijo la madre de Teddy—; podría morder al niño.

—Nunca lo haría —dijo el padre—. Con ese animalillo a su lado, Teddy está más seguro que si lo vigilara un sabueso. Si una serpiente entrase en la habitación en este momento...

Pero la madre de Teddy se negaba a pensar siquiera en algo tan espantoso.

A primera hora de la mañana Rikki-tikki se presentó a un desayuno temprano subido al hombro de Teddy. Le dieron un plátano y trocitos de huevo duro y se sentó en todos los regazos, uno detrás de otro, porque todas las mangostas bien educadas albergan siempre la esperanza de convertirse algún día en una mangosta casera para tener muchas habitaciones por las que corretear; y la madre de Rikki-tikki (que había vivido en Segowlee, en la casa del general) se había preocupado de decirle bien a Rikki-tikki todo lo que tenía que hacer si alguna vez su camino se cruzaba con el de los hombres blancos.

Después, Rikki-tikki salió al jardín para ver lo que hubiera que ver. Era un jardín grande,

---

7. **asustéis:** de asustarse. Forma de «vosotros», el plural de «tú» que se usa en la mayor parte de España, pero casi no se usa en Latinoamérica. Se encuentra a lo largo de esta historia.

ADUÉÑATE DE ESTAS PALABRAS

lema *f.*: frase característica de un grupo o de una institución.

erguida, -do *adj.*: vertical, derecha; levantada.

sabueso *m.*: perro guardián, perro detective.

---

cuidado sólo a medias, con rosales de Mariscal Niel tan grandes como glorietas, tilos, naranjos, matas de bambú y zonas llenas de hierba alta. Rikki-tikki se relamió los labios.

—He aquí un maravilloso territorio de caza —se dijo.

Y la cola se le hinchó como un cepillo sólo de pensarlo. Correteó de un lado a otro por el jardín, olisqueando aquí y allá, hasta que oyó unas voces muy tristes que venían de un espino. Eran Darzee, el pájaro tejedor, y su esposa. Habían construido un hermoso nido uniendo dos hojas y cosiéndolas con fibras por los bordes, tras lo cual habían rellenado el hueco con algodón y una pelusilla parecida al plumón. El nido se balanceaba de adelante para atrás mientras ellos estaban sentados en el borde llorando.

—¿Qué sucede? —preguntó Rikki-tikki.

—Somos muy desgraciados —dijo Darzee—. Uno de nuestros pequeños se cayó del nido ayer y Nag se lo comió.

—¡Umm! —exclamó Rikki-tikki—, eso es ciertamente muy triste... pero yo soy forastero aquí. ¿Quién es Nag?

Darzee y su esposa se encogieron en el nido en lugar de responder, pues de la tupida hierba que había al pie del arbusto brotó un suave siseo —un sonido gélido y horrible que hizo que Rikki-tikki diera un salto de medio metro hacia atrás—. Luego, centímetro a centímetro, de la hierba fue saliendo la cabeza y la capucha desplegada de Nag, la gran cobra negra, que medía metro y medio de la lengua a la cola. Cuando hubo levantado un tercio del cuerpo por encima del suelo, comenzó a balancearse de adelante para atrás exactamente como una mata de dientes de león se mece al viento y dirigió su mirada hacia Rikki-tikki con esos ojos malvados de serpiente que nunca cambian de expresión sea lo que sea lo que piense en ese momento.

—¿Quién es Nag? —repitió—. *Yo* soy Nag. El gran Dios Brahma[8] impuso su marca a todo

nuestro pueblo cuando la primera de las cobras desplegó su capucha para resguardar a Brahma del sol mientras dormía. ¡Mírame y tiembla!

Extendió su capucha más aún que antes y Rikki-tikki vio la marca de los anteojos sobre el dorso, una señal que es exactamente igual que la hembra de un corchete[9] para la ropa. Rikki-tikki pasó miedo durante unos instantes, pero es imposible que una mangosta esté asustada mucho tiempo seguido, y, aunque Rikki-tikki nunca se había topado antes con una cobra viva, su madre lo alimentaba con cobras muertas y sabía que la única ocupación que tiene en la vida una mangosta adulta es la de combatir y devorar a las serpientes. Nag lo sabía también y, en el fondo de su frío corazón, tenía miedo.

—En fin —dijo Rikki-tikki, que comenzó a hinchar la cola de nuevo—, por muchas marcas que tengas, ¿te parece bonito comerte a la crías de un nido?

Nag reflexionaba y vigilaba cuidadosamente hasta el más mínimo movimiento que hubiera en la hierba, detrás de Rikki-tikki. Sabía que una mangosta en el jardín significaría su muerte y la de su familia más tarde o más temprano; pero quería coger a Rikki-tikki desprevenido. Así que dejó caer un poco la cabeza y la echó a un lado.

—Eso es discutible —dijo—. Tú comes huevos. ¿Por qué no había yo de comer pájaros?

—¡Detrás de ti! ¡Mira detrás de ti! —chilló Darzee.

Rikki-tikki era demasiado listo para perder el tiempo mirando. Dio un salto tan alto como pudo en el aire y, justo por debajo de él, pasó como una flecha la cabeza de Nagaina, la malvada esposa de Nag. Se había arrastrado a hurtadillas hasta ponerse a su espalda mientras hablaba, con la intención de poner fin a sus

9. **hembra de un corchete:** una de las dos partes de un broche para ropa.

8. **Dios Brahma:** dios creador de los hindúes.

ADUÉÑATE DE ESTAS PALABRAS
tupida, -do *adj.*: abundante, densa.
desprevenido, -da *adj.*: por sorpresa.

---

días. Rikki-tikki oyó el siseo feroz que lanzó al fallar el golpe. Entonces, casi cayó sobre su lomo y, de haber sido una mangosta adulta, habría sabido que aquél era el momento de partirle el espinazo de un mordisco, pero tenía miedo del terrible latigazo que puede propinar una cobra con la cola. Le dio un buen mordisco, por supuesto, pero no aguantó el tiempo suficiente y se apartó de un salto de aquella cola que se agitaba violentamente, dejando a Nagaina desgarrada y furiosa.

—¡Darzee, eres un malvado, un verdadero malvado! —exclamó Nag, dando un latigazo todo lo alto que podía hacia el nido del espino; pero Darzee lo había construido fuera del alcance de las serpientes, por lo que lo único que ésta logró fue balancearlo de un lado a otro.

Rikki-tikki notó que los ojos se le ponían rojos y le ardían (cuando a una mangosta se le enrojecen los ojos es que se ha puesto furiosa); se sentó sobre la cola y las piernas traseras, como lo haría un canguro pequeño, y dirigió la mirada a su alrededor emitiendo todo tipo de ruiditos <u>iracundos</u>. Pero Nag y Nagaina se habían desvanecido entre la hierba. Cuando una serpiente falla el golpe, nunca dice nada ni da ninguna pista de lo que va hacer después. Rikki-tikki no tenía ni la más mínima intención de seguirlas, porque no tenía ninguna seguridad de poder enfrentarse a dos serpientes a la vez. Así que se alejó trotando por el sendero de gravilla que <u>dis-curría</u> cerca de la casa y se sentó a meditar. La situación era muy seria desde su punto de vista. Si leéis los libros viejos de historia natural descubriréis que dicen que cuando la mangosta lucha contra la serpiente y resulta mordida, huye corriendo a comer unas hierbas con las que se cura. Pero no es verdad. La victoria es sólo cuestión de rapidez de reflejos y de vista —el golpe de la serpiente contra el salto de la mangosta— y, dado que ningún ojo es capaz de seguir los movimientos de la cabeza de la serpiente cuando ésta se lanza, la situación es mucho más maravillosa que si se tratara de una cuestión de

hierbas mágicas. Rikki-tikki era consciente de ser una mangosta joven y por eso le complacía aún más habérselas arreglado para evitar un golpe desde atrás. Aquello le daba confianza en sí mismo, y cuando Teddy bajó corriendo por el sendero, Rikki-tikki estaba dispuesto a que lo mimaran un poco. Pero justo cuando Teddy estaba agachándose para cogerlo, una criatura se retorció en el suelo y una vocecita dijo:

—¡Cuidado, soy la Muerte!

Se trataba de Karait, la culebra diminuta de color pardo, a la que le gusta tumbarse entre el polvo y cuya mordedura es tan peligrosa como la de las cobras. Pero es tan pequeña que nadie le da ninguna importancia, con lo cual resulta aún más <u>dañina</u> para las personas.

La mirada de Rikki-tikki volvió a adquirir un tono rojizo y avanzó <u>contoneándose</u> hacia Karait con ese movimiento pendular que había heredado de su familia. Es un andar graciosísimo, pero, al mismo tiempo, es tan equilibrado que permite abalanzarse desde el ángulo que uno elija; y cuando te tienes que enfrentar a una serpiente eso constituye una ventaja. Lo que Rikki-tikki no sabía es que lo que iba a hacer ahora era mucho más peligroso que luchar contra Nag, porque Karait es tan pequeña y puede girar tan rápido que, a menos que Rikki-tikki lo pudiera morder muy cerca de la parte posterior de la cabeza, podría devolverle el golpe en un ojo o en un labio. Pero Rikki-tikki ignoraba eso: tenía la mirada completamente enrojecida y se contoneaba para atrás y adelante, buscando el punto adecuado sobre el que hacer presa. Karait lanzó su golpe. Rikki saltó a un lado e intentó abalanzarse a su vez, pero aquella malvada cabecita polvorienta y

---

ADUÉÑATE DE ESTAS PALABRAS

iracundo, -da *adj.*: furioso, que tiene mucha rabia o enojo.

discurría, de **discurrir** *v.*: pasar.

dañina, -no *adj.*: peligrosa, destructiva.

contoneándose, de **contonearse** *v.*: moverse de un lado a otro, como los péndulos.

---

gris saltó como impulsada por un resorte, pasando a milímetros de su hombro, por lo que tuvo que saltar por encima de su cuerpo con la peligrosa cabeza pegada a sus talones.

Teddy gritó en dirección a la casa:

—¡Venid a ver! Nuestra mangosta está matando a una serpiente.

Y Rikki-tikki pudo oír el chillido de la madre de Teddy. Su padre salió corriendo con un palo en la mano, pero para cuando llegó, Karait ya había cometido un ligero error de cálculo y Rikki-tikki la había esquivado, saltando sobre su lomo, agachando la cabeza al máximo entre las patas delanteras y propinando un mordisco lo más arriba que pudo del lomo, para luego apartarse rodando. La mordedura paralizó a Karait, y Rikki-tikki estaba a punto de comérsela comenzando por la cola, según las costumbres de su familia, cuando recordó que una comida pesada hace más lentas a las mangostas y que si quería disponer de toda su rapidez y fuerzas tendría que seguir tan delgado como estaba. Así que se alejó a darse un baño de polvo bajo los arbustos de ricino,[10] mientras el padre de Teddy golpeaba con el palo a una Karait que ya estaba muerta.

«No sé para qué hace eso —pensó Rikki-tikki—; yo ya le había dado su merecido.»

Luego, la madre de Teddy lo levantó del suelo y lo acarició, mientras gritaba que había salvado a Teddy de la muerte, y el padre de Teddy dijo que había sido como la Providencia, mientras Teddy los contemplaba con los ojos muy abiertos del susto. A Rikki-tikki le divertía todo aquel jaleo, que, por supuesto, no comprendía. En lo que a él se refería, la madre de Teddy podría haber estado mimando a Teddy por jugar con la tierra. Rikki se lo estaba pasando en grande.

Aquella noche, a la hora de la cena, mientras caminaba de un lado a otro entre las copas de vino, podría haberse llenado tantas veces como quisiera de cosas buenas, pero se acordó

10. **ricino:** árbol del cual se extrae un aceite purgante.

de Nag y Nagaina, y, aunque era muy agradable que la madre de Teddy lo acariciara y mimase, así como sentarse en el hombro de Teddy, los ojos se le seguían poniendo rojos de vez en cuando, mientras lanzaba su largo grito de guerra:

—*¡Rikk-tikk-tikki-tikki-tchk!*

Teddy se lo llevó consigo a la cama e insistió en que Rikki-tikki durmiera bajo su barbilla. La mangosta estaba demasiado bien educada para morderlo o arañarlo, pero tan pronto como se durmió Teddy, se marchó a hacer su ronda nocturna por toda la casa, y en plena oscuridad se topó con Chuchundra, la rata almizclera, que se arrastraba pegada a la pared. Chuchundra es un animalillo que tiene un vivir desconsolado. Se pasa las noches gimoteando y balbuciendo, mientras trata de reunir el valor necesario para ir hasta el centro de la habitación, pero nunca lo hace.

—No me mates —dijo Chuchundra, casi entre sollozos—. ¡Rikki-tikki, no me mates!

—¿Es que te has creído que un cazador de serpientes mata ratas almizcleras? —le dijo Rikki-tikki en tono burlón.

—Los que a las serpientes matan, por las serpientes mueren —dijo Chuchundra, con voz aún más triste—. ¿Y cómo voy a estar seguro de que Nag no me va a confundir contigo una de estas noches oscuras?

—No existe el menor peligro de que pase eso —dijo Rikki-tikki—; y, además, Nag está en el jardín y sé que tú no lo frecuentas.

—Mi primo, Chua, la rata, me ha dicho... —empezó a decir Chuchundra, que se calló de repente.

—¿Qué te ha dicho?

—*¡Chist!* Nag está en todas partes, Rikki-tikki. Deberías haber hablado con Chua en el jardín.

—Bueno, pues no lo hice... así que me lo

tendrás que decir tú. ¡Y rápido, Chuchundra, o te morderé!

Chuchundra se dejó caer y lloró hasta que las lágrimas se le <u>derramaron</u> por los bigotes.

—Soy muy desgraciado —sollozó—. Nunca he reunido el valor necesario para ir corriendo hasta el centro de la habitación. ¡*Chist!* No debo decirte nada. ¿Es que no lo oyes, Rikki-tikki?

Rikki-tikki aguzó el oído. En la casa reinaba un silencio absoluto, pero le pareció oír un *crach-crach* muy, muy débil —un ruido tan apagado como el de una avispa caminando sobre un cristal—, el seco *crach-crach* que hacen las escamas de una serpiente al pasar por encima de los ladrillos.

—Ahí está Nag o Nagaina —se dijo a sí mismo—; y está introduciéndose por el desagüe del baño. Tenías razón, Chuchundra, debería haber hablado con Chua.

Echó a correr hacia el cuarto de baño de Teddy, pero allí no había nada, y luego se dirigió al de la habitación de la madre de Teddy. En la parte inferior de la lisa pared de yeso faltaba un ladrillo que habían sacado para hacer el desagüe de la bañera, y cuando Rikki-tikki pasó silenciosamente junto al arco de mampostería[11] en el que estaba metida la bañera, oyó a Nag y Nagaina cuchichear fuera, bajo la luz de la luna.

—Cuando la casa se quede vacía —le dijo Nagaina a su marido—, *él* no tendrá más remedio que irse, y entonces el jardín volverá a ser nuestro. Entra sin hacer ruido y recuerda que el hombretón que mató a Karait es el primero al que tienes que morder. Luego, vuelve aquí a contármelo todo y nos iremos a cazar a Rikki-tikki los dos juntos.

—¿Pero estás segura de que saldremos beneficiados si matamos a las personas? —preguntó Nag.

—Completamente. ¿Había alguna mangosta en el jardín cuando no había gente en el bungalow? Mientras el bungalow esté vacío, seremos el rey y la reina del jardín, y recuerda que en cuanto rompan los huevos que tenemos en el melonar (y eso puede suceder mañana mismo), nuestros hijos necesitarán espacio y tranquilidad.

—No había pensado en eso —dijo Nag—. Lo haré, pero no hay necesidad de ir a buscar a Rikki-tikki después. Mataré al hombretón y a su mujer, y al niño si puedo, y luego regresaré silenciosamente. Entonces, el bungalow se quedará vacío y Rikki-tikki se tendrá que marchar.

A Rikki-tikki le entró un cosquilleo de odio y rabia al oírlas. Entonces, la cabeza de Nag atravesó el desagüe y su metro y medio de frío cuerpo pasó detrás. A pesar de lo furioso que estaba, Rikki-tikki se asustó muchísimo al ver el tamaño que tenía aquella enorme cobra. Nag se enroscó, levantó la cabeza y examinó el cuarto de baño, que estaba sumido en la oscuridad, pero Rikki-tikki podía ver cómo le brillaban los ojos.

—Veamos; si lo mato aquí, Nagaina se enterará, y si peleo contra él en un espacio abierto, la ventaja estará de su parte. ¿Qué puedo hacer? —se preguntó Riki-tikki-tavi.

Nag se balanceó de un lado a otro, y luego, Rikki-tikki lo oyó beber de la jarra de agua más grande de las que se usaban para llenar la bañera.

—Está buena —dijo la serpiente—. Veamos; cuando mataron a Karait, el hombretón llevaba un palo. Tal vez siga teniéndolo consigo, pero cuando venga a bañarse por la mañana, no lo llevará. Lo esperaré aquí hasta que venga. Nagaina... ¿me oyes?... Lo esperaré aquí, al fresco, hasta que se haga de día.

No se oyó ninguna respuesta desde fuera, por lo que Rikki-tikki supo que Nagaina se había marchado. Nag se enroscó, un anillo detrás de

---

11. **mampostería:** construcción hecha con bloques de piedra u otros materiales que se superponen sin cemento o pegamento.

ADUÉÑATE DE ESTAS PALABRAS
derramaron, de **derramar,** v.: echar sobre una superficie; correr, fluir.

otro, alrededor de la <u>protuberancia</u> de la base de la jarra, y Rikki-tikki se quedó quieto como una estatua. Pasada una hora, comenzó a moverse, músculo a músculo, hacia la jarra. Nag estaba dormido y Rikki-tikki examinó aquella gran espalda, preguntándose cuál sería el mejor punto para darle un buen mordisco.

—Si no le parto el espinazo del primer salto —dijo Rikki—, podrá seguir luchando; y si sigue luchando... ¡Ay de ti, Rikki!

Examinó el grosor que tenía el cuello bajo la capucha, pero era excesivo para su capacidad, mientras que un mordisco junto a la cola sólo serviría para que Nag se pusiera verdaderamente furioso.

—Tendrá que ser en la cabeza —se dijo finalmente—; en la cabeza, por encima de la capucha; y, una vez ahí, no debo soltarme por nada del mundo.

Y entonces dio el salto. La cabeza reposaba muy cerca de la jarra, justo bajo la curva que describía en la base, y cuando hizo presa con

los dientes, Rikki apoyó la espalda contra aquella protuberancia de arcilla roja para poder inmovilizar la cabeza. Eso le permitió hacer palanca[12] durante apenas un segundo, pero lo aprovechó al máximo. Luego, se vio sacudido de un lado a otro como si fuera una rata en poder de un perro: a derecha e izquierda sobre el suelo, arriba y abajo, y girando en amplios círculos, pero tenía la mirada roja y aguantó al tiempo que aquel cuerpo se convulsionaba dando latigazos por toda la habitación, hasta tirar el cacillo de ho-

12. **hacer palanca:** utilizar una barra sólida que se apoya en un punto y sirve para mover un peso relativamente grande.

jalata de echar el agua, la jabonera y el cepillo de baño, que chocaron contra el reborde de cobre de la bañera. Sin dejar de agarrarse, Rikki-tikki iba hundiendo los dientes cada vez más y más, porque estaba convencido de que iba a morir a golpes, pero, por el honor de su familia, prefería que lo encontraran con los dientes clavados hasta el fondo. Sentía mareos, mil punzadas[13] y creía que ya se había roto todo lo que se pudiera romper cuando oyó una especie de trueno a su espalda: una oleada de aire caliente lo dejó sin sentido y un fuego rojo le quemó la piel. El escándalo había despertado al hombretón, que había vaciado los dos cargadores de una escopeta justo detrás de la capucha de Nag.

Rikki-tikki siguió aguantando con los ojos cerrados, porque ahora estaba seguro del todo de que estaba muerto; pero la cabeza no se movía y el hombretón la recogió y dijo:

—Es la mangosta de nuevo, Alice: esta criaturilla nos ha salvado a *nosotros* esta vez.

En ese momento entró la madre de Teddy con el rostro muy blanco y vio los restos de Nag. Rikki-tikki, por su parte, se arrastró como pudo hasta llegar a la habitación de Teddy y pasó la mitad de lo que quedaba de noche examinándose tiernamente para enterarse de si realmente se había roto por mil sitios distintos, tal como se imaginaba.

Cuando llegó la mañana, casi no podía moverse, pero se sentía muy satisfecho consigo mismo.

—Ahora me falta saldar las cuentas con Nagaina, que va a ser peor que cinco Nags juntos, eso sin contar con que no hay forma de saber cuándo romperán los huevos de los que habló anoche. ¡Cielo santo! Debo ir a hablar con Darzee —se dijo.

13. **punzada:** dolor agudo y repentino que suele repetirse a intervalos.

ADUÉÑATE DE ESTAS PALABRAS

saldar *v.*: pagar o liquidar una cuenta; arreglar una situación.

Sin esperar al desayuno, Rikki-tikki se fue corriendo al espino, en el cual estaba Darzee entonando una canción triunfal a voz en grito. La noticia de la muerte de Nag se había extendido ya por todo el jardín, pues el barrendero había arrojado el cuerpo al estercolero.[14]

—¡Eres un montón de plumas estúpido! —exclamó Rikki-tikki con enfado—. ¿Te parece que éste es momento de ponerse a cantar?

—¡Nag está muerto... está muerto... está muerto! —cantaba Darzee—. El valiente Rikki-tikki lo agarró por la cabeza y no se soltó. ¡El hombretón trajo su palo de fuego y Nag cayó partido en dos mitades! ¡No se comerá a mis pequeños nunca más!

—Todo eso es muy cierto, pero ¿dónde está Nagaina? —dijo Rikki-tikki, siempre mirando con cuidado a su alrededor.

—Nagaina fue al desagüe del baño y llamó a Nag —continuó diciendo Darzee—, pero Nag salió montado sobre el extremo de un palo... el barrendero lo recogió con el extremo de un palo y lo tiró al estercolero por malo. ¡Cantemos las hazañas del gran Rikki-tikki de ojos rojos! —y Darzee hinchó la garganta y cantó.

—¡Si pudiera trepar hasta tu nido, tiraría al suelo a todos tus pequeños! —exclamó Rikki-tikki—. Parece que no sabes que hay un momento para cada cosa. Tú estás bien a salvo en tu nido, ahí arriba, pero yo estoy librando una guerra acá abajo. Para de cantar un momento, Darzee.

—Por respeto al gran, al maravilloso Rikki-tikki, dejaré de cantar —dijo Darzee—. ¿Qué quieres, justiciero de Nag el Terrible?

—Por tercera vez, ¿dónde está Nagaina?

—En el estercolero, junto a los establos, llorando la muerte de Nag. ¡Qué grande es Rikki-tikki, el de los dientes blancos!

—¡Olvídate de mis dientes blancos! ¿No te has enterado de dónde guarda sus huevos?

—En el melonar, en el extremo más cercano al muro, donde pega el sol casi durante el día

entero. Hace semanas que los escondió allí.

—¿Y nunca te pareció que valiese la pena decírmelo? ¿El extremo junto al muro, me has dicho?

—Rikki-tikki, ¿no te irás a comer sus huevos?

—No, no exactamente comérmelos. Darzee, si te quedase un ápice de sentido común, volarías hasta los establos, fingirías que se te ha roto el ala y le dejarías a Nagaina seguirte hasta este arbusto. Tengo que conseguir acercarme al melonar y si fuera hasta allí ahora me vería.

Darzee era un animalillo con poco más que pájaros en la cabeza, incapaz de retener más de una cosa al mismo tiempo, y por la mera razón de que sabía que los hijos de Nagaina nacían de huevos, al igual que los suyos propios, al principio pensó que no estaba bien matarlos. Pero su esposa era un pájaro con sentido común y sabía que los huevos de cobra significan nuevas cobras, de modo que se alejó del nido volando y dejó a Darzee para que siguiera calentando a los pequeños y cantando su canción a la muerte de Nag. Darzee se parecía mucho a los hombres en más de un sentido.

Así pues, comenzó a revolotear junto al estercolero delante de Nagaina, gritando sin parar:

—¡Ay, se me ha roto el ala! El niño de la casa me ha tirado una piedra y se me ha roto.

Dicho lo cual, siguió revoloteando más desesperadamente aún.

Nagaina levantó la cabeza y siseó:

—Avisaste a Rikki-tikki cuando tuve la ocasión de matarlo. Te aseguro que has elegido un mal sitio para quedarte coja.

Y comenzó a avanzar hacia la esposa de Darzee, deslizándose entre el polvo.

—¡El niño me la ha roto con una piedra! —chilló la esposa de Darzee.

—¡Vaya! Tal vez te sirva de consuelo saber que cuando estés muerta pienso arreglarle las cuentas al niño. Mi marido está tirado en el

14. **estercolero:** montón de basura.

ADUÉÑATE DE ESTAS PALABRAS
ápice *m.*: una cantidad mínima.

estercolero ahora, por la mañana, pero antes de que llegue la noche el niño de la casa estará tendido muy, muy quieto. ¿De qué te sirve huir? Te voy a atrapar de todas formas. ¡Tonta! ¡Mírame!

La esposa de Darzee era demasiado lista para hacer eso, porque si un pájaro mira a los ojos a una serpiente, se asusta tanto que no puede moverse. La esposa de Darzee siguió aleteando, piando con gran angustia y sin despegar del suelo en ningún momento; Nagaina aceleró el paso.

Rikki-tikki las oyó avanzar por el sendero que salía de los establos y echó a correr hacia el extremo del melonar más cercano al muro. Allí, en un cálido lecho, escondidos muy astutamente entre los melones, encontró veinticinco huevos aproximadamente del tamaño de los de las gallinas, pero cubiertos de una piel blanquecina en vez de cáscara.

—Un día más y no llegaba a tiempo —se dijo, porque podía ver a las crías de cobra enroscadas dentro de aquellas pieles, y sabía que en el instante en que rompieran el huevo, cualquiera de ellas podría matar a un hombre o a una mangosta. Rompió los huevos a mordiscos a toda velocidad, teniendo buen cuidado de aplastar a las crías y removiéndolos de vez en cuando para asegurarse de no haberse pasado ninguno por alto.

Por fin, ya sólo quedaron tres huevos y Rikki-tikki comenzó a reírse para sí, cuando oyó chillar a la esposa de Darzee.

—¡Rikki-tikki, he llevado a Nagaina hacia la casa y se ha metido en el porche y... ¡Ay, date prisa!... ¡va a matarlo!

Rikki-tikki aplastó dos huevos, cruzó el melonar, tambaleándose con el tercer huevo en la boca, y se precipitó hacia el porche tan pronto como pudo poner las patas sobre suelo firme. Teddy, su madre y su padre estaban allí sentados alrededor de un desayuno temprano, pero Rikki-tikki vio que no comían nada. Estaban sentados, inmóviles como estatuas, y tenían los rostros blancos como el papel. Nagaina se había enroscado sobre la estera, junto a la silla de Teddy, y tan cerca de la pierna desnuda del niño, que no tendría ningún problema en picarle. Se balanceaba para atrás y para adelante entonando una canción triunfal.

—Hijo del hombretón que mató a Nag —siseaba—[15], no te muevas. No estoy preparada aún. Espera un poquito. ¡Os quiero muy quietos a los tres! Si os movéis, me lanzaré; si no os movéis, me lanzaré igual. ¡Ay de vosotros, estúpidos, por haber matado a mi Nag!

La mirada de Teddy estaba clavada en los ojos de su padre, y lo único que éste podía hacer era susurrar:

—Quédate sentado, Teddy. No debes moverte, Teddy, quédate quieto.

En ese momento llegó Rikki-tikki y gritó:

—¡Date la vuelta, Nagaina, date la vuelta y pelea!

—Cada cosa a su tiempo —dijo ella, sin apartar la vista—. Pronto saldaré mis cuentas *contigo*. Contempla a tus amigos, Rikki-tikki. Están pálidos e inmóviles. Tienen miedo. No se atreven a moverse, y si avanzas un solo paso más, los morderé.

—¡Vete a ver tus huevos! —exclamó Rikki-tikki—, ¡en el melonar, junto al muro! ¡Vete a verlos, Nagaina!

La gran serpiente se giró a medias y vio el huevo que Rikki-tikki había llevado al porche.

—¡Ay! Dámelo —dijo.

Rikki-tikki puso las patas a ambos lados del huevo. Tenía los ojos ensangrentados.

—¿Qué vale un huevo de serpiente? El huevo de una pequeña cobra. Una pequeña cobra rey. La última... la ultimísima de la camada. Las hormigas se están comiendo todos los demás allí detrás, en el melonar.

15. **siseaba:** imitaba el sonido de la «s», como las culebras.

- -

ADUÉÑATE DE ESTAS PALABRAS

estera *f.:* alfombra pequeña.

- -

Nagaina se dio la vuelta por completo, deján-
dolo todo por aquel huevo, y Rikki-tikki vio cómo
la gran mano del padre de Teddy salía disparada,
agarraba a Teddy del hombro, lo arrastraba por
encima de la mesita, tirando todas las tazas de té,
y lo ponía a salvo, fuera del alcance de Nagaina.

—¡Burlada! ¡Burlada! ¡Te he engañado!
¡Rikk-tchk! —se rió Rikki-tikki—. El niño está a
salvo y fui yo, yo, ¡yo!, el que anoche cogí a
Nag por la capucha en el cuarto de baño.

Y entonces se puso a brincar de arriba abajo,
con las cuatro patas juntas y la cabeza pegada
al suelo.

—Me tiró de un lado a otro, pero no me
pudo sacudir. Estaba muerto antes de que el
hombretón lo partiese por la mitad de un dis-
paro. ¡Fui yo! *¡Rikki-tikki-tchk-tchk!* Ven aquí,
Nagaina. Ven y lucha conmigo. No serás viuda
mucho tiempo.

Nagaina se dio cuenta de que había perdido
la oportunidad de matar a Teddy y de que el
huevo seguía entre las patas de Rikki-tikki.

—Dame el huevo, Rikki-tikki, dame el último
de mis huevos y me marcharé para no volver
nunca jamás —dijo, dejando caer la capucha.

—Sí, te irás para no volver nunca jamás, porque irás directa al estercolero, a hacerle compañía a Nag. ¡Lucha, viuda! ¡El hombretón ha
ido a buscar su escopeta! ¡Lucha!

Rikki-tikki daba saltos alrededor de Nagaina,
manteniéndose justo fuera de su alcance, con los
ojos como dos brasas al rojo vivo. Nagaina se enroscó y se abalanzó sobre él. Rikki-tikki dio un
salto hacia arriba y hacia atrás. Una y otra vez se
abalanzó Nagaina, y una y otra vez su cabeza golpeaba violentamente contra la estera del porche,
desde donde se volvía a enroscar como impulsada por un resorte. Luego, Rikki-tikki comenzó a
describir círculos a su alrededor para colocarse a
su espalda, y Nagaina se puso a dar vueltas y más
vueltas para mantenerse cara a cara, y tan seguidas daba las vueltas que el roce de su cola sobre la
estera resonaba como el ruido que hacen las
hojas secas al ser arrastradas por el viento.

Rikki-tikki-tavi se había olvidado del huevo. Éste se encontraba aún en el porche y Nagaina se fue acercando cada vez más, hasta que por fin, en un momento en que Rikki-tikki trataba de recuperar el aliento, lo cogió con la boca, se giró hacia los escalones del porche y salió disparada por el sendero como una flecha, con Rikki-tikki detrás. Cuando una cobra huye para salvarse la vida, va tan deprisa como un latigazo atravesando el cuello de un caballo. Rikki-tikki sabía que tenía que alcanzarla si no quería que

los problemas comenzaran de nuevo. La cobra enfiló directamente hacia la hierba tupida que había junto al espino, y, en plena carrera, Rikki-tikki pudo oír a Darzee, que seguía cantando su tonta canción triunfal. Pero la esposa de Darzee era más lista. Salió volando de su nido al paso de Nagaina y se puso a aletear sobre su cabeza. Con la ayuda de Darzee podrían haberla hecho desviarse, pero Nagaina se limitó a bajar la capucha y continuar su camino. Con todo, el retraso mínimo que supuso aquello le permitió a Rikki-tikki ponerse a su altura y, cuando la cobra se introdujo en la ratonera en que antes vivía con Nag, sus dientecillos blancos ya habían hecho presa en la cola de Nagaina y entró detrás de ella —muy pocas mangostas, por muy listas y adultas que sean, se atreverían a seguir a una cobra su agujero—. Todo estaba oscuro allí dentro y Rikki-tikki no tenía forma de saber cuándo se ensancharía, dándole espacio a Nagaina a girarse y morderlo. Pero se agarró ferozmente y estiró las patas para hacer de freno sobre aquella oscura pendiente de tierra húmeda y cálida. Luego, la hierba que había junto a la boca del agujero dejó de agitarse y Darzee gritó:

—¡Es el final de Rikki-tikki! Cantemos a su muerte. ¡El valiente Rikki-tikki ha muerto! Porque no hay duda de que Nagaina lo matará bajo tierra.

Así que comenzó a cantar una canción muy triste que improvisó en aquel momento y, justo cuando llegaba a la parte más conmovedora, la hierba volvió a estremecerse, y allí estaba Rikki-tikki, cubierto de polvo, arrastrándose para salir del agujero, una pata detrás de otra, y relamiéndose los bigotes. Darzee interrumpió su canto soltando un gritito. Rikki-tikki se sacudió un poco el polvo que tenía en el pelo y estornudó.

—Se acabó —dijo—. La viuda no volverá a salir de ahí.

Y las hormigas rojas que viven entre los tallos de la hierba lo oyeron y comenzaron a entrar todas en fila india para ver si había dicho la verdad.

Rikki-tikki se enroscó en la hierba y se durmió allí mismo... y durmió y siguió durmiendo hasta la última hora de la tarde, porque había tenido un día fatigoso.

—Ahora —dijo al despertarse—, volveré a la casa. Cuéntaselo al herrerillo, Darzee, y él le dirá a todo el jardín que Nagaina ha muerto.

El herrerillo es un pájaro que hace un ruido exactamente igual al que haría un pequeño martillo sobre una olla de cobre, y la razón de

que lo esté haciendo continuamente es que actúa de pregonero[16] en todos los jardines de la India, por lo que es el que les cuenta las noticias a todos los que quieran conocerlas. Al tiempo que avanzaba por el sendero, Rikki-tikki oyó los tañidos de «atención», como los de un gong diminuto, y luego, todo seguido:

—¡*Ding-dong-toc*! ¡Nag está muerto... *dong*! ¡Nagaina está muerta! ¡*Ding-dong-toc*!

Las nuevas impulsaron a todos los pájaros del jardín a cantar y a todas las ranas a croar, pues Nag y Nagaina comían ranas, además de pájaros.

Cuando Rikki llegó a la casa, Teddy, la madre de Teddy (que estaba aún muy pálida, porque se había desmayado) y el padre de Teddy salieron a recibirlo y casi se echaron a llorar al verlo. Aquella noche comió todo lo que le dieron hasta que ya no pudo comer nada más y se fue a dormir subido al hombro de Teddy, donde lo vio su madre cuando fue a echarle un vistazo a última hora de la noche.

—Ha salvado nuestras vidas y la de Teddy —le dijo a su marido—. ¡Figúrate! Nos ha salvado la vida a todos.

Rikki-tikki se despertó de un salto, porque las mangostas tienen el sueño muy ligero.

—¡Ah, sois vosotros! —dijo—. ¿De qué os preocupáis? Todas las cobras están muertas; y si no lo estuvieran, para eso estoy yo aquí.

Rikki-tikki tenía derecho a sentirse orgulloso de sí mismo, pero no se volvió demasiado vanidoso y guardó el jardín como debe hacerlo una mangosta que se precie: con dientes y saltos, con brincos y mordiscos; hasta que ni una sola cobra se atrevió a asomar la cabeza en el interior de sus muros.

—Traducción de Javier Franco

16. **pregonero:** persona que anuncia las noticias en la comunidad.

ADUÉÑATE DE ESTAS PALABRAS

tañido *m.:* sonido, toque de un instrumento musical para anunciar algo.

se precie, de **preciarse** *v.:* valorarse, respetarse.

La mangosta

Las mangostas son muy conocidas por su habilidad para matar serpientes. También cazan ratas, ratones, aves de corral, pájaros silvestres y otros pequeños animales. Las mangostas se comen los huevos y las crías de los pájaros. Aunque pueden ser domesticadas, son animales salvajes por naturaleza.

En realidad, el término «mangosta» abarca varios tipos de mamíferos carnívoros pequeños de la misma especie. Habitan principalmente en África y también en el sureste asiático. La mangosta de la India, como Rikki-tikki-tavi, es aproximadamente del tamaño de un gato y tiene el pelaje hirsuto y de color gris parduzco.

Cuando la mangosta intuye un peligro cercano, responde erizando su pelaje. La ferocidad de la mangosta, su extraordinaria rapidez y su agudeza visual le permiten matar serpientes venenosas, como la cobra, antes de que puedan morderla.

CONOCE AL ESCRITOR

La India, el escenario de «Rikki-tikki-tavi», es un país que **Joseph Rudyard Kipling** (1865–1936) conocía muy bien. Nació en Bombay, donde su padre era profesor de arte cuando la India todavía era una colonia británica.

A Kipling la India le parecía un lugar fascinante y le encantaba vivir allí. Pero cuando cumplió seis años sus padres los enviaron, a él y a su hermana, a un internado de Inglaterra. A lo largo de toda su vida se refirió a ese lugar como «la casa de la desolación». El sentimiento de soledad que acompañó su estancia en Inglaterra lo llevó a descubrir el mundo de los libros:

«[Los libros] eran para mí una de las cosas más importantes del mundo... Podía leer cuánto quería y consultar el significado de todo aquello que no entendía. También descubrí que uno podía levantar la pluma y sentarse a escribir lo que pensara sin que nadie lo acusase de pedante por ello».

A los diecisiete años Kipling regresó a la India y comenzó a trabajar de redactor en un periódico inglés. Todavía fascinado con el país y sus habitantes, comenzó a escribir relatos y poemas inspirados en lo que veía a su alrededor. Estos trabajos aparecieron en varios periódicos y los lectores le reclamaron más. La fama de Kipling aumentó y, durante más de cincuenta años, escribió docenas de libros. En 1907 él se convirtió en el primer escritor inglés en ganar el Premio Nobel de Literatura.

Kipling es muy famoso por sus relatos infantiles. *Kim* (1901) es la historia de un huérfano irlandés, a quien educan como si fuera indio y que se convierte en espía británico. *Sólo cuentos* (en inglés, 1902) es una colección de historias sobre animales. *El libro de la selva* (en inglés, 1894), de donde está sacado «Rikki-tikki-tavi», cuenta la historia de Mowgli, un niño al que crían los lobos. Este libro ha sido adaptado varias veces para el cine, incluyendo un película de dibujos animados.

CREA SIGNIFICADOS

Primeras impresiones

1. ¿Cuál de las batallas de Rikki-tikki te pareció más emocionante? ¿Por qué?

Interpretaciones del texto

2. En este cuento, los animales tienen características humanas. ¿Cómo describirías la personalidad de Darzee, el pájaro tejedor? ¿O de Chuchundra, la rata almizclera?

3. Nag opina que, como Rikki-tikki come huevos, también él debería tener derecho a comer pájaros. ¿Estás de acuerdo con él? Da tus razones.

4. En algunos cuentos los animales se comportan como si fueran personas. ¿Por qué crees que los escritores representan de este modo a los personajes animales?

Conexiones con el texto

5. Los combates de Rikki-tikki con las peligrosas serpientes del jardín, ¿te recuerdan en algo conflictos que has tenido tú?

6. ¿Sentiste lástima por Nagaina cuando trató de salvar el último de sus huevos? Da tus razones.

Preguntas al texto

7. ¿Crees que la historia tendría el mismo atractivo si las serpientes fueran los héroes y los otros animales los malos? Da tus razones.

Repaso del texto

a. ¿Por qué es difícil asustar a una mangosta?

b. ¿Cómo salva Darzee a Rikki-tikki-tavi del ataque de Nagaina?

c. ¿Por qué es Karait más peligrosa para la gente que Nag?

d. ¿De qué forma ayuda Chuchundra a Rikki-tikki?

e. ¿Quién ayuda a Rikki-tikki a ganar la batalla final contra Nagaina?

OPCIONES: Prepara tu portafolio

Cuaderno del escritor

1. Compilación de ideas para un ensayo de observación

En «Rikki-tikki-tavi», Kipling usa datos concretos que nos permiten ver y oír a Rikki-tikki, Chuchundra, Nag, Nagaina, y a Darzee y su mujer. Consulta varias revistas de ciencias naturales y escoge una criatura poco común de otra parte del mundo, como por ejemplo, una chita o un guepardo, un tapir, un lémur o un cóndor de los Andes. Estudia varias fotografías del animal que escojas y escribe las observaciones e imágenes que podrías utilizar para describirlo.

Chita:
—cabeza pequeña y redonda, ojos color castaño
—pelaje tostado con manchas negras
—cuerpo similar al de un perro galgo
—cola larga con anillos y una mancha blanca en la punta

Redacción creativa

2. Retrato de un personaje

Imagina que el editor de la revista *El Jardín* te ha pedido que escribas un artículo sobre Rikki-tikki-tavi para su columna de personajes famosos. Piensa en la personalidad de Rikki-tikki. ¿Qué nos ha contado Kipling directamente? E indirectamente, ¿qué nos ha dicho de Rikki-tikki el autor por medio de sus propias palabras y acciones, y por boca de los otros personajes? Organiza tu retrato del personaje mediante una rueda como la que aparece a la derecha.

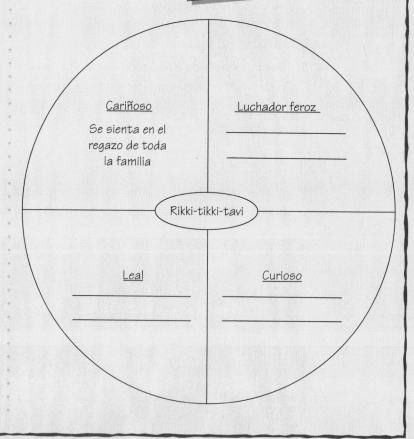

Cariñoso
Se sienta en el regazo de toda la familia

Luchador feroz

Rikki-tikki-tavi

Leal

Curioso

3. Una lección sobre serpientes

Seguramente querías que en este cuento ganaran las aves y la peluda mangosta, y no las serpientes. Pero es bueno que sepas que las serpientes son animales muy interesantes que desempeñan un papel importante en el equilibrio de la naturaleza. Existen más de 2.000 tipos de serpientes, que varían enormemente tanto en su aspecto como en sus hábitos. Haz una investigación sobre las serpientes y presenta tus hallazgos al resto de la clase. Puesto que las serpientes se distinguen unas de otras por el color y las marcas, tal vez te sea útil tener a mano ilustraciones de serpientes.

Si lo deseas, puedes organizar tu investigación en un cuadro como el de abajo.

4. Presenta un teatro de títeres

Escoge algunos de tus episodios favoritos de «Rikki-tikki-tavi» y vuelve a escribir cada episodio como una pieza teatral. Después, en grupo, hagan títeres para los personajes del cuento y representen las piezas delante de la clase en un teatro de títeres.

Lo que sé	Lo que quiero saber	Lo que he aprendido
Algunas serpientes son venenosas.	¿Cómo distinguir las serpientes venenosas de las que no lo son?	_____
_____	_____	_____
_____	_____	_____

Elementos de literatura

CUENTOS I: Argumento, caracterización y ambiente

A diferencia de los relatos verídicos, que narran hechos reales, las obras de **ficción** son relatos de hechos imaginarios. En general, la narrativa de ficción se divide en dos tipos de relato: el cuento y la novela. El **cuento** es una narración breve en prosa que normalmente consta de un solo argumento, uno o dos personajes centrales y un ambiente principal.

Argumento

El **argumento** es el eje central de los cuentos, las novelas y las obras dramáticas. Es la serie de acontecimientos principales que ocurren en un relato. No se debe confundir con la **trama**, que incluye las causas y los efectos de todo lo que sucede en el relato. O sea, mientras que en el argumento se resume lo que sucede, la trama es la forma en que un escritor ordena y relaciona los sucesos.

Al principio de un cuento, la **exposición** o **introducción** provee antecedentes importantes y presenta la situación básica. La exposición también presenta el ambiente del cuento y establece el conflicto o lucha alrededor del cual girará la narración. En los cinco primeros párrafos de «Rikki-tikki-tavi», por ejemplo, Rudyard Kipling presenta algunos antecedentes, describe a los personajes más importantes e introduce el conflicto central del cuento.

El núcleo de un cuento es el **conflicto** o lucha entre fuerzas o personajes contrarios. En un **conflicto externo**, un personaje se enfrenta a otro, a un grupo o a una fuerza de la naturaleza. ¿Cuáles son los conflictos externos en «Rikki-tikki-tavi»?

En un **conflicto interno**, un personaje lucha con sus propios deseos o sentimientos. Por ejemplo, en «Primero de secundaria» de Gary Soto (página 14), Víctor desea impresionar a Teresa. Al mismo tiempo, es tímido y se avergüenza con facilidad. Su timidez produce momentos de conflicto interno.

A veces en un cuento se desarrollan varios conflictos, tanto externos como internos. Cuando leas «Historia del pájaro que habla, el árbol que canta y el agua de oro» (página 67), trata de identificar por lo menos dos conflictos externos y uno interno.

A medida que los personajes del cuento tratan de resolver los conflictos, surgen las complicaciones. Se trata de giros inesperados de los sucesos que a menudo dan lugar al **suspenso**, es decir, la incertidumbre o tensión que siente el lector ante lo que sucederá. Por ejemplo, Kipling crea suspenso cuando Rikki-tikki corre hacia el extremo del melonar y cuando Nagaina amenaza a la familia en el porche.

Al final, la acción culmina en un **clímax** o momento decisivo. En este punto de máxima tensión e interés del cuento se decide el resultado del conflicto principal. ¿Cuál es el clímax de «Rikki-tikki-tavi»?

El **desenlace** es el momen-

to del relato en el que se resuelve el conflicto y el narrador explica el resultado. Por ejemplo, en el desenlace de «Rikki-tikki-tavi» Kipling habla sobre la canción del herrerillo y la gratitud de la familia. En «Primero de secundaria», Gary Soto describe brevemente la felicidad de Víctor y su carrera hacia la biblioteca.

Los acontecimientos de un cuento se presentan normalmente en **orden cronológico** o **temporal**. Sin embargo, a veces el escritor altera este orden para crear efectos especiales. La **anticipación**, por ejemplo, indica o sugiere acontecimientos que tendrán lugar más adelante. Rudyard Kipling crea anticipación en el primer párrafo de «Rikki-tikki-tavi». Por el contrario, el *flashback*, o narración retrospectiva, interrumpe la acción para explicar algo que ocurrió en un momento del pasado.

Caracterización

El conjunto de técnicas que usa un escritor para dar vida a sus personajes se llama **caracterización**. Por medio de la **caracterización directa**, el escritor le cuenta directamente al lector cómo es el personaje. Por ejemplo, Kipling afirma claramente que Rikki-tikki no se asusta fácilmente porque es muy curiosa.

Generalmente, el escritor describe a los personajes mediante técnicas de **caracterización indirecta**, por ejemplo:

- mostrar al personaje en acción

- hacer hablar al personaje en los diálogos

- describir el aspecto externo del personaje

- dar a conocer los pensamientos íntimos y los sentimientos del personaje

- mostrar cómo reaccionan otros ante el personaje

¿Cuál de estas técnicas utiliza Gary Soto para caracterizar a Víctor en «Primero de secundaria»?

Ambiente

El **ambiente** de un cuento se define por el tiempo y el lugar en que suceden las cosas. Generalmente el escritor establece el ambiente al principio del cuento. Por ejemplo, en «Rikki-tikki-tavi» Kipling nos habla del jardín, y en «Primero de secundaria» Soto describe a Víctor en el momento en que se matricula en sus cursos.

El ambiente suele tener un papel importante en la acción de un cuento, como podrás comprobar cuando leas «La guerra de los yacarés» de Horacio Quiroga (página 101). El ambiente puede determinar la atmósfera del relato. Fíjate en la forma en que el ambiente condiciona la atmósfera de *Platero y yo* de Juan Ramón Jiménez (página 117) y «Posada de las Tres Cuerdas» de Ana María Shua (página 143) cuando los leas.

Historia del pájaro que habla, el árbol que canta y el agua de oro

Punto de partida

Confronta desafíos

¿Te has encontrado alguna vez ante un desafío, por ejemplo, una prueba difícil o una competencia atlética? Recuerda algún episodio de este tipo que te gustaría comentar y cuéntaselo a un(a) compañero(a).

Toma nota

DIARIO DEL LECTOR

Escribe durante tres minutos sobre tu experiencia usando el método de escritura libre. Busca palabras que expresen tus sentimientos. Deja que las palabras fluyan libremente; no te detengas a hacer cambios. ¿Qué ideas aparecen en tu cuaderno?

Telón de fondo

El cuento dentro del cuento

El cuento «Historia del pájaro que habla, el árbol que canta y el agua de oro» forma parte de *Las mil y una noches*, una de las colecciones de cuentos más famosas del mundo. Los cuentos de *Las mil y una noches* son «cuentos dentro del cuento» porque son introducidos dentro de una historia por medio de un personaje que los cuenta. En la colección de cuentos que vas a conocer, un sultán descubre que su esposa le ha sido infiel. Encolerizado y sediento de venganza, la manda a ejecutar. Para evitar que lo vuelvan a engañar, toma por esposa a una nueva mujer cada noche y la manda a ejecutar al día siguiente.

Scherazada, hija de un oficial de la corte del sultán, pide casarse con el sultán. Su padre teme por su vida, pero la joven lo convence de que sabe cómo evitar la suerte que han corrido las demás esposas.

Después de la boda, cuando el sultán está a punto de acostarse, Scherazada, reconocida por su talento para contar cuentos, comienza un relato fascinante que deja sin terminar, con la promesa de finalizarlo al día siguiente. Para mantener al sultán en suspenso, le cuenta una historia tras otra, y el sultán, intrigado, aplaza día tras día su ejecución. Después de mil y una noches, el sultán decide perdonarle la vida a Scherazada y los dos viven felizmente.

Elementos de literatura

Suspenso

Imagina que estás leyendo un cuento y llegas a la parte del relato en que el villano acaba de estropear los frenos de un carro. El héroe del cuento se sube al carro y lo pone en marcha. ¿Te encuentras algo nervioso(a) o inquieto(a)? ¿Esperas ansioso(a) para ver lo que va a pasar? Llamamos **suspenso** a este sentimiento de ansiosa expectación sobre lo que ha de ocurrir próximamente. Cuando leas «Historia del pájaro que canta...», toma nota de los pasajes que crean suspenso.

> El **suspenso** es la cualidad de producir ansiedad sobre lo que va a ocurrir próximamente en una historia.
>
> *Para más información sobre el suspenso, ver la página 64 y el GLOSARIO DE TÉRMINOS LITERARIOS.*

Historia del pájaro que habla, el árbol que canta y el agua de oro

NOCHE LVI

Señor:

Hubo en otro tiempo un Sultán[1] de Persia, llamado Koruscha, al que agradaba recorrer de noche, disfrazado, las calles de su ciudad en busca de lances[2] y aventuras. Una noche conoció a una muchacha de familia humilde, pero tan discreta y hermosa, que se prendó[3] ciegamente de ella y decidió hacerla su esposa, celebrándose poco después las bodas, fastuosamente.

Las dos hermanas de la elegida, llenas de celos y envidia, resolvieron vengarse de la nueva Sultana a toda costa. Y valiéndose de toda clase de intrigas consiguieron apoderarse del primer hijo que tuvo su hermana, arrojando al agua al recién nacido dentro de una cesta, en el canal que pasaba por los jardines de palacio. Luego fueron a ver al Sultán y le dijeron que su hermana había dado a luz un gato. Mucho se dolió el Sultán al recibir tan triste noticia, y mandó que sobre ello se guardara el mayor secreto.

1. **sultán:** príncipe o gobernador de un país musulmán.
2. **lances:** sucesos, acontecimientos, situaciones interesantes.
3. **se prendó:** se enamoró.

ADUÉÑATE DE ESTAS PALABRAS

discreta, -to *adj.*: prudente, sin pretensiones.
intriga *f.*: manipulación, engaño.

En un balcón Shah Jahan sostiene una prenda con su retrato. De un álbum de 37 hojas recopilado para el Emperador Shah Jahan por Chitarman. Colores y oropel sobre papel (15⁵⁄₁₆" x 10⅛").

Pero una feliz casualidad salvó la vida del inocente niño. El intendente de los jardines, que llevaba largos años casado sin tener hijos, vio la cesta flotando en el agua, la recogió, y al hallar al hermoso recién nacido decidió llevarlo a su casa, buscarle una nodriza[4] y criarlo como si fuera hijo suyo.

Al año siguiente la Sultana dio a luz otro príncipe, y las perversas hermanas lo colocaron también en otra cesta y lo arrojaron al canal, diciendo al Sultán que su hermana había dado a luz un nuevo monstruo. Afortunadamente, el niño fue recogido del mismo modo por el intendente de los jardines.

Finalmente, la Sultana dio a luz una hermosa princesa, y la inocente criatura corrió la misma suerte que sus hermanos, siendo arrojada al canal y recogida por el intendente.

El Sultán, desesperado por tanta desgracia, concibió un gran odio contra la Sultana, y ordenó al gran Visir que la hiciese encerrar en una jaula de madera, vestida con groseras telas.

El intendente crió a los príncipes con ternura paternal, que aumentaba a medida que crecían en edad y revelaban todos ingenio extraordinario, y la princesa una belleza sorprendente. Los tres hermanos, llamados ellos Baman y Perviz, y la princesa, Parizada, estudiaron con un preceptor geografía, poesía, historia y ciencias; haciendo tales progresos en poco tiempo, que pronto aventajaron a su maestro. También aprendieron toda clase de juegos: montar a caballo, cazar, danzar y arrojar la jabalina. Así crecieron y se educaron aquellos príncipes, alegrando los últimos años del buen intendente, al que creían su padre, el cual murió sin revelarles el secreto de su nacimiento, dejándolos herederos de sus riquezas, de una magnífica casa de campo rodeada de jardines y un ancho bosque lleno de ciervos y leones.

Un día en que los dos príncipes habían salido de caza y Parizada quedó sola en el palacio,

llegó una peregrina musulmana rogándole que le permitiera entrar para hacer sus oraciones. La princesa la atendió solícitamente, dándole la hospitalidad que manda la ley y ofreciéndole presentes y agasajos.[5] Cuando la anciana iba a retirarse, agradecida por tantas atenciones, dijo a la princesa:

—Señora, vuestra casa es espléndida, alhajada con magnificencia y situada en un paraje encantador. Sólo tres cosas le faltan para ser el más delicioso palacio del mundo.

—¿Y qué cosas son ésas, mi buena madre? —preguntó Parizada.

—El pájaro que habla, el árbol que canta y el agua amarilla de color de oro, de la cual basta una sola gota para hacer un surtidor que jamás se consume.

—Hermosas cosas son esas, mi buena madre. Pero, ¿cómo saber dónde se hallan?

—Las tres se hallan juntas en el mismo lugar, en los confines de este reino. La persona que quiera encontrarlas no tiene más que caminar veinte días sin descanso, siguiendo siempre el camino que pasa por delante de esta casa. Al cumplirse los veinte días encontrará a un anciano, y él le dirá dónde se hallan las tres maravillas.

Y dicho esto desapareció.

Hondamente preocupada quedó la princesa con esta revelación, y en cuanto regresaron sus hermanos les contó todo lo sucedido. El príncipe Baman se levantó de repente, diciendo que había resuelto ir en busca del pájaro, del árbol y del agua de oro para tener el placer de regalárselos a su hermana. De nada sirvieron

5. **agasajos:** regalos, muestras de afecto y consideración.

4. **nodriza:** mujer que cuida y le da alimento a un niño que no es su hijo.

ADUÉÑATE DE ESTAS PALABRAS

intendente *m.:* supervisor, persona a cargo.
preceptor *m.:* maestro, profesor, tutor.
peregrina, -no *n.:* persona que viaja a un lugar religioso.
alhajada, de alhajar *v.:* decorar, ornamentar.
surtidor *m.:* fuente de agua.
confín *m.:* frontera, borde, límite.

---

las palabras y ruegos de sus hermanos para hacerlo desistir de tan arriesgada empresa. En un momento hizo Baman sus preparativos, y al despedirse entregó a su hermana un cuchillo envainado, diciéndole:

—Mira de vez en cuando la hoja de este cuchillo. Mientras la veas brillante, nada temas. Pero si ves que se empaña y gotea sangre será que alguna desgracia me ha ocurrido. Llora entonces por mí.

Y abrazando a sus hermanos por última vez el valeroso Baman montó a caballo y se alejó en línea recta por el camino que la anciana había indicado.

Atravesó toda la Persia, y al cumplirse los veinte días encontró a un anciano de larga barba blanca, sentado bajo un árbol, cubierto con una mísera estera y tocado con un sombrero de anchas alas en forma de quitasol.[6] Era un sabio derviche[7] retirado de las vanidades del mundo.

El príncipe echó pie a tierra y le habló así:

—Buen derviche: vengo de lejanas tierras en busca del pájaro que habla, el árbol que canta y el agua de oro. ¿Podrías indicarme dónde se encuentran?

—Señor —respondió el derviche—, conozco ese lugar. Pero el peligro al que vais[8] a exponeros es inmenso. Muchos valerosos caballeros han pasado por aquí y me han hecho la misma pregunta, y ni uno solo ha vuelto de la atrevida empresa. No sigáis adelante; volveos a vuestro país.

—No conozco el miedo, ni me importan los peligros. Os suplico que me indiquéis el camino.

Viendo el derviche que de nada servían sus prudentes consejos, sacó una bola brillante de un saco que tenía junto a sí y la presentó al joven.

—Tomad esta bola —le dijo—. Echadla a rodar y seguid tras ella hasta la falda del monte donde se pare. Bajaos entonces del caballo, que os esperará allí, y subid a la cumbre de la montaña. Encontraréis a derecha e izquierda una multitud de piedras negras y oiréis una confusión de voces que, con insultos y amenazas, tratarán de haceros retroceder. No miréis atrás, porque si lo hacéis os convertiréis inmediatamente en una piedra negra como las otras, que son otros tantos caballeros encantados. Si lográis llegar hasta lo alto, allí veréis una jaula, y en ella el pájaro que habla; preguntadle, y él os dirá dónde están el árbol que canta y el agua de oro. Ahora haced lo que os parezca, y que Alá os proteja.

Agradeció Baman las palabras del anciano; tomó la bola, y echándola a rodar siguió detrás hasta la falda de una montaña. Dejó allí su caballo y comenzó la ascensión entre las filas de piedras negras. Apenas había dado cuatro pasos, comenzó a oír las voces de que le había hablado el derviche; unas se burlaban de él, otras lo insultaban, otras proferían terribles amenazas. El príncipe siguió subiendo intrépidamente, pero las voces llegaron a hacer tan amenazador estruendo rodeándolo, que sus rodillas empezaron a temblar. Volvió la cabeza para retroceder y al instante quedó transformado en una piedra negra, lo mismo que su caballo.

Parizada llevaba siempre a la cintura el cuchillo que su hermano le entregó al partir. Un día, al mirar su hoja, la vio chorreando sangre, y la pobre princesa lloró amargamente la desgracia de Baman.

Pero Perviz era animoso y valiente, y no podía conformarse como ella con llorar a su hermano. Así, pues, decidió intentar la misma

---

6. **quitasol:** especie de paraguas o sombrilla para protegerse del sol.
7. **derviche:** monje de los musulmanes.
8. **vais:** uso arcaico de la segunda persona del singular del verbo «ir». Esta forma se usa en este relato.

ADUÉÑATE DE ESTAS PALABRAS
desistir v.: abandonar la idea de hacer algo.
envainado, -da adj.: guardado, protegido en su funda.
cumbre f.: parte superior, pico, cima.
intrépidamente adv.: sin miedo o temor.

A Young Lady Beneath a Tree (Una joven bajo un árbol) (hacia 1635). Acuarela opaca sobre papel.

empresa, y se aprestó a partir en seguida sin dar oídos a los lamentos de Parizada, que temía perder a los dos y quedarse sola en el mundo. Antes de partir, Perviz entregó a su hermana un collar de perlas con cien cuentas, diciéndole:

—Repasa diariamente las cuentas de ese collar. Si un día las perlas no corren, como si se hubieran pegado unas a otras, será que me ha ocurrido alguna desgracia. Llora entonces por mí.

Y abrazándola amorosamente montó a caballo y siguió el mismo camino que su hermano.

A los veinte días encontró al derviche en el mismo lugar, bajo el mismo árbol; le hizo iguales preguntas, recibió las mismas indicaciones y consejos, y tomando la bola brillante que el anciano le entregó, la echó a rodar y siguió tras ella hasta la falda del monte. Descabalgó allí y comenzó a subir a pie la cuesta bordeada de piedras negras. Pero apenas había dado unos pasos oyó una voz amenazadora que decía:

—¡Aguarda, cobarde; no huirás de mi venganza!

El príncipe era impulsivo y valiente, y al oír tal amenaza tiró de su espada sin poder contenerse y se volvió para castigar al insolente. Y apenas lo hubo hecho quedó convertido en piedra negra, lo mismo que su caballo.

Grande fue el dolor de Parizada cuando supo por las cuentas del misterioso collar la desgracia de su hermano. Pero en su corazón había decidido lo que habría de hacer llegado el caso, y sobreponiéndose a su dolor montó a caballo, bien armada y vestida de hombre, y se puso en marcha, siguiendo el mismo camino que sus hermanos.

A los veinte días encontró al anciano derviche, al que hizo las mismas preguntas que sus hermanos. De las indicaciones que recibió de-

A Study of a Bird Perched on a Rock (Estudio de un pájaro posado sobre una piedra) de Reza ye-Abbasi. Tinta, colores, oro y plata sobre papel (3⅞" x 6⅞").

dujo que lo más difícil de la empresa era lograr dominarse al oír las voces, y su astucia de mujer le sugirió un ardid para librarse de ellas. Y fue el taponarse los oídos, hecho lo cual arrojó la bola brillante, siguió tras ella hasta la falda del monte, dejó su caballo y empezó a subir la cuesta.

Centenares de voces salían de todas partes; unas con insultos groseros, otras con terribles amenazas, y la princesa las oía, a pesar de los algodones. Su ánimo estuvo a punto de desfallecer; empezó a temblar, pero el recuerdo de sus hermanos le infundió nuevo valor, y apretando el paso, entre un cerco de voces que a cada momento crecían y resonaban cada vez más terribles, llegó a la cumbre, donde vio una jaula con un pájaro de maravillosos colores. Inmediatamente se apoderó de la jaula, llena de gozo, y preguntó al pájaro:

—Dime, ave maravillosa, ¿dónde está el agua de oro?

El pájaro le indicó el camino, y la princesa llenó en el agua amarilla un pequeño frasco de plata. Luego le preguntó por el árbol que canta, y el pájaro respondió:

—Ahí en el medio del bosque lo hallarás. Corta una rama y plántala en tu jardín; pronto crecerá y será un árbol frondoso, con la misma virtud que el árbol padre.

Guiada por el mágico concierto no tardó la princesa en hallar el árbol sonoro, cuyas hojas, al ser movidas por la brisa, producían una dulce música. Cortó una pequeña rama sonora, y de vuelta junto al pájaro preguntó otra vez:

—Mis hermanos están aquí encantados, convertidos en piedras negras. ¿Qué haré para salvarlos?

—Derrama una gota de agua maravillosa sobre cada piedra.

Así hizo Parizada, y con la jaula, la rama de árbol y el frasco de plata comenzó a bajar la ladera, derramando una gota de agua amarilla sobre cada piedra. Al instante el encantamiento se desvanecía, y en el lugar de cada piedra aparecía un caballero. De este modo volvieron a la vida los príncipes Baman y Perviz, los cuales abrazaron a su hermana con lágrimas de gozo.

Y en posesión de las tres maravillas regresaron a su palacio, escoltados por todos los caballeros salvados por el valor de la princesa, los cuales le rindieron pleitesía[9] y la colmaron de bendiciones.

Llegados a su casa, Parizada puso la jaula en su jardín, y apenas el pájaro comenzó a cantar cuando los ruiseñores, las alondras, los pinzones y malvises,[10] todos los pájaros del cielo, vinieron a su lado a aprender el maravilloso canto. La rama se plantó en un cuadro del mismo jardín; arraigó al instante, y en poco tiempo se hizo un árbol frondoso, cuyas hojas producían los más dulces sonidos. Y en medio del parque se levantó una taza de mármol blanco, donde Parizada derramó su frasco de agua de oro, elevándose al momento un surtidor de veinte pies de altura, que nunca se agotaba.

La nueva de tales portentos cundió pronto por todo el reino, y llegó hasta el mismo palacio del Sultán, el cual, al saber que los dueños de aquel jardín eran los hijos de su antiguo intendente, mostró deseos de conocerlos, y decidió ir en persona a admirar la casa maravillosa.

Cuando Parizada supo que su casa iba a ser visitada por el Sultán no cabía en sí de gozo y consultó al pájaro acerca de lo que debería servirle a la mesa.

9. **rindieron pleitesía:** ofrecieron homenajes o trato especial a una persona de nobleza superior.
10. **alondras... pinzones... malvises:** aves o pájaros cantores.

ADUÉÑATE DE ESTAS PALABRAS

dominarse v.: controlarse.
astucia f.: inteligencia, destreza; habilidad para lograr algo.
infundió, de **infundir** v.: dar, inspirar.
frondoso, -sa adj.: que tiene una abundancia de hojas.
ladera f.: lado de una montaña.
portento m.: maravilla, evento extraordinario.

—Lo que más le agrada —respondió el pájaro— es un plato de calabaza, con relleno de perlas.

Suspensa quedó la princesa ante esta peregrina respuesta, y sin saber qué pensar. Pero el pájaro insistió, diciendo:

—Cava de madrugada al pie del primer árbol del jardín. Allí encontrarás las perlas que necesitas.

Así lo hizo Parizada, encontrando un cofrecito de oro lleno de perlas, todas iguales y hermosísimas. En seguida dispuso un espléndido banquete para obsequiar al Sultán, mientras sus hermanos fueron a la corte para unirse a su séquito.[11]

Llegados a la casa, el Sultán conversó largamente con Parizada y sus hermanos, quedando encantado del ingenio y discreción que en los tres se descubría. También hizo grandes elogios de la casa y el jardín, que comparó a su propio palacio. Cuando vio el surtidor de oro se detuvo maravillado:

—¿Dónde está el manantial de este surtidor dorado que no tiene igual en el mundo?

La princesa no contestó a esta pregunta, y le condujo ante el árbol que canta. Allí creció el asombro del Sultán.

—¿Dónde están los músicos que producen este armonioso concierto? ¿Cómo es que no los veo? ¿Están bajo la tierra o invisibles en el aire?

Tampoco a esto contestó la princesa, y le condujo ante el pájaro que habla.

—Esclavo mío —dijo Parizada—, he aquí al Sultán. Salúdalo como merece.

Dejó el pájaro de cantar, y respondió:

—Sea bienvenido el Sultán de Persia, a quien Alá colme de venturas.

El Sultán no salía de su asombro ante tales portentos, y apenas se atrevía a dar crédito a sus ojos y a sus oídos. Sentáronse luego a la mesa, y cuando vio la calabaza rellena de perlas se quedó pasmado, mirando alternativamente a los príncipes y a la princesa, sin comprender la razón de tan extraño guiso.

—Señor —dijo entonces el pájaro—, ¿os maravilláis de ver un relleno de perlas y no os maravillasteis de que vuestra esposa diera a luz a tres monstruos?

—Así me lo aseguraron —respondió el Sultán sorprendido.

—Sí, pero fue un engaño de las hermanas de la Sultana, envidiosas de su suerte. Vuestra esposa dio a luz a una hermosa hija y dos hijos, que fueron arrojados al agua por sus hermanas y recogidos y educados por el intendente de vuestros jardines. Y vuestros hijos son esa bella princesa y esos dos príncipes que tenéis a vuestro lado.

Al oír estas palabras, el Sultán y sus hijos se abrazaron derramando lágrimas de alegría y su corazón estallaba de felicidad.

Al día siguiente el Sultán hizo prender a las dos envidiosas hermanas, las cuales confesaron su crimen; pidió públicamente perdón a su esposa, y la inocente Sultana fue sacada de su cárcel de madera y vuelta, con sus hijos, a sus honores y a la felicidad de su palacio. El pueblo, al saber tan fausto[12] acontecimiento, se agolpaba por las calles aclamando a sus jóvenes príncipes.

Así vivieron felices largos años. Y en sus jardines siguió cantando el pájaro maravilloso, atrayendo a los ruiseñores y las alondras, los malvises y pinzones, que de toda la Persia venían a aprender su canto.

---

12. **fausto:** feliz, afortunado.

---

11. **séquito:** grupo de personas que acompaña a una persona de importancia.

CREA SIGNIFICADOS

Primeras impresiones

1. ¿Te gustó el final del cuento? Di por qué.

Interpretaciones del texto

2. ¿Crees que el paso de la peregrina por la casa de los jóvenes es una coincidencia o una cosa del destino? Di por qué.

3. Un tema frecuente en leyendas y cuentos de hadas es que la bondad es recompensada y la maldad castigada. ¿Qué buena acción realiza Parizada? ¿Cuál es su recompensa?

4. ¿Cómo crean **suspenso** los consejos que da el derviche a cada uno de los jóvenes? ¿Qué otros elementos del cuento intensifican el suspenso?

5. En muchos relatos de aventuras como «Historia del pájaro...», el héroe debe someterse a ciertas pruebas cuya finalidad es confirmar su valentía y su fuerza o revelar defectos en su carácter. ¿Por qué no pasa Baman la prueba de las piedras negras? ¿Por qué fracasa Perviz?

6. ¿Cómo consigue Parizada caminar entre las piedras?

7. ¿Qué lección trata de enseñarle el pájaro al Sultán por medio de la calabaza llena de perlas?

Repaso del texto

a. ¿Por qué abandonan a los bebés en el río las hermanas de la Sultana?

b. ¿Qué heredan los jóvenes cuando muere el jardinero?

c. ¿Qué consejo les da el derviche a los jóvenes?

d. ¿Cuál cree Parizada que será la parte más difícil de la empresa?

e. ¿Por qué desea el Sultán visitar el hogar de los jóvenes?

Conexiones con el texto

8. ¿Habrías emprendido el viaje si hubieras estado en el lugar de Parizada?

9. Para caminar con éxito entre las piedras negras, se necesitan valentía y dominio de uno mismo. ¿Te has encontrado alguna vez en una situación que exigiera valor y disciplina?

Más allá del texto

10. Recuerda que Scherazada le cuenta al Sultán la «Historia del pájaro que canta...» para salvar su vida. ¿Por qué es significativo que sea la princesa, y no sus hermanos, la que consigue llegar al final del viaje?

Cuaderno del escritor

1. Compilación de ideas para un ensayo de observación

El Sultán del cuento elogia la casa y el jardín de Parizada comparándolos con su propio palacio. ¿Cómo sería tu casa ideal? Imagina la casa de tus sueños y escribe algunas de las cosas que podrías ver, oler y oír en ella.

—Una gran casa roja en el campo

—Una cancha de fútbol en el jardín

—Aromas de árboles, flores y hierba

—Muchos perros ladrando

Redacción creativa

2. Una tarjeta postal

Imagina que eres uno de los personajes de la «Historia del pájaro que habla, el árbol que canta y el agua de oro». Escribe una tarjeta postal, como si fueras a mandársela a un(a) amigo(a) o a otra persona. No te olvides de diseñar la ilustración de la postal y de ponerle un sello apropiado. Como actividad complementaria, se pueden recolectar las postales y las cartas de toda la clase para exponerlas en el tablón de anuncios.

Investigación

3. Un álbum de recortes

La «Historia del pájaro...» se sitúa en Persia, país que en la actualidad se llama Irán. Las referencias al Islam en el cuento (la peregrina, el derviche y la mención de Alá al final) nos indican que el cuento tiene lugar después de mediados del siglo VII dC; en aquella época los árabes introdujeron en Persia la religión islámica.

Reúnete con un grupo de compañeros de clase para preparar un álbum de recortes sobre algún país. El álbum puede incluir mapas preparados por los miembros del grupo, una línea cronológica que destaque los acontecimientos principales en la historia de la nación, tus propios dibujos y fotocopias de fotografías sacadas de libros y revistas. Tal vez quieran hacer parte del trabajo gráfico en una computadora.

ESTRATEGIAS PARA LEER

Sacar conclusiones

Cuando un escritor describe directamente una escena, nos dice exactamente dónde tiene lugar la acción, cómo se siente tal o cual personaje, o por qué se comporta de cierta manera. Cuando un escritor provee este tipo de información sin mencionarla explícitamente, le corresponde al lector **sacar conclusiones** acerca de esos aspectos del relato. Sacar conclusiones es una manera de profundizar en la comprensión y la apreciación de un texto literario.

Cuando leas un cuento u otro tipo de narración, presta atención a los datos descriptivos referentes al argumento o el ambiente, a la forma de hablar, los pensamientos, la conducta y la apariencia de un personaje; este tipo de información puede ayudarte a sacar conclusiones acerca de la acción.

Por ejemplo, en la «Historia del pájaro que habla, el árbol que canta y el agua de oro», Parizada escucha la advertencia del derviche, al igual que sus hermanos. Pero, a diferencia de ellos, se detiene a pensar cuál será la parte más difícil de la empresa y cómo prepararse para ella. El pasaje no describe explícitamente el carácter de Parizada, pero a partir de sus pensamientos y sus actos podemos sacar la conclusión de que es cuidadosa y sagaz.

Lee el siguiente párrafo:

> «Creo que ha llegado el momento de partir», dijo Raúl en voz tan baja que apenas se le oía. Cerró la puerta tras de sí e introdujo torpemente la llave en la cerradura. El corazón le latía con fuerza contra el pecho. Se detuvo en el escalón justo el tiempo suficiente para asegurarse de que el único sonido que percibía era el cantar de los grillos. Luego descendió lentamente la escalera, un peldaño a la vez.

¿Qué conclusiones sacas de la escena anterior? ¿Dónde tiene lugar la acción? ¿Qué hora es aproximadamente? ¿Cómo habla y actúa Raúl? ¿Cuál es su estado de ánimo?

El autor pudo haber escrito simplemente: «Raúl estaba nervioso al salir de su casa una noche». Sin embargo, un párrafo que te permite sacar tus propias conclusiones es mucho más interesante y vívido.

Cuando leas obras literarias, toma nota de todos los elementos descriptivos que facilita el narrador. A partir de la apariencia física, la forma de hablar y la conducta de los personajes de un relato, se pueden sacar conclusiones acerca de una situación y de las personas que la viven.

ANTES DE LEER
de Cuando era puertorriqueña

Punto de partida

¿Qué quieres ser?

¿Qué te gustaría ser cuando seas mayor? ¿Qué esperas lograr? Es posible que te hayan preguntado lo mismo muchas veces. Escribe una lista de profesiones en la pizarra junto con tus compañeros de clase y comenten lo que les parece interesante, útil o atractivo de cada profesión. Piensen en la formación o la experiencia que necesita una persona para ejercer tal o cual profesión. Organicen la información en un cuadro como el que sigue:

Toma nota

Escribe los nombres de dos o tres profesiones que te interesen. Explícale a un(a) compañero(a) por qué has escogido ésas y no otras.

Estrategias para leer

Sacar conclusiones

A veces es posible comprender el porqué de los acontecimientos y los personajes de un relato, aunque el narrador no lo haya explicado directamente. En estos casos, el lector **saca conclusiones** a partir de los datos que facilita el relato mismo. Cuando leas los siguientes pasajes de *Cuando era puertorriqueña,* fíjate en los elementos descriptivos que presenta la narradora. A partir de la apariencia física, la forma de hablar y la conducta de las personas que aparecen en el texto, ¿qué conclusiones sacas acerca de los personajes y la situación?

Profesión	Educación/formación necesaria	Atractivos
Carpintero	Aprendizaje por medio de la práctica	Puedes construir tu propia casa.
Médico	Universidad, facultad de medicina, años de residencia en hospital	Ofrece la oportunidad de ayudar a los demás.

DE CUANDO ERA PUERTORRIQUEÑA

Esmeralda Santiago

Te conozco bacalao,
aunque vengas disfrazao.

Esmeralda Santiago con su padre y su hermanita.

Mientras Francisco aún vivía, nos habíamos mudado a la Ellery Street. Eso quiso decir que yo tuve que cambiar de escuelas, así que Mami me llevó a la P.S. 33, donde haría mi noveno grado. Durante la primera semana en la nueva escuela me dieron una serie de exámenes, los cuales indicaron que, aunque no podía hablar el inglés muy bien, lo podía escribir y leer al nivel del décimo grado. Me pusieron en el 9-3, con los estudiantes inteligentes.

Un día, Mister Barone, el consejero vocacional de la escuela, me llamó a su oficina. Era un hombre bajito, cabezudo, con ojos grandes color castaño bajo cejas bien formadas. Su nariz era larga y redonda en la punta. Siempre vestía en colores otoñales, y frecuentemente ponía sus lentes en su frente, como si tuviera un par de ojos allá arriba.

—Bueno —empujando sus lentes a su frente, hablándome despacio para que yo entendiera—, ¿qué quieres ser cuando seas grande?

—Yo no sé.

Rebuscó entre sus papeles.

—Vamos a ver... tienes catorce años, ¿verdad?

—Sí, señor.

—¿Y no has pensado en lo que vas a ser cuando seas grande?

Cuando yo era nena, quería ser una jíbara.[1] Cuando me hice mayor, quería ser cartógrafa,[2] después topógrafa.[3] Pero desde que llegamos a Brooklyn, no había pensado mucho en el futuro.

—No, señor.

Bajó los lentes a sus ojos y rebuscó entre los papeles otra vez.

—¿Tienes *jóbis*? —no entendí lo que me decía—. *Jóbis. Jóbis* —meneaba las manos como si estuviera pesando algo—, cosas que te gustan hacer en tu tiempo libre.

—¡Ah, sí! —traté de imaginar qué yo hacía en casa que pudiera calificar como un *jóbi*.

—Me gusta leer.

Parece que lo decepcioné.

—Sí, eso ya lo sabemos —sacó un papel de su escritorio y lo estudió—. Uno de los exámenes que tomaste era para descubrir aptitud. Nos dice qué clase de trabajo te gustaría. En tu caso resulta que a ti quizás te guste ayudar a las personas. Dime, ¿te gusta ayudar a las personas?

Tenía miedo de contradecir los exámenes.

—Sí, señor.

—Podemos ponerte en una escuela donde aprenderás biología y química, lo cual te preparará para una carrera como enfermera.

Hice una mueca. Consultó sus papeles otra vez.

—También puede ser que te guste la comunicación. Como maestra, por ejemplo.

Recordé a Miss Brown parada al frente de un salón lleno de *tineyers* desordenados, algunos más grandes y gordos que ella.

—No creo que me gustaría.

Mister Barone subió sus lentes a su frente otra vez y se inclinó hacia mí sobre los papeles en su escritorio.

—¿Por qué no lo piensas, y hablamos otro día? —me dijo, cerrando la carpeta con mi nombre en la orilla. La cubrió con sus manos peludas, como si estuviera exprimiéndole algo—. Eres una chica inteligente, Esmeralda. Vamos a ver si te ponemos en una escuela académica para que puedas estudiar en colegio.

Camino a casa, me acompañaba otra niña del noveno grado, Yolanda. Llevaba tres años en Nueva York, pero hablaba tan poco inglés como yo. Hablábamos en espanglés, una combinación de inglés y español en la cual saltábamos de un idioma al otro.

—¿Te preguntó el Mister Barone, llu no, lo que querías hacer juén llu gro op?[4]

—Sí, pero, ay dint no.[5] ¿Y tú?

—Yo tampoco sé. Ji sed que ay laik tu jelp pipel.[6] Pero, llu no, a mí no me gusta mucho la gente.

Cuando me oyó decir eso, Yolanda me miró de reojo, esperando ser la excepción. Pero cuando me vine a dar cuenta, había subido las escaleras de su edificio. No se despidió al entrar, y al otro día me despreció. Me pasé el resto del día en aislamiento vergonzoso, sabiendo que había revelado algo negativo acerca de mí a la única persona que me había ofrecido su amistad en la Junior High School 33. Tenía que disculparme o vivir con las consecuencias de lo que se estaba convirtiendo en la verdad. Nunca le había dicho algo así a nadie, ni a mí

1. **jíbara:** campesina.
2. **cartógrafa:** persona que dibuja mapas.
3. **topógrafa:** persona que dibuja y delinea la forma, dimensiones y relieve de un terreno.

4. **llu no... gro op:** ¿sabes lo que quieres hacer cuando seas mayor? (pronunciación fonética del inglés al igual que en las siguientes dos notas).
5. **ay dint no:** no lo sabía.
6. **Ji sed... pipel:** Dijo que me gusta ayudar a la gente.

misma. Era un peso más sobre mis hombros, pero no lo iba a cambiar por compañerismo.

Unos días más tarde, el Mister Barone me llamó a su oficina.

—¿Y? —manchitas verdes bailaban alrededor de las pupilas negras de sus ojos castaños.

La noche anterior, Mami nos había llamado a la sala. En el televisor, «cincuenta de las jóvenes más bellas de los Estados Unidos» desfilaban en vestidos de tul y volantes en frente de una cascada de plata.

—¡Qué lindas! —murmuró Mami mientras las muchachas, acompañadas por muchachos uniformados, flotaban enfrente de la cámara, daban una vuelta y se desaparecían detrás de una cortina, mientras la orquesta tocaba un vals[7] y un locutor anunciaba sus nombres, edades y los estados que representaban. Mami miró todo el espectáculo como hipnotizada.

—Quisiera ser una modelo —le dije al Mister Barone.

Se me quedó mirando, bajó los lentes de su frente, miró los papeles en la carpeta con mi nombre en la orilla y me volvió a mirar, echando fuego por los ojos.

—¿Una modelo? —su voz era áspera, como si le fuera más cómodo gritarle a las personas que hablarles.

—Yo quiero aparecer en la televisión.

—Ah, pues entonces quieres ser actriz —como si fuera un poco mejor que la primera carrera que seleccioné. Nos miramos por unos segundos. Empujó sus lentes a su frente de nuevo, y sacó un libro de la tablilla detrás de su escritorio—. Yo sólo sé de una escuela que entrena actores, pero nunca le hemos mandado un estudiante de aquí.

Performing Arts, decía el libro, era una escuela pública académica, no vocacional, que entrenaba a estudiantes que deseaban una carrera en el teatro, la música o el baile.

—Dice aquí que tienes que ir a una prueba

—se paró y acercó el libro a la luz pálida que entraba por las ventanas angostas sobre su cabeza—. ¿Has desempeñado alguna vez un papel dramático en frente del público?

—Un año fui la maestra de ceremonias en el programa musical de mi escuela. En Puerto Rico. Y también he recitado poemas... allá, no aquí.

Cerró el libro y lo apretó contra su pecho. Su dedo índice tocó un compás contra su labio. Se volvió hacia mí.

—Déjame llamarles y averiguar lo que necesitas hacer. Ya más tarde hablamos.

Salí de su oficina feliz, confiando en que algo bueno había pasado, pero no sabiendo lo que era.

«No tengo miedo... No tengo miedo... No tengo miedo...» Todos los días andaba de la escuela a casa repitiéndome esas palabras. Las calles anchas y las aceras que tanto me impresionaron los primeros días después de llegar ahora eran tan familiares como el camino de Macún[8] a la carretera. Sólo que mi curiosidad acerca de la gente que vivía detrás de estas paredes concluía donde los frentes de los edificios daban a corredores oscuros o puertas cerradas. Nada bueno, me imaginaba, podía haber dentro, si tantas puertas y cerrojos se tenían que abrir antes de entrar o salir a la luz del día.

Fue en estas caminatas angustiadas que decidí que me tenía que salir de Brooklyn. Mami había seleccionado este sitio como nuestro hogar, y, como las otras veces que nos mudamos, yo había aceptado lo que me ocurría, porque yo era una niña sin opciones. Pero en ésta, yo no iba a aceptar la decisión de Mami.

—¿Cómo puede vivir la gente así? —le grité una vez, desesperada por correr por un pastizal, por sentir hojas debajo de mis pies en vez de concreto.

8. **Macún:** lugar donde se crió Esmeralda Santiago.

- -

ADUÉÑATE DE ESTAS PALABRAS
angosta, -to *adj.*: estrecha, con poco espacio.

- -

7. **vals:** baile de origen alemán.

—¿Vivir como qué? —preguntó Mami, mirando a su alrededor, a la cocina y la sala cruzadas con sogas llenas de pañales y sábanas tendidas.

—Unos encima de los otros. Sin espacio para hacer nada. Sin aire.

—¿Qué tú quieres? ¿Volver a Macún, a vivir como salvajes sin luz, ni agua? ¿Haciendo lo que tenemos que hacer en letrinas apestosas?

—¡Por lo menos se podía salir afuera to' los días sin que los vecinos te dispararan!

—¡Ay, Negi, déjate de estar exagerando las cosas!

—¡Odio esta vida!

—¡Pues haz algo pa' cambiarla!

Cuando el Mister Barone me habló de Performing Arts High School, supe lo que tenía que hacer.

—¡Las pruebas son en menos de un mes! Tienes que aprender una escena dramática, y la vas a realizar en frente de un jurado. Si lo haces bien, y tus notas aquí son altas, puede ser que te admitan a la escuela.

El Mister Barone se encargó de prepararme para la prueba. Seleccionó un soliloquio de una obra de Sidney Howard titulada *The Silver Cord*, montada por primera vez en 1926, pero la acción de la cual acontecía en una sala de estrado en Nueva York alrededor del año 1905.

—Mister Gatti, el maestro de gramática, te dirigirá... Y Missis Johnson te hablará acerca de lo que te debes de poner y esas cosas.

Mi parte era la de Cristina, una joven casada confrontando a su suegra. Aprendí el soliloquio fonéticamente, bajo la dirección de Mister Gatti. Mis primeras palabras eran: "*You belong to a type that's very common in this country, Mrs. Phelps, a type of self-centered, self-pitying, son-devouring tigress, with unmentionable proclivities suppressed on the side.*"

—No tenemos tiempo de aprender lo que quiere decir cada palabra —dijo Mister Gatti—. Sólo asegúrate de que las pronuncies todas.

Missis Johnson, quien era la maestra de artes domésticas, me llamó a su oficina.

—¿Así es que entras a un sitio? —me pre-

Teach Our Children (Enseña a nuestros niños) (1990) de Juan Sánchez. Óleo, medios combinados sobre lienzo.

Cortesía del artista.

guntó en cuanto pisé su alfombra—. Trátalo otra vez, y esta vez, no te lances adentro. Entra despacio, frente alta, espalda derecha, con una sonrisa en tu cara. Así mismo —respiré y esperé sus instrucciones—. Ahora, siéntate. ¡No, así no! ¡No te tires en la silla! Tienes que flotar hacia el asiento con las rodillas juntas —lo demostró, y yo la copié—. ¡Mucho mejor! ¿Y qué vas a hacer con las manos? No, no te aguantes la barbilla, eso no es para damas. Pon tus manos en tu falda, y déjalas ahí. No las uses tanto cuando hablas.

Me senté tiesa mientras Missis Johnson y Mister Barone me hacían preguntas que se imaginaban el jurado en Performing Arts me iba a preguntar.

—¿De dónde eres?

—De Puerto Rico.

—¡No! —dijo Missis Johnson—, Porto Rico. Pronúncialo suave. Otra vez.

—¿Tienes algún *jóbi?* —me preguntó Mister Barone, y ésta vez supe cómo contestar.

—Me gusta bailar, y me gusta el cine.

—¿Por qué quieres estudiar en esta escuela?

Missis Johnson y Mister Barone me habían hecho memorizar lo que debía decir si me preguntaban eso.

—Quiero estudiar en la Performing Arts High School por su reputación académica y para recibir entrenamiento en las artes dramáticas.

—¡Muy bien! Muy bien! —Mister Barone se frotó las manos y le guiñó a Missis Johnson—. Creo que nos va a salir la cosa.

—Recuerda —dijo Missis Johnson—, cuando compres tu vestido, busca algo bien simple, en colores oscuros.

Mami me compró un traje de cuadros rojos con camisa blanca, mi primer par de medias de nilón y zapatos de cuero con un bolsillito donde se le ponía una moneda de diez centavos. La noche antes de la prueba, me puse el pelo en rolos rosados que me pinchaban el cuero cabelludo y me hicieron desvelar. Para la prueba, me permitió que me pintara los ojos y los labios.

—¡Qué grande te ves! —exclamó Mami, su voz triste pero contenta, al verme dar vueltas enfrente de ella y de Tata.

—¡Toda una señorita! —añadió Tata, sus ojos lagrimosos.

Salimos hacia Manhattan un día en enero bajo un cielo nublado con la promesa de nieve.

—¿Por qué no escogiste una escuela más cerca a casa? —refunfuñó Mami al subirnos al tren que nos llevaría a Manhattan. Yo temía que, aunque me aceptaran a la escuela, ella no me dejaría ir porque quedaba tan lejos, una hora en cada dirección por tren. Pero, aunque se quejaba, estaba orgullosa de que por lo menos yo calificaba para ser considerada para una escuela tan famosa. Y hasta parecía estar excitada de que yo saldría del vecindario.

—Vas a conocer una clase de gente diferente —me aseguró, y yo sentí la fuerza de su ambición sin saber exactamente lo que eso quería decir.

Tres mujeres estaban sentadas detrás de una mesa larga en un salón donde los pupitres habían sido empujados contra las paredes. Al entrar, mantuve mi frente alta y sonreí, floté hacia el asiento en frente de ellas, puse mis manos en mi falda y sonreí otra vez.

—Buenos días —dijo la señora alta con pelo color de arena. Era huesuda y sólida, con ojos intensamente azules, una boca generosa y manos suaves con uñas cortas. Estaba vestida en tintes pardos de la cabeza a los pies, sin maquillaje y sin joyas, menos la cadena de oro que amarraba sus lentes sobre un pecho amplio. Su voz era profunda, modulada, cada palabra pronunciada como si la estuviera inventando.

A su lado estaba una mujercita con tacos altísimos. Su cabello corto formaba una corona alrededor de su cara, la pollina[9] cepillando las puntas de sus pestañas falsas. Sus ojos oscuros vestían una línea negra a su alrededor, y su boca pequeña parecía haber sido dibujada y luego pintada en rojo vivo. Su cara dorada por el sol me miró con la inocente curiosidad de un bebé listo. Estaba vestida de negro, con muchas cadenas alrededor del cuello, pantallas[10] colgando hasta los hombros, varias pulseras y sortijas de piedras en varios colores en cuatro dedos de cada mano.

La tercera mujer era alta, delgada, pero bien formada. Su cabello negro estaba peinado contra su casco en un moño en la nuca. Su cara angular atrapaba la luz, y sus ojos, como los de un cervato, eran inteligentes y curiosos. Su nariz era derecha, sus labios llenos pintados un color

9. **pollina:** flequillo; pelo que cae sobre la frente.
10. **pantallas:** aretes, pendientes.

- -

ADUÉÑATE DE ESTAS PALABRAS

ambición *f.:* deseo de conseguir poder, respeto o riquezas en el mundo.
modulada, -do *adj.:* afinada, suave.

- -

de rosa un poco más vivo que su color natural. Puños de seda verde se veían bajo las mangas de su chaqueta color vino. Aretes de diamante guiñaban desde los lóbulos de orejas perfectamente formadas.

Yo había soñado con este momento durante varias semanas. Más que nada, quería impresionar al jurado con mi talento para que me aceptaran en Performing Arts High School y para poder salir de Brooklyn todos los días, y un día nunca volver.

Pero en cuanto me enfrenté con estas tres mujeres bien cuidadas, se me olvidó el inglés que había aprendido y las lecciones que Missis Johnson me había inculcado sobre cómo portarme como una dama. En la agonía de contestar sus preguntas incomprensibles, puyaba mis manos hacia aquí y hacia allá, formando palabras con mis dedos porque no me salían por la boca.

—¿Por qué no nos dejas oír tu soliloquio ahora? —preguntó la señora de los lentes colgantes.

Me paré como asustada, y mi silla cayó patas arriba como a tres pies de donde yo estaba parada. La fui a buscar, deseando con toda mi alma que un relámpago entrara por la ventana y me hiciera cenizas allí mismo.

—No te aflijas —dijo la señora—. Sabemos que estás nerviosa.

Cerré los ojos y respiré profundamente, caminé al centro del salón y empecé mi soliloquio.

—Llu bilón tú é tayp dats beri cómo in dis contri Missis Felps. É tayp of selfcente red self pí tí in són de baurin taygrés huid on menshonabol proclibétis on de sayd.

A pesar de las instrucciones de Mister Gatti de hablar lentamente y pronunciar bien las palabras aunque no las entendiera, recité mi monólogo de tres minutos en un minuto sin respirar ni una vez.

Las pestañas falsas de la señora bajita parecían haber crecido de sorpresa. La cara serena de la señora elegante temblaba con risa controlada. La señora alta vestida de pardo me dio una sonrisa dulce.

—Gracias, querida. ¿Puedes esperar afuera un ratito?

Resistí el deseo de hacerle reverencia. El pasillo era largo, con paneles de madera angostos pegados verticalmente entre el piso y el cielo raso.[11] Lámparas con bombillas grandes y redondas colgaban de cordones largos, creando charcos amarillos en el piso pulido. Unas muchachas como de mi edad estaban sentadas en sillas a la orilla del corredor, esperando su turno. Me miraron de arriba a abajo cuando salí, cerrando la puerta tras de mí. Mami se paró de su silla al fondo del corredor. Se veía tan asustada como me sentía yo.

—¿Qué te pasó?

—Ná' —no me atrevía a hablar, porque si empezaba a contarle lo que había sucedido, empezaría a llorar enfrente de las otras personas, cuyos ojos me seguían como si buscando señas de lo que les esperaba. Caminamos hasta la puerta de salida—. Tengo que esperar aquí un momentito.

—¿No te dijeron nada?

—No. Sólo que espere aquí.

Nos recostamos contra la pared. Enfrente de nosotras había una pizarra de corcho con recortes de periódico acerca de graduados de la escuela. En las orillas, alguien había escrito en letras de bloque, «P.A.» y el año cuando el actor, bailarín o músico se había graduado. Cerré mis ojos y traté de imaginar un retrato de mí contra el corcho y la leyenda «P.A. '66» en la orilla.

La puerta al otro lado del pasillo se abrió, y la señora vestida de pardo sacó la cabeza.

---

11. **cielo raso:** techo.

- -

ADUÉÑATE DE ESTAS PALABRAS

puyaba, de **puyar** *v.*: apretar, poner presión; pellizcar.
aflijas, de **afligirse** *v.*: entristecerse, preocuparse, inquietarse.

- -

Untitled (Sin título) de Gilberto González.

—¿Esmeralda?

—¡Presente! quiero decir, aquí —alcé la mano.

Me esperó hasta que entré al salón. Había otra muchacha adentro, a quien me presentó como Bonnie, una estudiante en la escuela.

—¿Sabes lo que es una pantomima? —preguntó la señora. Señalé con la cabeza que sí.

Bonnie y tú son hermanas decorando el árbol de Navidad.

Bonnie se parecía mucho a Juanita Marín, a quien yo había visto por última vez cuatro años antes. Decidimos dónde poner el árbol invisible, y nos sentamos en el piso y actuamos como que estábamos sacando las decoraciones de una caja y colgándolas en las ramas.

Mi familia nunca había puesto un árbol de Navidad, pero yo me acordaba de cómo una vez yo ayudé a Papi a ponerle luces de colores alrededor de una mata de berenjenas que dividía nuestra parcela de la de Doña Ana. Empezamos por abajo, y le envolvimos el cordón eléctrico con las lucecitas rojas alrededor de la mata hasta que no nos quedaba más. Entonces Papi enchufó otro cordón eléctrico con más luces, y seguimos envolviéndolo hasta que las ramas se doblaban con el peso y la mata parecía estar prendida en llamas.

En un ratito se me olvidó dónde estaba, y que el árbol no existía, y que Bonnie no era mi hermana. Hizo como que me pasaba una decoración bien delicada y, al yo extender la mano para cogerla, hizo como que se me cayó y se rompió. Me asusté de que Mami entraría gritándonos que le habíamos roto una de sus figuras favoritas. Cuando empecé a recoger los fragmentos delicados de cristal invisible, una voz nos interrumpió y dijo:

—Gracias.

Bonnie se paró, sonrió y se fue.

La señora elegante estiró su mano para que se la estrechara.

—Notificaremos a tu escuela en unos días. Mucho gusto en conocerte.

Le estreché la mano a las tres señoras, y salí sin darles la espalda, en una neblina silenciosa, como si la pantomima me hubiera quitado la voz y el deseo de hablar.

De vuelta a casa, Mami me preguntaba qué había pasado, y yo le contestaba, «Ná'. No pasó ná',» avergonzada de que, después de tantas horas de práctica con Missis Johnson, Mister Barone y Mister Gatti, después del gasto de ropa y zapatos nuevos, después de que Mami tuvo que coger el día libre sin paga para llevarme hasta Manhattan, después de todo eso, no había pasado la prueba y nunca jamás saldría de Brooklyn.

* * *

Diez años después de mi graduación de Performing Arts High School, volví a visitar la escuela. Estaba viviendo en Boston, una estudiante becada en la Universidad de Harvard. La señora alta y elegante de mi prueba se había convertido en mi <u>mentora</u> durante mis tres años en la escuela. Después de mi graduación, se había casado con el principal de la escuela.

—Me acuerdo del día de tu prueba —me dijo, su cara angular soñadora, sus labios jugando con una sonrisa que todavía parecía tener que controlar.

Me había olvidado de la niña flaca y trigueña[12] con el pelo enrizado, el vestido de lana y las manos inquietas. Pero ella no. Me dijo que el jurado tuvo que pedirme que esperara afuera para poderse reír, ya que les parecía tan cómico ver a aquella chica puertorriqueña de catorce años chapurreando un soliloquio acerca de una suegra posesiva durante el cambio de siglo, las palabras incomprensibles porque pasaban tan rápido.

—Admiramos el valor necesario para pararte al frente de nosotras y hacer lo que hiciste.

—¿Quiere decir que me aceptaron en la escuela no porque tenía talento, sino porque era atrevida?

Nos reímos juntas.

—¿Cuántos de tus hermanos y hermanas llegaron a la universidad?

—Ninguno. Yo soy la única todavía.

—¿Cuántos son?

—Cuando me gradué ya éramos once.

—¡Once! —me miró por un rato, hasta que tuve que bajar la vista—. ¿Piensas a veces en lo lejos que has llegado?

—No. Nunca me paro a reflexionar. Si lo hago, ahogo el impulso.

12. **trigueña:** morena.

ADUÉÑATE DE ESTAS PALABRAS

mentora, -tor *m.* y *f.*: persona que aconseja y enseña.

—Déjame contarte otra historia, entonces. El primer día de tu primer año, no llegaste a la escuela. Llamamos a tu casa. Me dijiste que no podías venir a la escuela porque no tenías qué ponerte. Yo no estaba segura de si estabas bromeando. Pedí hablar con tu mamá, y tú tradujiste lo que ella dijo. Necesitaba llevarte a un sitio para que fueras su intérprete. Primero no me querías decir a dónde, pero luego admitiste que iban para el departamento de asistencia pública. Estabas llorando, y te tuve que asegurar que tú no eras la única estudiante en la escuela que recibía asistencia pública. Al otro día, llegaste feliz y contenta. Y ahora, aquí estás, casi graduándote de Harvard.

—Gracias por hacer esa llamada.

—Y gracias a ti por venirme a visitar. Pero ahora, tengo una clase —se paró, elegante como siempre—. Cuídate.

Su abrazo cálido, fragante a perfume caro, me sorprendió.

—Gracias —le dije a su espalda.

Anduve los pasillos de la escuela, buscando el salón donde había cambiado mi vida. Quedaba al frente del laboratorio del maestro de ciencia, unas puertas más abajo del pizarrón encorchado donde alguien con letra bonita todavía escribía «P.A.» seguido por el año del graduado.

—Un día de éstos —me dije a mí misma—. Un día de éstos.

CONOCE A LA ESCRITORA

Esmeralda Santiago (1948–   ) tuvo que enfrentarse a muchas dificultades durante su infancia. Su familia era pobre y ella, con frecuencia, se quedaba al cuidado de sus seis hermanos menores. Sin embargo, a Esmeralda (a quien llamaban Negi) de jovencita le gustaba el paisaje y la cultura de su Puerto Rico natal.

A los trece años se fue a vivir con su familia a Brooklyn, Nueva York. Al principio le resultó difícil ajustarse a esa vida y soñaba con el día en que pudiese volver a su país. A fuerza de trabajo y tesón, logró que la aceptasen en el High School of Performing Arts de la cuidad de Nueva York, se graduó de la Universidad de Harvard con los más altos honores y obtuvo una maestría del Sarah Lawrence College.

La obra de Santiago se ha publicado en los periódicos *The New York Times, The Boston Globe* y *The Christian Science Monitor.* Su marido y ella son propietarios de una productora cinematográfica en Boston.

CREA SIGNIFICADOS

• ## Primeras impresiones

1. ¿Qué sentiste cuando Esmeralda recitaba su monólogo?

Interpretaciones del texto

2. Vuelve a leer el pasaje donde se describe el encuentro de Esmeralda con Yolanda. ¿Qué descubre Esmeralda sobre sí misma en este episodio? ¿Qué nos dice sobre ella su decisión de no cambiar la verdad por el compañerismo?

3. ¿Por qué no era feliz Esmeralda en Brooklyn?

4. ¿Por qué no era apropiado para Esmeralda el monólogo que escogió el señor Barone?

5. Las tres mujeres le pidieron a Esmeralda que representara una pantomima. ¿Por qué? ¿Qué demostró su actuación?

Conexiones con el texto

6. ¿Habrías tenido el valor de presentarte a una audición, como lo hizo Esmeralda?

7. Antes de su actuación, Esmeralda sintió miedo de salir a escena. ¿Te has presentado alguna vez a una prueba o audición? ¿Cómo combatiste tu nerviosismo?

Preguntas al texto

8. ¿Qué tiene que ver con la experiencia de Esmeralda Santiago el proverbio que encabeza el capítulo?

> ### Repaso del texto
>
> **a.** ¿Qué actividad dijo Esmeralda que era su pasatiempo?
>
> **b.** ¿Por qué no le atraía a Esmeralda la carrera de enfermera?
>
> **c.** ¿Qué carrera eligió finalmente?
>
> **d.** ¿Qué cualidades de Esmeralda impresionaron a las tres mujeres?

Cuaderno del escritor

1. Compilación de ideas para un ensayo de observación

En el pasaje de *Cuando era puertorriqueña* que acabas de leer, Esmeralda Santiago describe con lujo de detalles el aspecto físico de las personas y su forma de hablar y de actuar. Escoge una fotografía de un miembro de tu familia o de una persona que aparezca en un periódico o revista. Describe a esa persona en pocas palabras.

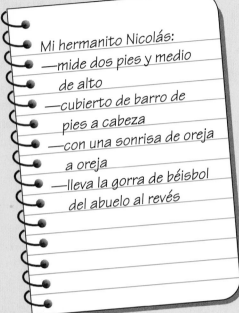

Mi hermanito Nicolás:
—mide dos pies y medio de alto
—cubierto de barro de pies a cabeza
—con una sonrisa de oreja a oreja
—lleva la gorra de béisbol del abuelo al revés

Investigación

2. Explora posibles profesiones

Lee la sección de empleos en los periódicos de tu ciudad para ver qué puedes descubrir sobre diversos empleos. Consulta revistas como *Life* o *National Geographic* en busca de fotografías de personas que hacen cosas que tú nunca has hecho. Luego escoge una profesión interesante y prepara un breve informe para presentarlo ante la clase.

Hablar y escuchar

3. Una cápsula de tiempo

Sabes que Esmeralda recuerda muy bien su niñez y sus logros, pues escribió un libro sobre el tema. Crea una cápsula de tiempo que te ayude a recordar los acontecimientos y los logros de tu propia vida. Empieza por hacer una lista y seleccionar objetos, poemas y notas que te ayuden a refrescar la memoria. Muestra los objetos a tus compañeros y amigos y explícales por qué has seleccionado esos elementos.

LENGUA Y LITERATURA   MINI LECCIÓN

Guía del lenguaje

Ver Los acentos, pág. 353.

Los acentos

Todas las palabras con más de una sílaba tienen una sílaba que se pronuncia con fuerza. Esta sílaba es la **sílaba acentuada**. En algunos casos se pone un **acento escrito** o **tilde** en esta sílaba para indicar que es la sílaba **tónica** o acentuada.

Pronuncia con más fuerza la sílaba acentuada de estas palabras:

> pájaro, oro, negro, sultán, calles, feliz, príncipe, jardín, músicos, árbol, perlas, collar, monte, lágrimas, difícil

Entonces, haz una lista de las palabras que tienen el acento en la última sílaba: sultán... Estas palabras se llaman **agudas**. Luego, haz una lista de las palabras que tienen acento en la penúltima sílaba: oro... Estas palabras son **llanas**. Por último, haz una lista de las palabras que tienen acento en la antepenúltima sílaba: pájaro... Estas palabras son **esdrújulas**.

En la Colección 4, aprenderás cuándo se pone el acento escrito.

Inténtalo tú

Los acentos tienen un efecto importante en la pronunciación de las palabras, pero también tienen una función importante en su sentido y significado. Fíjate en las siguientes palabras. Pronúncialas en voz alta y explica sus diferentes sentidos: «práctico», «practico» y «practicó». ¿Cómo se pronuncian las palabras «esta» y «está»? ¿Significan lo mismo? Piensa en palabras cuyo sentido cambia cuando se les pone o se les quita el acento.

VOCABULARIO   LAS PALABRAS SON TUYAS

ALCANCÍA DE PALABRAS

intriga
discreto(a)
intrépido(a)
impulsivo(a)
astuto(a)
preceptor
cumbre
portento
frondoso(a)
ladera
manantial
confín
elogio
infundir

Entrevista a una estrella

Contesta a las preguntas como si fueras un personaje famoso al que tu compañero(a) está entrevistando.

1. ¿Ha sido usted el centro de una intriga? En esa situación, ¿optó por ser discreto(a) o intrépido(a)?
2. ¿Se considera usted una persona impulsiva? ¿astuta?
3. ¿Quién ha sido su preceptor? ¿Qué le enseñó?
4. ¿Cuál ha sido el momento cumbre de su vida profesional?
5. ¿Qué considera usted un portento de la naturaleza?
6. ¿Qué tipo de paisajes prefiere: frondosas laderas, frescos manantiales o cumbres nevadas? Si pudiera irse de vacaciones, ¿adónde se iría, a una gran ciudad o al confín de la tierra?
7. ¿Qué tipo de elogio le gusta más?
8. ¿Qué cualidad le gustaría infundir a la gente joven de hoy?

Taller del escritor

Tarea
Escribe un ensayo de observación.

LA DESCRIPCIÓN

ENSAYO DE OBSERVACIÓN

Los relatos de esta colección contienen muchos ejemplos de descripciones de gran intensidad y viveza. Ahora tienes la oportunidad de escribir tu propia descripción. En un **ensayo de observación** se utiliza un lenguaje claro y preciso para describir cosas, personas o lugares.

Antes de escribir

1. Cuaderno del escritor

Decide qué vas a describir repasando las notas que tomaste en tu CUADERNO DEL ESCRITOR. Tal vez te sirvan de algo estas sugerencias:

- Escoge una persona, lugar o cosa que conozcas bien.
- Escoge algo que puedas observar directamente.
- Escoge un asunto que signifique algo para ti.

He aquí algunos ejemplos: un alimento favorito, un árbol o una flor, un edificio, una fiesta, una playa en verano, un pájaro o un animal, un armario o un desván, un objeto de tu habitación o de tu clase.

2. Concéntrate en el asunto

Cuando hayas encontrado un asunto apropiado, concéntrate en sus aspectos más importantes para describirlo en pocos párrafos. Haz un diagrama de enfoque como el que aparece a la izquierda.

Diagrama de enfoque

Desfiles
Cinco de mayo
Grupo de mariachis

3. Objetivo y público

En un ensayo de observación, tu intención puede ser presentar al lector información objetiva o subrayar tus propios sentimientos e impresiones sobre el objeto. Decide si el **objetivo** de tu ensayo es principalmente informativo o expresivo.

The history
of the written
word is rich and

Había una vez

Page 1

Objetivo:	Informativo	Expresivo
Tono:	Formal, objetivo	Informal, personal
Punto de vista:	Tercera persona	Primera persona

Debes pensar también si el **público** al que va dirigido tu ensayo ya está familiarizado con el tema, o si lo desconoce totalmente. Dependiendo del nivel de conocimiento de tu público, tendrás que decidir cuánta información proveerle.

4. Recopila datos físicos y sensoriales

El secreto de todo ensayo descriptivo es la claridad y el realismo en los **datos**. Usa dos tipos de datos:

- **Datos físicos:** Datos concretos que se puedan medir o comprobar, por ejemplo: el tamaño, la forma, el color y el peso.
- **Datos sensoriales:** Imágenes verbales que tengan que ver con los sentidos de la vista, el oído, el gusto, el tacto y el olfato.

Para reunir datos para tu ensayo, puedes usar la observación, la investigación, la memoria y la imaginación.

Haz una lista de datos en una tabla como la que sigue. Intenta que cada dato sea lo más concreto posible.

Tabla de observación

Asunto de observación: _____

Datos físicos	Datos sensoriales
_____	_____
_____	_____

5. Ordena los detalles

Si presentas los datos de tu ensayo en un orden razonable, la descripción será más fácil de seguir. Cuando hayas terminado de recopilar los datos, utiliza uno de estos métodos de organización: **orden espacial** y **orden de importancia**.

Pautas de escritura

Las palabras de enlace ayudan al lector a seguir la exposición de datos e ideas. A continuación figuran dos grupos de enlaces que son útiles para cualquier texto descriptivo.

Orden espacial

a través de	detrás
abajo	fuera
alrededor de	hacia dentro
allí	junto a
ante	por encima de
aquí	primero
arriba	sobre
debajo	último
dentro	

Orden de importancia

además	primero
finalmente	principalmente
lo más	segundo
importante	también
luego	

El borrador

1. Escribe tu primer borrador

Una vez que tengas los datos dispuestos en un orden razonable, estás listo(a) para escribir un primer borrador. Recuerda que el borrador es como un experimento: te da la oportunidad de descubrir cómo encajan tus ideas. Sigue el esquema que aparece a la izquierda. Al escribir, recuerda que los nombres, verbos, adjetivos y adverbios deben ser tan **concretos** como sea posible.

2. Utiliza lenguaje figurado

Si escribes un ensayo personal y creativo, atrévete a experimentar con el lenguaje figurado para conseguir efectos especiales en la descripción. El **lenguaje figurado** hace comparaciones imaginativas que no deben tomarse al pie de la letra.

3. Crea una impresión general

Todos los datos de tu ensayo descriptivo deben estar al servicio de una sola **impresión general**. Por ejemplo, si tuvieras que escribir una descripción objetiva de una escena en una selva tropical, podrías mencionar imágenes, sonidos, olores y texturas, pero no dedicarías mucho espacio a la situación política o social del país donde se encuentra la selva. Si tuvieras que escribir una descripción personal de una competencia deportiva, podrías centrar tu atención en la emoción más importante o en el sentimiento general que te inspira: por ejemplo, orgullo o suspenso. Elimina cualquier dato que no corresponda a la impresión general que deseas comunicar a tus lectores.

Evaluación y revisión

1. Respuestas entre compañeros

Reúnete con un(a) compañero(a) y que cada uno lea su borrador en voz alta. Luego háganse preguntas como éstas:

- ¿Cómo expresarías la impresión general o idea central del ensayo?

- ¿Representan los datos del ensayo una imagen realista del asunto? ¿Falta algún dato importante?

- ¿Se podría mejorar el ensayo si los datos estuvieran en otro orden?

Toma nota de los datos de tu ensayo que te gustaría añadir, eliminar o reorganizar.

2. Autoevaluación

Utiliza las siguientes pautas para revisar tu trabajo. Añade, elimina o reorganiza datos y haz cualquier otro cambio que sea necesario en el lenguaje o la organización.

Pautas de evaluación

1. ¿Identifico el asunto con claridad?

2. ¿Creo una imagen clara del tema?

3. ¿He organizado los datos y las ideas de modo que sean fáciles de seguir?

4. ¿Contribuyen todos los datos a crear una impresión principal?

5. ¿Cuál es mi objetivo principal? ¿Informar o describir? ¿Presento alguno de mis propios pensamientos y sentimientos?

Técnicas de revisión

1. Añade una o dos oraciones a la introducción.

2. Añade datos concretos de carácter físico y sensorial; usa palabras precisas.

3. Usa el orden espacial o el orden de importancia; enlaza ideas y detalles con palabras de enlace.

4. Elimina los detalles que no contribuyan a la idea central.

5. Añade sentimientos y pensamientos personales si se trata de escribir un ensayo expresivo. Pero si lo que deseas es escribir un ensayo informativo, elimínalos.

Compara las dos siguientes versiones del párrafo inicial de un ensayo de observación.

MODELOS

Borrador 1

El reloj despertador que tengo en casa sobre mi escritorio es un viejo reloj de cuerda con dos campanillas. Mi madre lo compró hace mucho tiempo en una tienda de artículos de segunda mano. Mi hermano lo tenía en su habitación antes de marcharse de casa para ir a la universidad. Gary lo llamaba «la hiena». Le encantaba inventar apodos para todo y para todos.

Evaluación: Este párrafo presenta muchos datos pero no consigue captar la atención del lector. El autor tampoco explica de dónde le viene al reloj ese apodo.

Borrador 2

Heredé «la hiena» cuando Gary, mi hermano mayor, se marchó de casa para ir a la universidad. Gary, que es muy aficionado a los apodos, había bautizado así tiempo atrás al viejo reloj despertador que mi madre había comprado en una tienda de artículos de segunda mano. Si bien el reloj que tengo en casa sobre mi escritorio no tiene aspecto de haber salido de las selvas de África, no se engañen. Las dos campanillas que tiene «la hiena» encima son como orejas redondas, y bajo el alegre e incansable tictac late un corazón de acero. Y lo que más sobresalta es esa costumbre que tiene de sonar en mitad de la noche.

Evaluación: Mejor. El escritor capta la atención del lector con una nota llamativa en la primera oración. A continuación, provee información y desarrolla una comparación humorística con el uso de metáforas y detalles gráficos.

Corrección de pruebas

Intercambia tu trabajo con el de un(a) compañero(a) de clase. Señalen cualquier error gramatical, ortográfico o de puntuación.

Publicación

Considera las siguientes maneras de publicar o dar a conocer tu trabajo:

- Reúnete con otros estudiantes para crear una antología de ensayos de observación.

- Lee tu ensayo en voz alta ante tus familiares, compañeros de clase o amigos.

Reflexión

Escribe una breve reflexión sobre tu experiencia al realizar este proyecto. Quizá desees completar una o dos de las frases que aparecen a la izquierda.

Estímulos para la reflexión

- La parte que más me gusta del ensayo es...

- La parte más difícil de escribir fue...

- Revisar el ensayo con un(a) compañero(a) me ayudó porque...

- Quiero/No quiero que este ensayo pase a formar parte permanente de mi portafolio porque...

Taller de oraciones

LAS ORACIONES SE ORGANIZAN EN PÁRRAFOS

Un conjunto de oraciones forma un **párrafo**. Los párrafos son la pieza clave de un texto en prosa, ya que ayudan a organizar las imágenes e ideas presentadas en el texto. Vuelve a leer las descripciones que hace Esmeralda Santiago de las tres mujeres del jurado en la página 84. ¿Por qué utiliza un párrafo para cada mujer?

Los párrafos también pueden tener una oración que presenta el tema principal del párrafo; a veces los resume. Esta oración es la **oración principal**. Por ejemplo, la oración principal de una propuesta de trabajo podría ser:

> Me propongo hacer un documental sobre Puerto Rico, la isla natal de Esmeralda Santiago.

Imagina que te entregan una propuesta basada en este tema para evaluarla. Sin embargo, notas que las oraciones no están muy bien organizadas. Organiza las siguientes oraciones en dos párrafos. ¿Cuáles oraciones podrían funcionar como oraciones principales?

> Como la bahía fosforescente en La Parguera, sólo hay dos más en el mundo. El casco antiguo de San Juan está lleno de construcciones de la época colonial. Quiero filmar la belleza arquitectónica de las ciudades. Una visita al parque nacional del Yunque promete ser una experiencia única en un bosque tropical. No me quiero olvidar de los hermosos edificios del pueblo de Ponce. Me gustaría mostrar los ecosistemas tan especiales de la isla.

Al revisar tu trabajo:

1. Asegúrate de que cada párrafo tenga una oración principal. Si hay distintas ideas en un solo párrafo, crea un párrafo nuevo.

2. ¿Crees que las oraciones principales expresan bien tus ideas? Si la oración principal no capta la atención, escribe otra.

Inténtalo tú

En artículos de periódicos o revistas busca párrafos que tengan oraciones principales. Copia o recorta esos párrafos e intercámbialos con los de tus compañeros. Pídeles que busquen la oración principal de cada párrafo. ¿Escogieron las mismas que tú?

Habla con los animales

Antes de leer
La guerra de los yacarés

Punto de partida

Los animales como personajes

Los protagonistas de «La guerra de los yacarés» son yacarés o caimanes. Si has leído «Rikki-tikki-tavi» (página 43), ya conoces un cuento en el que los personajes principales son animales. Con un grupo de compañeros de clase, trata de recordar otras historias de animales que conozcas, ya sean de libros, de la televisión o del cine. Describan las personalidades de los animales de cada cuento. Anoten sus respuestas en un cuadro como éste.

Personaje/ animal	Rasgos de la personalidad
El ratón Mickey	Amistoso, listo, travieso, enérgico
_____	_____
_____	_____

Toma nota

Escribe seis palabras o frases que describan a tu personaje favorito.

Diálogo con el texto

Hacer preguntas y tomar notas según lees te ayuda a ser un buen lector. Ten una hoja de papel a mano, cerca de tu libro, para tomar nota de tus reacciones sobre la lectura.

Los comentarios de un lector aparecen como ejemplo en la primera página de «La guerra de los yacarés».

Elementos de literatura

Personificación

A menudo, los escritores describen animales u objetos atribuyéndoles cualidades humanas. A veces, crean animales que hablan. Esta forma de comparación, en la cual se le atribuyen características y sentimientos humanos a un animal o un objeto, se llama **personificación**. Por medio de la personificación, un escritor describe las cosas de un modo imaginativo.

Al leer, toma notas sobre las distintas personalidades que Quiroga les ha dado a sus personajes.

La **personificación** es un elemento de comparación por medio del cual se le atribuyen características y sentimientos humanos a seres que no son humanos.

Para más información sobre la personificación, ver la página 253 y el GLOSARIO DE TÉRMINOS LITERARIOS.

LA GUERRA DE LOS YACARÉS°

Horacio Quiroga

En un río muy grande, en un país desierto donde nunca había estado el hombre, vivían muchos yacarés. Eran más de cien o más de mil. Comían pescados, animales que iban a tomar agua al río, pero sobre todo pescados. Dormían la siesta en la arena de la orilla, y a veces jugaban sobre el agua cuando había noches de luna.

Todos vivían muy tranquilos y contentos. Pero una tarde, mientras dormían la siesta, un yacaré se despertó de golpe y levantó la cabeza porque creía haber sentido ruido. Prestó oídos, y lejos, muy lejos, oyó efectivamente un ruido sordo y profundo. Entonces llamó al yacaré que dormía a su lado.

—¡Despiértate! —le dijo—. Hay peligro.

—¿Qué cosa? —respondió el otro, alarmado.

—No sé —respondió el yacaré que se había despertado primero—. Siento un ruido desconocido.

El segundo yacaré oyó el ruido a su vez, y en un momento despertaron a los otros. Todos se asustaron y corrían de un lado para otro con la cola levantada.

Y no era para menos su <u>inquietud</u>, porque el ruido crecía, crecía. Pronto vieron como una nubecita de humo a lo lejos, y oyeron un ruido de *chas-chas* en el río como si golpearan el agua muy lejos.

Los yacarés se miraban unos a otros: ¿qué podía ser aquello?

Pero un yacaré viejo y sabio, el más sabio y viejo de todos, un viejo yacaré a quien no quedaban sino dos dientes

°**yacarés:** caimanes.

ADUÉÑATE DE ESTAS PALABRAS

inquietud *f.*: intranquilidad, nerviosismo.

Me pregunto en qué país se desarrolla el cuento. Debe estar muy adentro en alguna selva, ya que el escritor cuenta que allí nunca ha estado el hombre. Todo está tan lleno de paz.

¿Surgirá una guerra entre los yacarés y las otras criaturas? ¿Cómo comenzará esta guerra?

¿Qué produce ese ruido? Los yacarés no lo reconocen, por lo que, probablemente, no proviene de ningún animal de la selva.

sanos en los costados de la boca, y que había hecho una vez un viaje hasta el mar, dijo de repente:

—¡Yo sé lo que es! ¡Es una ballena! ¡Son grandes y echan agua blanca por la nariz! El agua cae para atrás.

Al oír ésto, los yacarés chiquitos comenzaron a gritar como locos de miedo, <u>zambullendo</u> la cabeza. Y gritaban:

—¡Es una ballena! ¡Ahí viene la ballena!

Pero el viejo yacaré sacudió de la cola al yacarecito que tenía más cerca.

—¡No tengan miedo! —les gritó—. ¡Yo sé lo que es la ballena! ¡Ella tiene miedo de nosotros! ¡Siempre tiene miedo!

Con lo cual los yacarés chicos se tranquilizaron. Pero en seguida volvieron a asustarse, porque el humo gris se cambió de repente en humo negro, y todos sintieron bien fuerte ahora el *chas-chas-chas* en el agua. Los yacarés, espantados, se hundieron en el río, dejando solamente fuera los ojos y la punta de la nariz. Y así vieron pasar delante de ellos aquella cosa inmensa, llena de humo y golpeando el agua, que era un <u>vapor</u> de ruedas que navegaba por primera vez por aquel río.

El vapor pasó, se alejó y desapareció. Los yacarés entonces fueron saliendo del agua, muy enojados con el viejo yacaré, porque los había engañado, diciéndoles que eso era una ballena.

—¡Eso no es una ballena! —le gritaron en las orejas, porque era un poco sordo—. ¿Qué es eso que pasó?

El viejo yacaré les explicó entonces que era un vapor, lleno de fuego, y que los yacarés se iban a morir todos si el buque seguía pasando.

ADUÉÑATE DE ESTAS PALABRAS

zambullendo, de **zambullir** *v.*: meter o introducir la cabeza en el agua.

vapor *m.*: barco que se propulsa con vapor.

Pero los yacarés se echaron a reír, porque creyeron que el viejo se había vuelto loco. ¿Por qué se iban a morir ellos si el vapor seguía pasando? ¡Estaba bien loco, el pobre yacaré viejo!

Y como tenían hambre, se pusieron a buscar peces.

Pero no había ni un pez. No encontraron un solo pez. Todos se habían ido, asustados por el ruido del vapor. No había más pescados.

—¿No les decía yo? —dijo entonces el viejo yacaré—. Ya no tenemos nada que comer. Todos los peces se han ido. Esperemos hasta mañana. Puede ser que el vapor no vuelva más, y los peces volverán cuando no tengan más miedo.

Pero al día siguiente sintieron de nuevo el ruido en el agua, y vieron pasar de nuevo al vapor, haciendo mucho ruido y largando tanto humo que oscurecía el cielo.

—Bueno —dijeron entonces los yacarés—; el buque pasó ayer, pasó hoy, y pasará mañana. Ya no habrá más peces ni animales que vengan a tomar agua, y nos moriremos de hambre. Hagamos entonces un dique.

—¡Sí, un dique! ¡Un dique! —gritaron todos, nadando a toda fuerza hacia la orilla—. ¡Hagamos un dique!

En seguida se pusieron a hacer el dique. Fueron todos al bosque y echaron abajo más de diez mil árboles, sobre todo lapachos y quebrachos,[1] porque tienen la madera muy dura... Los cortaron con la especie de serrucho que los yacarés tienen encima de la cola; los empujaron hasta el agua, y los clavaron a todo lo ancho del río, a un metro uno del otro. Ningún buque

---

1. lapachos y quebrachos: árboles de madera muy resistente.

ADUÉÑATE DE ESTAS PALABRAS

dique *m.*: muro o pared para contener el agua.

podía pasar por allí, ni grande ni chico. Estaban seguros de que nadie vendría a espantar a los peces. Y como estaban muy cansados, se acostaron a dormir en la playa.

Al otro día dormían todavía cuando oyeron el *chas-chas-chas* del vapor. Todos oyeron, pero ninguno se levantó ni abrió los ojos siquiera. ¿Qué les importaba el buque? Podía hacer todo el ruido que quisiera, por allí no iba a pasar.

En efecto: el vapor estaba muy lejos todavía cuando se detuvo. Los hombres que iban adentro miraron con anteojos aquella cosa atravesada en el río y mandaron un bote a ver qué era aquello que les impedía pasar. Entonces los yacarés se levantaron y fueron al dique, y miraron por entre los palos, riéndose del chasco que se había llevado el vapor.

El bote se acercó, vio el formidable dique que habían levantado los yacarés y se volvió al vapor. Pero después volvió otra vez al dique, y los hombres del bote gritaron:

—¡Eh, yacarés!

—¡Qué hay? —respondieron los yacarés, sacando la cabeza por entre los troncos del dique.

—¡Nos está estorbando eso! —continuaron los hombres.

—¡Ya lo sabemos!

—¡No podemos pasar!

—¡Es lo que queremos!

—¡Saquen el dique!

—¡No lo sacamos!

Los hombres del bote hablaron un rato en voz baja entre ellos y gritaron después:

—¡Yacarés!

—¡Qué hay? —contestaron ellos.

—¿No lo sacan?

—¡No!

—¡Hasta mañana, entonces!

—¡Hasta cuando quieran!

Y el bote volvió al vapor, mientras los yacarés, locos de contentos, daban tremendos cola-

zos en el agua. Ningún vapor iba a pasar por allí y siempre, siempre, habría pescados.

Pero al día siguiente volvió el vapor, y cuando los yacarés miraron el buque, quedaron mudos de asombro: ya no era el mismo buque. Era otro, un buque de color ratón, mucho más grande que el otro. ¿Qué nuevo vapor era ése? ¿Ése también quería pasar? No iba a pasar, no. ¡Ni ése, ni otro, ni ningún otro!

—¡No, no va a pasar! —gritaron los yacarés, lanzándose al dique, cada cual a su puesto entre los troncos.

El nuevo buque, como el otro, se detuvo lejos, y también como del otro bajó un bote que se acercó al dique.

Dentro venían un oficial y ocho marineros. El oficial gritó:

—¡Eh, yacarés!

—¡Qué hay! —respondieron éstos.

—¿No sacan el dique?

—No.

—¿No?

—¡No!

—Está bien —dijo el oficial—. Entonces lo vamos a echar a pique[2] a cañonazos.

—¡Echen! —contestaron los yacarés.

Y el bote regresó al buque.

Ahora bien, ese buque de color ratón era un buque de guerra, un acorazado con terribles cañones. El viejo yacaré sabio que había ido una vez hasta el mar, se acordó de repente, y apenas tuvo tiempo de gritar a los otros yacarés:

—¡Escóndanse bajo el agua! ¡Ligero! Es un buque de guerra! ¡Cuidado! ¡Escóndanse!

Los yacarés desaparecieron en un instante

2. **echar a pique:** hundir.

bajo el agua y nadaron hacia la orilla, donde quedaron hundidos, con la nariz y los ojos únicamente fuera del agua. En ese mismo momento, del buque salió una gran nube blanca de humo, sonó un terrible estampido, y una enorme bala de cañón cayó en pleno dique, justo en el medio. Dos o tres troncos volaron hechos pedazos, y en seguida cayó otra bala, y otra y otra más, y cada una hacía saltar por el aire en astillas un pedazo de dique, hasta que no quedó nada del dique. Ni un tronco, ni una astilla, ni una cáscara. Todo había sido deshecho a cañonazos por el acorazado. Y los yacarés, hundidos en el agua, con los ojos y la nariz solamente afuera, vieron pasar el buque de guerra, silbando a toda fuerza.

Entonces los yacarés salieron del agua y dijeron:

—Hagamos otro dique mucho más grande que el otro.

Y en esa misma tarde y esa noche misma hicieron otro dique, con troncos inmensos. Después se acostaron a dormir, cansadísimos, y estaban durmiendo todavía al día siguiente cuando el buque de guerra llegó otra vez, y el bote se acercó al dique.

—¡Eh, yacarés! —gritó el oficial.

—¡Qué hay! —respondieron los yacarés.

—¡Saquen ese otro dique!

—¡No lo sacamos!

—¡Lo vamos a deshacer a cañonazos como al otro!...

—¡Deshagan... si pueden!

Y hablaban así con orgullo porque estaban seguros de que su nuevo dique no podría ser deshecho ni por todos los cañones del mundo.

Pero un rato después el buque volvió a llenarse de humo, y con un horrible estampido la bala reventó en el medio del dique, porque esta vez habían tirado con granada. La granada reventó contra los troncos, hizo saltar, despedazó, redujo a astillas las enormes vigas. La segunda reventó al lado de la primera y otro pedazo de dique voló por el aire. Y así fueron deshaciendo el dique. Y no quedó nada del dique; nada, nada. El buque de guerra pasó entonces delante de los yacarés, y los hombres les hacían burlas tapándose la boca.

—Bueno —dijeron entonces los yacarés, saliendo del agua—. Vamos a morir todos, porque el buque va a pasar siempre y los peces no volverán.

Y estaban tristes, porque los yacarés chiquitos se quejaban de hambre.

El viejo yacaré dijo entonces:

—Todavía tenemos una esperanza de salvarnos. Vamos a ver al *Surubí*.[3] Yo hice el viaje con él cuando fui hasta el mar, y tiene un torpedo. Él vio un combate entre dos buques de guerra, y trajo hasta aquí un torpedo que no reventó. Vamos a pedírselo, y aunque está muy enojado con nosotros los yacarés, tiene buen corazón y no querrá que muramos todos.

El hecho es que antes, muchos años antes, los yacarés se habían comido a un sobrinito

---

3. *Surubí*: pez grande de río.

- -

ADUÉÑATE DE ESTAS PALABRAS

astilla *f.*: fragmento, pedazo o trozo de madera.
redujo, de **reducir** *v.*: convertir en una cosa más pequeña o de un valor menor.

- -

del Surubí, y éste no había querido tener más relaciones con los yacarés. Pero a pesar de todo fueron corriendo a ver al Surubí, que vivía en una gruta grandísima en la orilla del río Paraná, y que dormía siempre al lado de su torpedo. Hay surubíes que tienen hasta dos metros de largo y el dueño del torpedo era uno de ésos.

—¡Eh, Surubí! —gritaron todos los yacarés desde la entrada de la gruta, sin atreverse a entrar por aquel asunto del sobrinito.

—¿Quién me llama? —contestó el Surubí.

—¡Somos nosotros, los yacarés!

—No tengo ni quiero tener relación con ustedes —respondió el Surubí, de mal humor.

Entonces el viejo yacaré se adelantó un poco en la gruta y dijo:

—¡Soy yo, Surubí! ¡Soy tu amigo el yacaré que hizo contigo el viaje hasta el mar!

Al oír esa voz conocida, el Surubí salió de la gruta.

—¡Ah, no te había conocido! —le dijo cariñosamente a su viejo amigo—. ¿Qué quieres?

—Venimos a pedirte el torpedo. Hay un buque de guerra que pasa por nuestro río y espanta a los peces. Es un buque de guerra, un acorazado. Hicimos un dique, y lo echó a pique. Hicimos otro, y lo echó también a pique. Los peces se han ido, y nos moriremos de hambre. Danos el torpedo, y lo echaremos a pique a él.

El Surubí, al oír esto, pensó un largo rato, y después dijo:

—Está bien; les prestaré el torpedo, aunque me acuerdo siempre de lo que hicieron con el hijo de mi hermano. ¿Quién sabe hacer reventar el torpedo?

ADUÉÑATE DE ESTAS PALABRAS

gruta *f.*: cueva, caverna.

Ninguno sabía, y todos callaron.

—Está bien —dijo el Surubí, con orgullo—, yo lo haré reventar. Yo sé hacer eso.

Organizaron entonces el viaje. Los yacarés se ataron todos unos con otros; de la cola de uno al cuello del otro; de la cola de éste al cuello de aquél, formando así una larga cadena de yacarés que tenía más de una cuadra. El inmenso Surubí empujó el torpedo hacia la corriente y se colocó bajo él, sosteniéndolo sobre el lomo para que flotara. Y como las lianas[4] con que estaban atados los yacarés uno detrás del otro se habían concluido, el Surubí se prendió con los dientes de la cola del último yacaré, y así emprendieron la marcha. El Surubí sostenía el torpedo, y los yacarés tiraban, corriendo por la costa. Subían, bajaban, saltaban por sobre las piedras, corriendo siempre y arrastrando el torpedo, que levantaba olas como un buque por la velocidad de la corrida. Pero a la mañana siguiente, bien temprano, llegaban al lugar donde habían construido su último dique, y comenzaron en seguida otro, pero mucho más fuerte que los anteriores, porque por consejo del Surubí colocaron los troncos bien juntos, uno al lado del otro. Era un dique realmente formidable.

Hacía apenas una hora que acababan de colocar el último tronco del dique, cuando el buque de guerra apareció otra vez, y el bote con el oficial y ocho marineros se acercó de nuevo al dique. Los yacarés se treparon enton-

4. **lianas**: tallos largos, delgados y flexibles de algunas plantas que se pueden usar como soga.

ces por los troncos y asomaron la cabeza del otro lado.

—¡Eh, yacarés! —gritó el oficial.

—¡Qué hay! —respondieron los yacarés.

—¿Otra vez el dique?

—¡Sí, otra vez!

—¡Saquen ese dique!

—¡Nunca!

—¿No lo sacan?

—¡No!

—Bueno; entonces, oigan —dijo el oficial—. Vamos a deshacer este dique, y para que no quieran hacer otro los vamos a deshacer después a ustedes, a cañonazos. No va a quedar ni uno solo vivo —ni grandes, ni chicos, ni gordos, ni flacos, ni jóvenes, ni viejos— como ese viejísimo yacaré que veo allí, y que no tiene sino dos dientes en los costados de la boca.

El viejo y sabio yacaré, al ver que el oficial hablaba de él y se burlaba, le dijo:

—Es cierto que no me quedan sino pocos dientes, y algunos rotos. ¿Pero usted sabe qué van a comer mañana estos dientes? —añadió, abriendo su inmensa boca.

—¿Qué van a comer, a ver? —respondieron los marineros.

—A ese oficialito —dijo el yacaré y se bajó rápidamente de su tronco.

Entretanto, el Surubí había colocado su torpedo bien en medio del dique, ordenando a

----

ADUÉÑATE DE ESTAS PALABRAS

formidable *adj.*: que inspira miedo o admiración.
costado *m.*: lado.

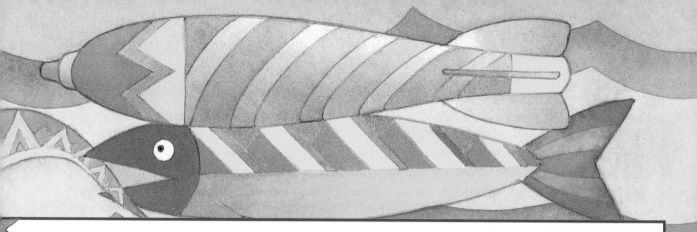

cuatro yacarés que lo agarraran con cuidado y lo hundieran en el agua hasta que él les avisara. Así lo hicieron. En seguida, los demás yacarés se hundieron a su vez cerca de la orilla, dejando únicamente la nariz y los ojos fuera del agua. El Surubí se hundió al lado de su torpedo.

De repente el buque de guerra se llenó de humo y lanzó el primer cañonazo contra el dique. La granada reventó justo en el centro del dique, e hizo volar en mil pedazos diez o doce troncos.

Pero el Surubí estaba alerta y apenas quedó abierto el agujero en el dique, gritó a los yacarés que estaban bajo el agua sujetando el torpedo:

—¡Suelten el torpedo, ligero, suelten!

Los yacarés soltaron, y el torpedo vino a flor de agua.[5]

En menos del tiempo que se necesita para contarlo, el Surubí colocó el torpedo bien en el centro del boquete abierto, apuntando con un solo ojo, y poniendo en movimiento el mecanismo del torpedo, lo lanzó contra el buque.

¡Ya era tiempo! En ese instante el acorazado lanzaba su segundo cañonazo y la granada iba a reventar entre los palos, haciendo saltar en astillas otro pedazo del dique.

Pero el torpedo llegaba ya al buque, y los hombres que estaban en él lo vieron: es decir, vieron el remolino que hace en el agua un torpedo. Dieron todos un gran grito de miedo y quisieron mover el acorazado para que el torpedo no lo tocara.

Pero era tarde; el torpedo llegó, chocó con el inmenso buque bien en el centro, y reventó.

No es posible darse cuenta del terrible ruido con que reventó el torpedo. Reventó y partió el buque en quince mil pedazos, lanzó por el aire, a cuadras y cuadras de distancia, chimeneas, máquinas, cañones, lanchas, todo.

Los yacarés dieron un grito de triunfo y corrieron como locos al dique. Desde allí vieron pasar por el agujero abierto por la granada a los hombres muertos, heridos y algunos vivos que la corriente del río arrastraba.

Se treparon amontonados en los dos troncos que quedaban a ambos lados del boquete y cuando los hombres pasaban por allí, se burlaban tapándose la boca con las patas.

No quisieron comer a ningún hombre, aunque bien lo merecían. Sólo cuando pasó uno que tenía galones[6] de oro en el traje y que estaba vivo, el viejo yacaré se lanzó de un salto al agua, y ¡tac! en dos golpes de boca se lo comió.

—¿Quién es ése? —preguntó un yacarecito ignorante.

—Es el oficial —le respondió el Surubí—. Mi viejo amigo le había prometido que lo iba a comer, y se lo ha comido.

Los yacarés sacaron el resto del dique, que para nada servía ya, puesto que ningún buque volvería a pasar por allí. El Surubí, que se había enamorado del cinturón y los cordones del oficial, pidió que se los regalaran, y tuvo que sacárselos de entre los dientes al viejo yacaré,

5. **vino a flor de agua:** salió a la superficie del agua; flotó.

6. **galones:** etiqueta o distintivo que llevan en la camisa los militares para indicar su rango.

pues habían quedado enredados allí. El Surubí se puso el cinturón, abrochándolo por bajo las aletas, y del extremo de sus grandes bigotes prendió los cordones de la espada. Como la piel del Surubí es muy bonita, y las manchas oscuras que tiene se parecen a las de una víbora, el Surubí nadó una hora pasando y repasando ante los yacarés, que lo admiraban con la boca abierta.

Los yacarés lo acompañaron luego hasta su gruta, y le dieron las gracias infinidad de veces.

Volvieron después a su paraje. Los peces volvieron también, los yacarés vivieron y viven todavía muy felices, porque se han acostumbrado al fin a ver pasar vapores y buques que llevan naranjas.

Pero no quieren saber nada de buques de guerra.

ADUÉÑATE DE ESTAS PALABRAS

paraje *m.*: lugar, sitio.

LITERATURA Y CIENCIA

El medio ambiente

En «La guerra de los yacarés» cuando el barco de vapor se adentra por primera vez en el gran río, los peces se asustan. La intrusión de los seres humanos en este espacio cambia el equilibrio de la naturaleza y constituye una amenaza para la vida de los yacarés que dependen del río para alimentarse.

Aunque la historia de Quiroga es ficticia, nos advierte de los peligros de alterar el *ecosistema,* la relación que existe entre las formas de vida y su medio ambiente. Estamos comenzando a entender las consecuencias de los cambios que los seres humanos producen en el medio ambiente. A veces estos cambios son necesarios. Por ejemplo, la gente necesita terreno para casas y tierras de cultivo. La selva proporciona también recursos naturales como madera y petróleo, que benefician a mucha gente.

Sin embargo, también es cierto que al destruir algunos ecosistemas, como una selva tropical, se contribuye a la extinción de miles de especies diferentes de plantas y animales. Dependemos de las plantas para producir oxígeno, que es vital para nuestra supervivencia. El cortar árboles en una cantidad desmedida elimina una importante fuente de oxígeno. Cuando los bosques tropicales se queman, el bióxido de carbono se diluye en la atmósfera y contribuye al calentamiento global conocido como el *efecto invernadero.* La deforestación de las selvas tropicales también es una amenaza para los peces y causa la erosión de terreno valioso para la cosecha de ciertos cultivos y plantas.

La destrucción masiva de selvas tropicales puede tener terribles consecuencias. Todos los pueblos del mundo están alarmados y tratan de encontrar mejores métodos de administrar los recursos naturales, no sólo en la selva tropical, sino también en los diferentes tipos de ecosistemas.

CONOCE AL ESCRITOR

Horacio Quiroga (1878–1937), uno de los más grandes autores de cuentos de Latinoamérica, nació el día de Año Nuevo en Salto, Uruguay. Algunas de las historias más impresionantes de Quiroga sugieren la influencia de Edgar Allan Poe, un escritor estadounidense famoso por sus cuentos de obsesión y horror. «La princesa bizantina» de Quiroga está basado en el relato de Poe «El tonel de Amontillado» ("The Cask of Amontillado"), en el que uno de los personajes se venga de otro enterrándolo vivo. Quiroga es asimismo muy valorado por sus cuentos de la selva que incluso han sido comparados con los de Rudyard Kipling, un escritor británico (ver la página 60).

A principios de 1900, Quiroga trabajó para una comisión del gobierno de Argentina que estudiaba las ruinas jesuitas de la zona selvática de Misiones. Se quedó tan impresionado con la belleza primitiva de la selva que decidió quedarse a vivir allí unos cuantos años. La región tropical a lo largo del río Paraná sería el escenario de muchos cuentos llenos de colorido y personajes animales. «La guerra de los yacarés» se publicó en una colección de fábulas de la selva titulada *Cuentos de la selva*, de 1918. Una segunda colección, titulada *Anaconda,* apareció en 1921. El relato «Anaconda», que para muchos lectores es la obra maestra de Quiroga, trata de un grupo de serpientes venenosas que intenta evitar que los científicos descubran un antídoto contra su veneno. En este cuento, al igual que en «La guerra de los yacarés», Quiroga dramatiza la lucha entre la naturaleza y las fuerzas de la civilización.

La propia vida de Quiroga estuvo marcada por la enfermedad y la tragedia. Fue responsable, por accidente, de la muerte de un amigo íntimo, y algunos miembros de su familia se suicidaron. Varios críticos creen que estos trágicos sucesos contribuyeron a que Quiroga se interesara en escribir relatos lúgubres.

CREA SIGNIFICADOS

- ## Primeras impresiones

  1. ¿Es este cuento serio o humorístico?

Interpretaciones del texto

2. Piensa en cómo han sido **personificados** los animales de este cuento. ¿Qué características humanas muestran el yacaré viejo y el Surubí?

3. ¿Qué crees que habría sucedido si el Surubí no hubiera cooperado con los yacarés?

4. ¿Quién gana la guerra? Busca detalles del texto que apoyen tu conclusión.

Repaso del texto

a. ¿Por qué deciden los yacarés hacer un dique en el río?

b. ¿Por qué le piden los yacarés ayuda al Surubí?

c. ¿Quién logra convencer al Surubí para que los ayude?

d. ¿Qué recompensa pide el Surubí por el uso de su torpedo?

e. ¿Por qué regresan los peces al río?

Conexiones con el texto

5. ¿Hay una «guerra» en nuestro planeta entre los seres humanos y otras formas de vida? ¿Habrá un ganador en este conflicto? Explica tu respuesta.

Preguntas al texto

6. ¿Le cambiarías al cuento el título de «La guerra de los yacarés»? Si prefieres otro título, explica por qué.

Más allá del texto

7. ¿Crees que con este cuento Quiroga quiere dar una lección sobre la vida? ¿Se relaciona esta lección con alguna experiencia tuya? Explica tu respuesta.

OPCIONES: Prepara tu portafolio

Cuaderno del escritor

1. Compilación de datos para un cuento

Los autores de cuentos a menudo basan sus personajes en personas de la vida real. ¿Conoces a alguien de quien te gustaría escribir una historia? Toma notas para la creación de un personaje basado en parte en una persona real o en una combinación de personas. Después, piensa en el conflicto que tu personaje tendrá que resolver.

El señor Henríquez:
—director del grupo musical de una escuela secundaria
—estricto pero con buen sentido del humor
Problema: el día antes de una presentación descubre que han desaparecido los textos de música

Investigación

2. Lenguaje de los animales

Averigua qué han aprendido los científicos sobre el modo en que se comunican los animales. Mucho se ha investigado al respecto en la vida marina y entre los primates. Pídele a tu maestro o al bibliotecario local que te ayude a buscar información. Intenta encontrar grabaciones de animales que «hablan». Comunica los resultados de tu investigación al resto de la clase. Podrías empezar por llenar un cuadro como el de abajo.

Hablar y escuchar

3. Un telediario

Imagina que un reportero se presenta en el momento en el que el oficial y los yacarés discuten por el tercer dique. En grupo, representen lo que ocurre cuando el reportero entrevista a los marinos y a los yacarés. Recuerden que el reportero tiene que presentar ambos puntos de vista.

Dibujo

4. Dibuja un mapa

«La guerra de los yacarés» ocurre en una selva tropical de Sudamérica. ¿En qué otras partes del mundo hay selvas tropicales? ¿Qué tipos de plantas y animales viven en ellas? Consulta libros, revistas y enciclopedias para aprender más sobre las selvas tropicales. Dibuja un mapa de las selvas tropicales que hay en el mundo.

Lo que sé	Lo que quiero saber	Lo que he aprendido
Los delfines han conversado con los humanos.	¿Cómo saben los expertos lo que dicen los delfines?	

Elementos de literatura

CUENTOS II: Punto de vista, ironía y tema

Para apreciar y evaluar plenamente los cuentos, tienes que entender los elementos que los componen. En la colección anterior estudiaste tres importantes elementos del cuento: el argumento, la caracterización y el ambiente (página 64). Ahora vas a conocer tres elementos más: el punto de vista, la ironía y el tema.

El punto de vista

El **punto de vista** es la perspectiva desde la que se cuenta la historia. Hay tres puntos de vista que se usan comúnmente en la ficción.

En el **punto de vista en primera persona**, uno de los personajes del cuento usa sus propias palabras y el pronombre «yo». Cuando se emplea este punto de vista, podemos saber sólo lo que el narrador sabe y siente. Juan Ramón Jiménez usa este punto de vista en *Platero y yo* (página 117). Cuando leas «Niña» de Margarita M. Engle (página 265), encontrarás otro ejemplo de narración en primera persona.

Para un cuentista, el **punto de vista en primera persona** tiene ventajas y limitaciones. Una ventaja es que los lectores pueden identificarse más facilmente con el personaje que narra la historia. En cambio, una desventaja es que se limitan las posibilidades del lector para conocer los pensamientos y los sentimientos del resto de los personajes.

En el **punto de vista del narrador omnisciente en tercera persona**, el autor se comporta como un observador externo que sabe todo sobre los personajes y sus conflictos. (La palabra «omnisciente» significa «el que todo lo sabe».) Has visto un ejemplo de este punto de vista en «Historia del pájaro que habla, el árbol que canta y el agua de oro» (página 67).

En el **punto de vista limitado en tercera persona**, el narrador es un observador externo que se ocupa de los pensamientos y sentimientos de un solo personaje (o de un grupo de personajes). Horacio Quiroga usa este punto de vista en «La guerra de los yacarés», así como lo hace Gary Soto en «Primero de secundaria» (página 14). Quiroga se limita a la perspectiva de los yacarés, mientras que Soto cuenta la historia concentrándose en los pensamientos y sentimientos de Víctor.

El punto de vista que se emplea tiene un efecto importante en la forma en que una historia puede hacernos reaccionar. Piensa por un momento de qué forma tan distinta verías los sucesos ocurridos en «Rikki-tikki-tavi» (página 43) si Kipling hubiera narrado la acción desde el punto de vista de los seres humanos en lugar del de los animales.

Ironía

La **ironía** es el contraste entre lo que se dice y lo que realmente se quiere decir, o entre lo que se espera que ocurra y lo que en realidad ocurre.

En los casos de **ironía verbal**, el escritor o el

personaje que habla dice palabras que en realidad significan algo muy diferente a lo que se dice. Si dijeras que un cachorrito es fiero, estarías usando la ironía verbal.

La **ironía de sucesos** se da cuando lo que ocurre es muy diferente a lo que esperábamos que ocurriera. Por ejemplo, en «La guerra de los yacarés», es irónico que los yacarés combatan a los oficiales de la marina con torpedos y que el ejército naval sea atacado por una de sus propias armas.

Tema

La idea central o significado básico de una obra literaria se llama **tema**. El tema de una obra no es lo mismo que su argumento. El argumento es de lo que trata una obra literaria, mientras que el tema es el mensaje sobre el cual el autor quiere que reflexionemos.

No todos los cuentos tienen un tema; algunos relatos se cuentan con el solo propósito de entretener. Muchos cuentos, sin embargo, comunican un mensaje serio o un comentario sobre la naturaleza o la conducta humana.

A veces los temas se exponen directamente. Así ocurre en la mayoría de las fábulas, las cuales enseñan lecciones prácticas o morales.

En la mayoría de las obras literarias, el tema está implícito y la tarea del lector es identificarlo. Los sucesos del argumento, los personajes, el punto de vista y el ambiente del cuento dan pistas para reconocer su tema. Puedes usar las siguientes estrategias para identificar el tema de un cuento:

1. Reflexiona sobre el título del cuento. ¿Da alguna pista de cuál es el tema? Cuando leas «La puerta del infierno» (página 157), considera la relación entre el título de la leyenda y su mensaje sobre la conducta humana.

2. Piensa en los cambios por los que ha pasado el protagonista a lo largo del cuento. Por ejemplo, ¿qué ha aprendido Víctor y cómo ha madurado en «Primero de secundaria»?

3. ¿Hay partes del cuento que parecen dirigir al lector al tema? Piensa en la última oración de «La guerra de los yacarés»: «Pero no quieren saber nada de buques de guerra». ¿Qué te dice este final sobre el tema del cuento?

ANTES DE LEER
de Platero y yo

Punto de partida

Los animales y nosotros

Las personas a menudo crean fuertes lazos con los animales. ¿Alguna vez le has tomado cariño a algún animal, como la mascota de la familia, la mascota de un amigo o quizá algún animal salvaje?

Comparte tus ideas

Piensa en las cualidades del animal al que le tomaste cariño. ¿Qué te gustaba de él? ¿Compartías con él algún juego en especial? Comenta con un(a) compañero(a) las respuestas a estas preguntas.

Toma nota

Escribe tres o cuatro oraciones sobre el animal que era especial para ti.

Estrategias para leer

Pistas del contexto

Es muy probable que cuando leas, encuentres palabras que no conoces. Una manera de averiguar el significado de una palabra desconocida es fijarte en su contexto —las palabras, frases u oraciones que la rodean.

~DE~ Platero y yo

Juan Ramón Jiménez

PLATERO

Platero es pequeño, peludo, suave; tan blando por fuera, que se diría todo de algodón, que no lleva huesos. Sólo los espejos de azabache de sus ojos son duros cual dos escarabajos de cristal negro.

Lo dejo suelto, y se va al prado, y acaricia tibiamente con su hocico, rozándolas apenas, las florecillas rosas, celestes y gualdas[1]... Lo llamo dulcemente: «¿Platero?», y viene a mí con un trotecillo alegre que parece que se ríe, en no sé qué cascabeleo[2] ideal...

Come cuanto le doy. Le gustan las naranjas mandarinas, las uvas moscateles, todas de ámbar,[3] los higos morados, con su cristalina gotita de miel...

Es tierno y mimoso igual que un niño, que una niña...; pero fuerte y seco por dentro, como de piedra. Cuando paso sobre él, los domingos, por las últimas callejas del pueblo, los hombres del campo, vestidos de limpio y despaciosos, se quedan mirándolo:

—Tien' asero...

Tiene acero. Acero y plata de luna, al mismo tiempo.

1. **gualdas:** de color amarillo.
2. **cascabeleo:** ruido de cascabeles o sonido que se le asemeja.
3. **ámbar:** color dorado.

ADUÉÑATE DE ESTAS PALABRAS

azabache *m.*: piedra negra semipreciosa.
tibiamente *adv.*: cálida y suavemente, delicadamente.

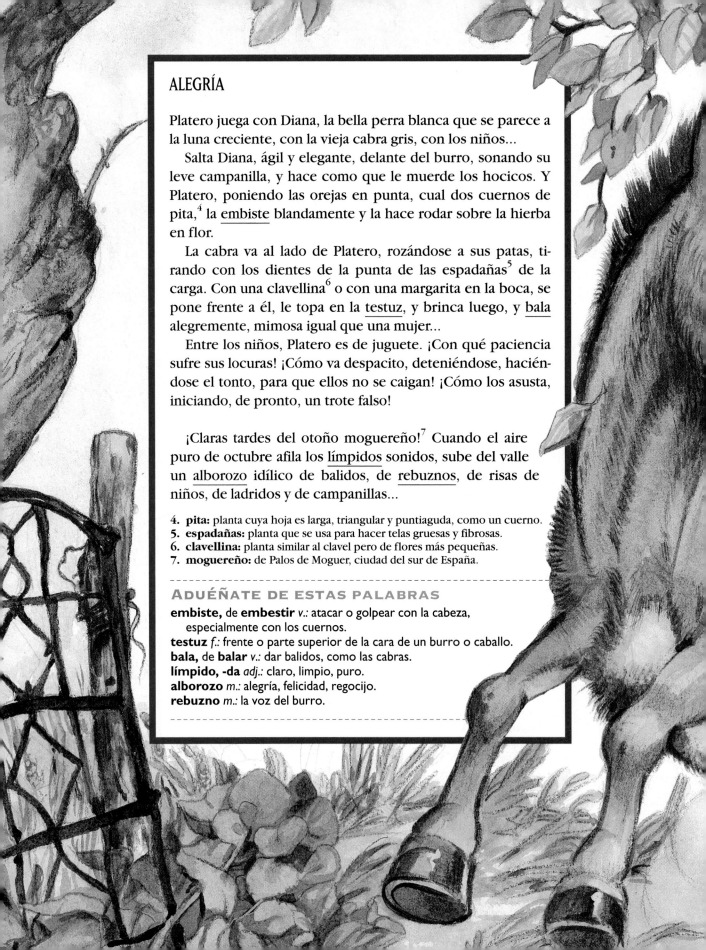

ALEGRÍA

Platero juega con Diana, la bella perra blanca que se parece a la luna creciente, con la vieja cabra gris, con los niños...

Salta Diana, ágil y elegante, delante del burro, sonando su leve campanilla, y hace como que le muerde los hocicos. Y Platero, poniendo las orejas en punta, cual dos cuernos de pita,[4] la embiste blandamente y la hace rodar sobre la hierba en flor.

La cabra va al lado de Platero, rozándose a sus patas, tirando con los dientes de la punta de las espadañas[5] de la carga. Con una clavellina[6] o con una margarita en la boca, se pone frente a él, le topa en la testuz, y brinca luego, y bala alegremente, mimosa igual que una mujer...

Entre los niños, Platero es de juguete. ¡Con qué paciencia sufre sus locuras! ¡Cómo va despacito, deteniéndose, haciéndose el tonto, para que ellos no se caigan! ¡Cómo los asusta, iniciando, de pronto, un trote falso!

¡Claras tardes del otoño moguereño![7] Cuando el aire puro de octubre afila los límpidos sonidos, sube del valle un alborozo idílico de balidos, de rebuznos, de risas de niños, de ladridos y de campanillas...

4. **pita:** planta cuya hoja es larga, triangular y puntiaguda, como un cuerno.
5. **espadañas:** planta que se usa para hacer telas gruesas y fibrosas.
6. **clavellina:** planta similar al clavel pero de flores más pequeñas.
7. **moguereño:** de Palos de Moguer, ciudad del sur de España.

ADUÉÑATE DE ESTAS PALABRAS

embiste, de **embestir** *v.*: atacar o golpear con la cabeza, especialmente con los cuernos.
testuz *f.*: frente o parte superior de la cara de un burro o caballo.
bala, de **balar** *v.*: dar balidos, como las cabras.
límpido, -da *adj.*: claro, limpio, puro.
alborozo *m.*: alegría, felicidad, regocijo.
rebuzno *m.*: la voz del burro.

EL CANARIO VUELA

Un día, el canario verde, no sé cómo ni por qué, voló de su jaula. Era un canario viejo, recuerdo triste de una muerta, al que yo no había dado libertad por miedo de que se muriera de hambre o de frío, o de que se lo comieran los gatos.

Anduvo toda la mañana entre los granados[8] del huerto, en el pino de la puerta, por las lilas. Los niños estuvieron, toda la mañana también, sentados en la galería, absortos en los breves vuelos del pajarillo amarillento. Libre, Platero <u>holgaba</u> junto a los rosales, jugando con una mariposa.

A la tarde, el canario se vino al tejado de la casa grande, y allí se quedó largo tiempo, latiendo en el tibio sol que <u>declinaba</u>. De pronto, y sin saber nadie cómo ni por qué, apareció en la jaula, otra vez alegre.

¡Qué alborozo en el jardín! Los niños saltaban, tocando las palmas, <u>arrebolados</u> y rientes como auroras; Diana, loca, los seguía, ladrándole a su propia y riente campanilla; Platero, contagiado, en un oleaje de carnes de plata, igual que un chivillo, hacía corvetas,[9] giraba sobre sus patas en un vals[10] tosco y, poniéndose en las manos, daba coces al aire claro y suave...

8. **granados:** árboles de la granada, fruta de color rojo y de sabor agridulce.
9. **corvetas:** piruetas de los caballos que consisten en pararse en las patas traseras y levantar las extremidades delanteras.
10. **vals:** baile de origen alemán.

ADUÉÑATE DE ESTAS PALABRAS

holgaba, de **holgar** *v.:* descansar, relajarse.
declinaba, de **declinar** *v.:* caer, ponerse (el sol).
arrebolado, -da *adj.:* de color rojo.

IDILIO DE ABRIL

Los niños han ido con Platero al arroyo de los chopos, y ahora lo traen trotando, entre juegos sin razón y risas despro-porcionadas, todo cargado de flores amarillas. Allá abajo les ha llovido —aquella nube fugaz que veló el campo verde con sus hilos de oro y plata, en los que tembló, como una lira de llanto, el arco iris—. Y sobre la empapada lana del asnucho, las campanillas mojadas gotean todavía.

¡Idilio fresco, alegre, sentimental! ¡Hasta el rebuzno de Pla-tero se hace tierno bajo la dulce carga llovida! De cuando en cuando, vuelve la cabeza y arranca las flores a que su boca al-canza. Las campanillas, níveas y gualdas, le cuelgan, un mo-mento, entre el blanco babear verdoso, y luego se le van a la barrigota cinchada.[11] ¡Quién como tú, Platero, pudiera comer flores... y que no le hicieran daño!

¡Tarde equívoca de abril!... Los ojos brillantes y vivos de Pla-tero copian toda la hora de sol y lluvia, en cuyo ocaso, sobre el campo de San Juan, se ve llover, deshilachada, otra nube rosa.

11. cinchada: que tiene un cinturón que amarra la silla o aparejo de montar al lomo del animal.

ADUÉÑATE DE ESTAS PALABRAS

desproporcionada, -do *adj.:* exagerada, fuera de proporción.
fugaz *adj.:* que desaparece rápidamente.
equívoca, -co *adj.:* extraña, dudosa, ambigua.
ocaso *m.:* puesta de sol sobre el horizonte.

CONOCE AL ESCRITOR

Juan Ramón Jiménez (1881–1958) nació en Palos de Moguer, Huelva, un pueblo al suroeste de la costa española. Sus primeros poemas se publicaron antes de que cum-pliese veinte años. *Platero y yo* (1914) está escrito en prosa pero tiene muchas caracte-rísticas del lenguaje poético. Este libro se ha traducido a muchos idiomas y es igualmente famoso fuera de los países de habla hispana.

El estilo de Juan Ramón Jiménez evolu-cionó desde las formas rimadas tradiciona-les y de una métrica regular hasta utilizar el verso libre y nuevas formas poéticas. Su obra ha ejercido una gran influencia en el mundo de las letras.

Cuando estalló la Guerra Civil Española en 1936, Jimé-nez salió de España huyéndole a las presiones de la guerra. Viajó a Cuba y a los Estados Unidos. Dio conferencias en Sud-américa y fue miembro del profesorado de la Universidad de Puerto Rico. Murió en 1958, dos años después de haber recibido el Pre-mio Nobel de Literatura.

CREA SIGNIFICADOS

- ## Primeras impresiones

  1. ¿Crees que Platero es un buen nombre para este burro? ¿Te gustaría que Platero fuera tu mascota?

  ## Interpretaciones del texto

  2. En la página 117, Jiménez dice que «Es tierno y mimoso igual que un niño, que una niña...». ¿Apoya esta declaración el pasaje que aparece inmediatamente después de la narración?

  3. A veces un(a) escritor(a) compara dos cosas distintas de manera inesperada para enriquecer sus descripciones con una mayor variedad de imágenes. Busca algunos ejemplos de esta selección. ¿Cómo expresan una actitud de gozo ante la naturaleza?

  ## Conexiones con el texto

  4. ¿Por qué crees que la gente «habla» con sus mascotas? Según tu experiencia, ¿parece que los animales entienden lo que la gente les dice?

  ## Más allá del texto

  5. «La guerra de los yacarés» (página 101) destaca el conflicto entre los seres humanos y las criaturas del mundo natural. *Platero y yo* destaca los fuertes vínculos de afecto que existen entre la gente y los animales. ¿Qué crees que la gente puede hacer para vivir en mayor armonía con el mundo animal?

> ### Repaso del texto
>
> a. ¿Por qué el narrador tiene enjaulado al canario?
>
> b. ¿Qué hace el canario después de volar por el jardín y posarse en el techo?

Donkey Bank (Alcancía en forma de burro) (1985), artista desconocido.
From the Nelson A. Rockefeller Collection of The Mexican Museum.

OPCIONES: Prepara tu portafolio

Cuaderno del escritor

1. Compilación de ideas para un cuento

Escoge un animal con el que te gustaría viajar y tener una relación semejante a la que el narrador tiene con Platero. Describe a tu compañero de viaje detalladamente. Luego, indica adónde irían ustedes y qué problemas y aventuras podrían presentárseles.

> Balto, nuestro perro siberiano
> —pesa alrededor de 90 libras, me llega a la cadera, tiene un ojo azul y otro marrón, el colmillo izquierdo le sobresale por el labio inferior
> —Viajamos al Ártico, donde nos encontramos con un oso polar.

Redacción creativa

2. Un animal amigo

Después de leer la primera parte de *Platero y yo*, sentimos como si conociéramos a Platero. Jiménez describe detenidamente tanto la apariencia como la personalidad del burro. Escoge un animal que te llama la atención, un tigre, un mono, un elefante o un oso koala, por ejemplo. Imagina que te has hecho amigo de ese animal y descríbelo en una composición de dos o tres párrafos.

Investigación

3. Informe oral

Piensa en la variedad de maneras en que se ha entrenado a los animales para que ayuden a los seres humanos. Los animales transportan alimentos y mensajes, protegen familias y propiedades, y cuidan y pastorean ovejas. Ciertos perros ayudan a personas ciegas o sordas. Averigua cómo se entrena a los animales para realizar estos trabajos. Comparte tus hallazgos con la clase. Organiza tu investigación por medio de un diagrama como el que aparece abajo.

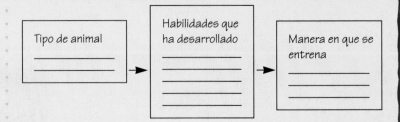

Tipo de animal	Habilidades que ha desarrollado	Manera en que se entrena

LENGUA Y LITERATURA MINI LECCIÓN

Guía del lenguaje

*Ver
El adjetivo,
pág. 343.*

Cómo ve el poeta

Para saber cómo percibe el poeta la realidad, puedes fijarte en los **adjetivos** que usa. ¿Cómo dice Juan Ramón Jiménez que es Platero? ¿Cómo es Moguer? ¿Qué siente Jiménez hacia su pueblo? Piensa lo que te sugieren los adjetivos del texto y escribe tus propias oraciones con ellos.

En español, los adjetivos tienen gran valor poético. La posición de los adjetivos también produce un efecto poético. Busca momentos en el texto:

- donde los adjetivos van después del nombre.
- donde los adjetivos van antes del nombre.
- donde los adjetivos van entre comas en el predicado.

¿Qué efecto producen en cada posición? ¿Qué pasa si los cambias de posición?

Para describir la realidad, Jiménez también usa los **símiles**. Un símil consiste en comparar una cosa con otra. ¿A qué se parecen los ojos de Platero? ¿Por qué es Platero como el algodón? ¿A qué se parece Diana? Busca otros símiles en el texto. Los símiles se hacen normalmente con la palabra **como**, pero también se pueden hacer símiles con **se parece a**, **igual que**, **cual**.

Inténtalo tú

Piensa qué te recuerdan Platero, Diana, el canario verde, las lluvias de abril y haz comparaciones. Platero es como...

VOCABULARIO LAS PALABRAS SON TUYAS

ALCANCÍA DE PALABRAS

*azabache
tibio
gualda
ámbar
arrebolado
fugaz
ocaso
celeste
plata
cascabeleo
aurora*

Las palabras de la poesía

Sustituye las palabras de la constelación con palabras de la ALCANCÍA y con otras que encuentres en el texto. Con fotos de revistas y dibujos que ilustren las palabras, haz un *collage*.

luz — sonidos — color — **Palabras de la poesía** — materiales — temperatura — velocidad

ESTRATEGIAS PARA LEER

Cómo utilizar las pistas del contexto

Cuando encuentres una palabra desconocida, puedes utilizar las **pistas del contexto** para averiguar el significado. El contexto consiste en las palabras y frases que rodean a una palabra en particular. Siempre es útil buscar en el diccionario las palabras desconocidas. Pero si logras usar las pistas que te da el contexto para adivinar el significado de una palabra, comprenderás mejor lo que lees.

Lee el siguiente pasaje de *Platero y yo* y trata de averiguar el significado de la palabra «absortos» por medio de las pistas del contexto.

> Los niños estuvieron, toda la mañana también, sentados en la galería, absortos en los breves vuelos del pajarillo amarillento. Libre, Platero holgaba junto a los rosales, jugando con una mariposa.

Aun sin conocer el significado de la palabra «absortos», puedes determinar que a los niños les interesa tanto el vuelo del canario como para sentarse toda la mañana en la galería. Platero, en cambio, le presta atención a una mariposa. Puedes deducir, entonces, que «absortos» significa «concentrados» o «con mucho interés».

Abajo aparecen diferentes tipos de pistas del contexto que debes tener en cuenta cuando leas. Para averiguar el significado de las palabras subrayadas, utiliza las pistas del contexto: las palabras y frases que aparecen en cursiva. Después, busca las palabras en el diccionario o en el glosario al final de este libro para comparar tus definiciones con el significado real de las palabras.

Definición: Otras palabras del pasaje definen la palabra desconocida.

> Los que no creen en Dios, creen a puño cerrado en cualquier barbaridad, por ejemplo, en que el número 13 es fatídico, *precursor de desgracias y mensajero de muerte.* (página 4)

Comparación: La palabra desconocida es similar a una palabra o frase conocida.

> Sólo los espejos de azabache de sus ojos son *duros* cual dos escarabajos de *cristal negro.* (página 117)

Contraste: Una palabra desconocida significa lo opuesto a una palabra o frase conocida.

> El príncipe siguió subiendo intrépidamente, pero las voces llegaron a hacer tan amenazador estruendo rodeándole, *que sus rodillas empezaron a temblar.* (página 70)

Causa y efecto: Una palabra desconocida se relaciona con la causa o el efecto de una acción, sentimiento o idea.

> *La granada reventó contra los troncos,* hizo saltar, despedazó, redujo a *astillas las enormes vigas.* (página 106)

De HUMANO SE NACE

Quino

DE
ME LLAMO RIGOBERTA MENCHÚ

RIGOBERTA MENCHÚ

El nahual

Como sólo hacía tres años que Rigoberta Menchú hablaba español cuando se publicó su autobiografía, necesitó ayuda para escribir el libro del que ha sido tomado el siguiente capítulo. Se hospedó en la casa de la escritora y antropóloga venezolana Elisabeth Burgos-Debray, a quien le contó su historia durante la semana que pasaron juntas. Más adelante, Burgos-Debray escribió el recuento oral que le hizo Menchú. Conforme leas, probablemente notarás que el lenguaje que usa Menchú es distinto del que acostumbras oír y hablar. Sin embargo, a medida que avanza el relato quizá te sientas como si Menchú en persona te estuviera contando su historia.

Todo niño nace con su nahual. Su nahual es como su sombra. Van a vivir paralelamente y casi siempre es un animal el nahual. El niño tiene que dialogar con la naturaleza. Para nosotros el nahual es un representante de la tierra, un representante de los animales y un representante del agua y del sol. Y todo eso hace que nosotros nos formemos una imagen de ese representante. Es como una persona paralela al hombre. Es algo importante. Se le enseña al niño que si se mata un animal el dueño de ese animal se va a enojar con la persona, porque le está matando al nahual. Todo animal tiene un correspondiente hombre y al hacerle daño, se le hace daño al animal.

Nosotros tenemos divididos los días en perros, en gatos, en toros, en pájaros. Cada día tiene un nahual. Si el niño nació el día miércoles, por ejemplo, su nahual sería una ovejita. El nahual está determinado por el día del nacimiento. Entonces para ese niño, todos los miércoles son su día especial. Si el niño nació el martes es la peor situación que tiene el niño porque será muy enojado. Los papás saben la actitud del niño de acuerdo con el día que nació. Porque si le tocó como nahualito un toro, los papás dicen que el torito siempre se enoja. Al gato le gustará pelear mucho con sus hermanitos.

Para nosotros o para nuestros antepasados, existen diez días sagrados. Esos diez días sagrados, representan una sombra. Esa sombra es de algún animal.

Hay perros, toros, caballos, pájaros, hay animales salvajes como, por ejemplo, un león. Hay también árboles. Un árbol que se ha escogido hace muchos siglos y que tiene una sombra. Entonces cada uno de los diez días está representado por uno de los animales mencionados. Estos animales no siempre tienen que ser uno. Por ejemplo, un perro, no sólo uno va a representar sino que nueve perros representan un nahual. El caso de los caballos, tres caballos representan un nahual. O sea, tiene muchas variedades. No se sabe el número. O se sabe,

pero sólo nuestros papás saben el número de animales que representan cada uno de los nahuales de los diez días.

Pero, para nosotros, los días más humildes son el día miércoles, el lunes, el sábado y el domingo. Los más humildes. O sea, tendrían que representar una oveja, por ejemplo. O pájaros. Así, animales que no estropeen a otros animales. De hecho, a los jóvenes, antes de casarse, se les da la explicación de todo esto. Entonces sabrán ellos, como padres, cuando nace su hijo, qué animal representa cada uno de los días. Pero, hay una cosa muy importante. Los padres no nos dicen a nosotros cuál es nuestro nahual cuando somos menores de edad o cuando tenemos todavía actitudes de niño. Sólo vamos a saber nuestro nahual cuando ya tengamos una actitud fija, que no varía, sino que ya se sabe esa nuestra actitud. Porque muchas veces se puede uno aprovechar del mismo nahual, si mi nahual es un toro, por ejemplo tendré... ganas de pelear con los hermanos. Entonces, para no aprovecharse del mismo nahual, no se le dice a los niños. Aunque muchas veces se les compara a los niños con el animal, pero no es para identificarlo con su nahual. Los niños menores no saben el nahual de los mayores. Se les dice sólo cuando la persona tiene ya la actitud como adulto. Puede ser a los nueve o a los diecinueve o veinte años. Es para que el niño no se encapriche. Y que no vaya a decir, yo soy tal animal. Entonces me tienen que aguantar los otros. Pero cuando se le regalan sus animales, a los diez a doce años, tiene que recibir uno de los animales que representa su nahual. Pero si no se le puede dar un león, por ejemplo, se le suple por otro animal parecido. Sólo nuestros papás saben qué día nacimos. O quizá la comunidad porque estuvo presente en ese tiempo. Pero ya los demás vecinos de otros pueblos no sabrán nada. Sólo sería cuando llegamos a ser íntimos amigos.

Esto es más que todo para el nacimiento de un niño. Cuando es martes y no nace un niño, nadie se da cuenta o nadie se interesa. O sea, no es un día que se guarda o se hace fiesta. Muchas veces uno se encariña con el animal que corresponde a nuestro nahual antes de saberlo. Hay ciertos gustos entre nosotros los indígenas. El hecho de que amamos mucho a la naturaleza y tenemos gran cariño a todo lo que existe. Sin embargo, sobresale algún animal que nos gusta más. Lo amamos mucho. Y llega un momento que nos dicen, que es nuestro nahual, entonces le damos más cariño al animal.

Todos los reinos que existen para nosotros en la tierra tienen que ver con el hombre y contribuyen al hombre. No es parte <u>aislada</u> el hombre; que hombre por allí, que animal por allá, sino que es una constante relación, es algo paralelo. Podemos ver en los apellidos indígenas también. Hay muchos apellidos que son animales. Por ejemplo, Quej, caballo.

Nosotros los indígenas hemos ocultado nuestra identidad, hemos guardado muchos secretos, por eso somos <u>discriminados</u>. Para no-

Courtesy of the artist; Rena Bransten Gallery, SF, CA; Galerie Claude Samuel, Paris, France.

Horse in Man (Caballo dentro de hombre) (1985) de Rupert García. Pastel (59¾" x 53⅞").

sotros es bastante difícil muchas veces decir algo que se relaciona con uno mismo porque uno sabe que tiene que ocultar esto hasta que <u>garantice</u> que va a seguir como una cultura indígena, que nadie nos puede quitar. Por eso no puedo explicar el nahual, pero hay ciertas cosas que puedo decir a grandes rasgos.

Yo no puedo decir cuál es mi nahual porque es uno de nuestros secretos.

ADUÉÑATE DE ESTAS PALABRAS

aislada, -do *adj.*: sola, sin compañía.
discriminado, -da *adj.*: separado, aislado, excluido.
garantice, de **garantizar** *v.*: prometer, dar seguridad.

Conoce a la escritora

Rigoberta Menchú (1959–   ) estaba ocupada organizando una protesta contra la celebración del quinto centenario de la llegada de Cristóbal Colón a las Américas, cuando recibió la noticia de que había ganado el Premio Nobel de la Paz. Eso ocurrió en 1992 y Menchú ya llevaba diez años luchando incansablemente por los derechos de su gente, los indígenas de Guatemala.

Rigoberta Menchú es maya quiché. Nació en el pueblo montañoso de Chimel, al noroeste de Guatemala. De niña cultivaba maíz y frijoles en el pequeño terreno de sus padres. En el periodo entre la siembra y la siega viajaba con su familia a la costa oeste de Guatemala, a trabajar en los cafetales y en las plantaciones de algodón y azúcar. Las condiciones de vida en las plantaciones eran miserables. Durante meses enteros cientos de trabajadores indígenas se veían forzados a convivir en barracas abiertas y sin servicios higiénicos.

De adolescente, Menchú trabajó de empleada doméstica en la Ciudad de Guatemala. Durante ese tiempo aprendió español, la lengua oficial de Guatemala. Su conocimiento del español la habría de ayudar más adelante en su lucha a favor de los guatemaltecos pobres.

Al final de los años setenta, el padre de Menchú la ayudó a organizar un sindicato de campesinos llamado Comité de la Unidad Campesina. Los miembros de la familia fueron calificados inmediatamente de subversivos y más tarde su madre, su padre y su hermano fueron asesinados por los soldados del gobierno. Menchú se ocultó durante un tiempo y finalmente se vio forzada a huir a México.

En enero de 1982 la invitaron a ir a Europa para reunirse con algunos grupos de solidaridad. Menchú pasó entonces una semana en París en casa de la escritora venezolana Elisabeth Burgos-Debray. Entre las dos convirtieron la historia de la vida de Menchú en un libro, *Me llamo Rigoberta Menchú y así me nació la conciencia*. En el párrafo que abre el relato Menchú dice:

«Me llamo Rigoberta Menchú. Tengo veintitrés años. Quisiera dar este testimonio vivo que no he aprendido en un libro y que tampoco he aprendido sola ya que todo esto lo he aprendido con mi pueblo y es algo que yo quisiera enfocar. Me cuesta mucho recordarme toda una vida que he vivido, pues muchas veces hay tiempos muy negros y hay tiempos que, sí, se goza también pero lo importante es, yo creo, que quiero hacer un enfoque que no soy la única, pues ha vivido mucha gente y es la vida de todos. La vida de todos los guatemaltecos pobres y trataré de dar un poco mi historia. Mi situación personal engloba toda la realidad de un pueblo.»

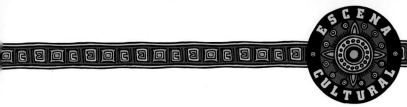

Para proteger el medio ambiente

ACTIVIDADES PARA EMPEZAR

Llamamos materiales **reciclables** a los periódicos y a los plásticos porque una vez que son desechados, se pueden procesar y usarse otra vez para crear nuevos productos. ¿Conoces otros materiales reciclables? Averigua si en tu comunidad hay un programa de reciclaje. Si lo hay, investiga cómo funciona este programa y comparte la información con la clase.

¿Por qué debemos reciclar?

Cada año en los Estados Unidos se desecha más de media tonelada de basura por habitante. ¡Eso equivale a tres libras y media por día! ¿Adónde va a parar toda esa basura? La mayor parte de la basura se entierra en vertederos, de los cuales hay un total de 20.000 en los Estados Unidos. Sin embargo, muchos de estos vertederos se están cerrando debido a que ya casi no tienen espacio. Nos estamos quedando sin espacio para tirar la basura.

Una de las medidas que podemos tomar para cuidar el medio ambiente es reciclar. Según la Environmental Protection Agency de los Estados Unidos, los programas de reciclaje facilitan «la recolección, reprocesamiento, mercadeo y uso de reciclables». Hoy en día, la mayoría de las comunidades en todo el país tienen programas de reciclaje tanto obligatorios como voluntarios. Estos programas alivian el problema de la falta de espacio que hay en los vertederos. Además, ayudan a mejorar el medio ambiente de muchas maneras.

El reciclaje de periódicos, papel y cartón ayuda a proteger uno de nuestros más preciados recursos naturales: los árboles. Los expertos calculan que el número de periódicos que se desechan cada semana en los Estados Unidos equivale a alrededor de medio millón de árboles. La reducción de la demanda de madera ayudaría a conservar los hábitats de fauna silvestre en todo el

mundo, especialmente los que se encuentran en los bosques tropicales, los cuales se están destruyendo a una velocidad alarmante.

El reciclaje de botes de aluminio ayuda a conservar un recurso natural valioso, la bauxita,

que es la materia prima mineral de la que se hace el aluminio. Al ritmo actual de consumo, la existencia mundial de bauxita se extinguirá en menos de trescientos años. ¿Pueden los estudiantes ayudar a prevenir estos problemas? Por supuesto que sí. Los estudiantes de la Midlothian Middle School, que está cerca de Richmond, Virginia, recolectaron más de 125.000 botes de aluminio a lo largo de dos días, logrando así conseguir 2.000 dólares para el departamento de ciencias de su escuela.

Cada año, los estadounidenses desechan suficientes envases plásticos de refrescos como para darle tres vueltas a la Tierra. Alrededor del ocho por ciento de la basura de nuestras ciudades consiste en botellas y envases de vidrio. Reciclar plástico y vidrio disminuye la contaminación del aire, ayuda a preservar los recursos naturales y a conservar energía.

Cómo preservar las zonas pantanosas

Las zonas pantanosas son aquéllas en las que las aguas de las capas subterráneas están en la superficie o cerca de la superficie de la Tierra. En el pasado, los pantanos se consideraban terrenos sin importancia o páramos desagradables que no eran otra cosa que focos de enfermedades. Los pantanos han sido drenados y rellenados con el propósito de utilizarlos en proyectos de desarrollo industrial, agrícola y residencial. Según el Fish and Wildlife Service, en el año 1994 más de la mitad de los pantanos de los Estados Unidos —más de 100 millones de acres de terreno— habían sido destruidos.

Hoy en día sabemos que los pantanos son vitales para la salud

del medio ambiente. Estas áreas son importantes criaderos de insectos, peces, anfibios y pájaros. Algunas plantas de los pantanos, tales como la espadaña, el carrizo y el junco, retardan el flujo del agua y atrapan el lodo. La vegetación de los pantanos también purifica el agua al filtrar contaminantes y otras toxinas. Según un estudio reciente, si restauráramos un grupo de pantanos a lo largo de ciertos tramos del río Mississippi, podríamos prevenir inundaciones devastadoras como las que ocurrieron en muchos estados durante el verano de 1993.

NO (1976)
de Alfredo Gonzalez Rostgaard.
Courtesy of the Center for Cuban Studies.

Eco-pond (estanque) en los Everglades, región pantanosa de la Florida.

ACTIVIDADES DE CIERRE

1. Con un grupo de compañeros, diseña un cartel publicitario sobre los beneficios del reciclaje en tu comunidad. En el cartel, usen dibujos, historietas, fotografías y eslóganes para promover el reciclaje. Cuando hayan terminado, pueden exponer el cartel en el tablero de avisos de la clase.

2. Muchas medicinas importantes se derivan de plantas que se encuentran en los bosques tropicales. Haz una investigación en la biblioteca de tu escuela o de tu comunidad para identificar algunos de estos medicamentos. Intenta averiguar qué están haciendo los científicos para descubrir nuevos medicamentos, aun cuando se destruyan los bosques tropicales. Haz un informe oral ante la clase para compartir tus hallazgos.

3. Un fotoensayo cuenta una historia con palabras e imágenes. Trabaja con un grupo de compañeros de clase para crear un fotoensayo sobre uno de los ecosistemas del mundo. Puedes escoger una región de la lista de abajo o dedicarte a una región de tu preferencia. Usa fotos de revistas viejas como ilustraciones. En tu fotoensayo, asegúrate de que el texto y las ilustraciones expliquen algunas características particulares del ecosistema elegido.

   - los Everglades, región pantanosa del sur de la Florida
   - los Llanos del Serengueti de Tanzania
   - la isla de Madagascar
   - la selva tropical del Amazonas
   - la cordillera del Himalaya

Taller del escritor

Tarea
Escribe un cuento.

LA NARRACIÓN

CUENTO

En esta colección y en la anterior, has tenido la oportunidad de explorar algunos de los elementos centrales del cuento (páginas 64 y 114). Has visto cómo un buen cuento contiene personajes verosímiles, desarrolla un conflicto y entretiene al lector. Ahora tienes la oportunidad de escribir tu propio cuento.

Antes de escribir

1. Cuaderno del escritor

Busca una idea para tu cuento en las notas que fuiste tomando en tu CUADERNO DEL ESCRITOR. Fíjate si hay alguna idea que te gustaría desarrollar.

2. Lluvia de ideas

Para más ideas, déjate llevar por estos temas.

...fuera con un amigo al Polo Norte?

...las radios, los teléfonos y los televisores en todo el mundo dejaran de funcionar de pronto?

...fuera trapecista en un circo?

...fuera un reportero para la sección de crímenes?

¿Qué pasaría si...

...entendiera lo que dicen los animales?

...ganara un millón de dólares?

...los coches y los autobuses se reemplazaran de repente con caballos y carretas?

...pudiera viajar por todo el mundo?

The history
of the written
word is rich and

Había una vez

3. Escritura libre

Otra forma de desarrollar una idea es practicar la **escritura
libre** sobre algún tema inspirado en una fotografía, un recuerdo
o una situación familiar o de la escuela, por ejemplo. Escoge una
persona, objeto o suceso y escribe durante cinco minutos sin
detenerte.

4. Desarrollo del cuento

Una vez que hayas encontrado una idea prometedora, trata de
resumirla en una oración o dos. Este resumen se convertirá en el
núcleo del cuento. Para desarrollar este núcleo de manera más
detallada, toma notas sobre los elementos siguientes: exposición,
complicaciones, conflicto, clímax y desenlace.

Presta especial atención al **conflicto**, que es el problema que
el protagonista tendrá que solucionar. Presenta el conflicto en el
primer párrafo del cuento. Puedes escoger entre los siguientes
tres tipos de conflicto:

- alguien se enfrenta a otra persona o grupo
- una persona se enfrenta a una fuerza mayor
- alguien lucha con sus propios sentimientos o pensamientos

Decide de antemano qué suceso va a ser el **clímax** del cuento.

5. Desarrollo de personajes, ambiente y punto de vista

Un cuento normalmente tiene dos o tres **personajes** principales. Anota las características físicas y los rasgos de la personalidad de cada personaje que planeas incluir.

Piensa además en el **ambiente**, es decir, el tiempo y lugar
donde ocurre la historia. Haz una lista de detalles específicos
que puedas usar para describir el **ambiente**. Entonces, toma
una decisión sobre el **punto de vista**. Recuerda que si escribes
desde la perspectiva de un personaje del cuento, el narrador se
limitará a contar sólo lo que él o ella ha presenciado.

Finalmente, junta todas tus notas y haz un **plan del cuento**.
Haz un esquema como el que aparece a la derecha.

Escritura libre
- Lo más extraño que me ha
  ocurrido...
- La persona más extraña
  que he conocido....
- Las cosas salieron muy
  diferentes a lo que yo
  esperaba cuando...

El núcleo del cuento
Dos amigos y su perro Balto
viajan al círculo Ártico.
Algunas de sus aventuras
son la lucha contra el frío y
el encuentro inesperado
con un oso polar.

Plan del cuento
Título: _____

Ambiente
    Tiempo: _____
    Lugar: _____

Personajes
    _____
    _____

Acción
    Exposición: _____
    _____
    Conflicto:
    _____
    _____
    Clímax: _____
    Desenlace: _____
Punto de vista: _____

antes   mientras

cuando   por fin

después   por último

durante   primero

entonces   de pronto

entretanto   próximo

finalmente   ya

Pauta de escritura

Usa verbos apropiados y precisos en las acotaciones (palabras como «murmuró» o «gritó») para describir la forma en que hablan los personajes.

Evaluación del cuento

• Mi parte favorita de este cuento fue...

• Me gustaría saber más acerca de...

• El personaje más real era...

• Para mí la parte más importante fue...

• Al final, pensé... porque...

El borrador
1. Escribe tu primer borrador

Un borrador te permite organizar tus ideas por escrito. En esta etapa no debes preocuparte demasiado por la ortografía ni la puntuación. Pon los sucesos en **orden cronológico**; es decir, cuenta los hechos en el orden en que sucedieron. No olvides usar **palabras de enlace** para indicar la relación entre los sucesos y las ideas. A la izquierda tienes una lista de palabras de enlace útiles para la composición narrativa.

2. Trabaja con el diálogo

El diálogo puede ser uno de los recursos más efectivos para hacer un cuento emocionante y divertido. Sigue las siguientes pautas para la escritura de diálogos:

• Haz que el discurso de los personajes sea lo más cercano posible al de la vida real. Si quieres desarrollar un buen oído para el diálogo, escucha atentamente las conversaciones cotidianas de tu familia y amigos.

• Utiliza el diálogo para adelantar el curso del cuento.

• Intenta darle a cada personaje una forma de hablar que lo caracterice.

3. Utiliza imágenes sensoriales

Las **imágenes sensoriales** son palabras o frases que apelan a uno de los cinco sentidos: vista, tacto, gusto, olfato, oído. ¿Cómo lucen los personajes en cada escena? ¿Qué sonidos, olores y otras sensaciones puedes mencionar para crear escenas más verosímiles y animadas? Compara los ejemplos que siguen:

Balto era un perro grande.	Balto me llegaba a la cadera. Tenía un ojo azul y otro café, y su colmillo izquierdo se insertaba bajo el labio.
Balto tenía frío y estaba herido y tendido junto al fuego.	Con la piel moteada de hielo, Balto se arrastró penosamente cerca del fuego.

Evaluación y revisión
1. Intercambio entre compañeros

Discute el borrador de tu cuento con un grupo de compañeros. Intercambien sus trabajos y completen las oraciones que aparecen a la izquierda por cada borrador que lean.

2. Autoevaluación

Usa las pautas siguientes para revisar lo que has escrito. Añade, elimina o reorganiza los detalles y haz los cambios necesarios en la organización y el vocabulario.

Pautas de evaluación

1. El párrafo inicial, ¿capta la atención del lector?

2. ¿Queda claro cuál es el conflicto?

3. ¿Crees que la historia crea suspenso y mantiene al lector interesado?

4. ¿Está claro el orden de los sucesos?

5. ¿Son creíbles los personajes?

6. ¿Tiene el cuento un clímax convincente?

Técnicas de revisión

1. Comienza con una línea o dos de diálogo o con una acción emocionante.

2. Incluye oraciones que ilustren el problema o la lucha del personaje principal.

3. Elimina detalles o diálogos que frenen el ritmo de la acción y añade detalles que creen suspenso.

4. Pon atención al orden temporal; considera la posibilidad de usar el *flash-back* para explicar sucesos previos.

5. Incluye detalles verosímiles y diálogo vívido.

6. Demuestra cómo se resuelve el conflicto principal.

Compara las dos versiones siguientes del comienzo de un cuento.

MODELOS

Borrador 1

Decidimos ir al Ártico. Balto, nuestro perro esquimal, tiraría del trineo que llevaba nuestro equipaje. Primero empacamos nuestro equipaje. Luego, tomamos un barco que nos llevó hasta el pueblo de Labrador. De ahí salimos rumbo al círculo polar Ártico.

Evaluación: Faltan detalles e imágenes. Los hechos son demasiado genéricos y suceden con demasiada rapidez. La narración se concentra en aspectos aburridos, no en los emocionantes.

Borrador 2

En plena carrera y con el trineo deslizándose sobre el hielo detrás de él, Balto se detuvo de repente. Arañó el hielo con las patas delanteras, buscando un punto de apoyo. Permaneció inmóvil. Levantó la cabeza y miró a lo lejos. Allá, en la blancura inmensa del hielo que nos rodeaba por muchos kilómetros, se perfilaba un bulto de blancura más intensa y brillante. El bulto hizo un movimiento: era un oso polar. Fue entonces cuando nos preguntamos cómo se nos había podido ocurrir la locura de explorar el Ártico por nuestra cuenta.

Evaluación: Mejor. El escritor empieza con una escena emocionante. Los detalles ayudan al lector a imaginarla. El cuento genera una sensación de suspenso sobre lo que va a suceder.

Corrección de pruebas

Intercambia trabajos con un(a) compañero(a) para que cada uno haga la corrección de pruebas del cuento del otro. Indica cualquier error que encuentres, ya sea gramatical u ortográfico.

Publicación

Considera las siguientes maneras de publicar o compartir tu cuento:

* Presenta tu cuento a un concurso literario.
* Envía tu cuento al periódico o revista de la escuela.
* Ofrécete a leer tu cuento en voz alta en una reunión familiar o ante un grupo de estudiantes más jóvenes.

Apuntes para la reflexión
El mayor problema que tuve fue contar los sucesos en el orden correcto. Para mí fue muy útil trazar un mapa del cuento antes de redactar mi borrador.

Reflexión

Contesta de manera breve a una de estas preguntas o a ambas:

* ¿Qué problema importante tuviste al escribir o revisar tu cuento? ¿Cómo lo resolviste?
* ¿Qué parte del diálogo o de la narración te gustó más? ¿Qué elementos hacen que esa parte sea particularmente interesante?

PREPARA TU PORTAFOLIO
Taller de oraciones

¿Qué es una transición?

Algunos textos, como ensayos, cuentos e incluso cartas, suelen tener muchos párrafos. Para que el texto sea claro y tenga continuidad hay que relacionar los párrafos. Hay dos maneras de hacerlo.

Si los párrafos tratan de un mismo **tema**, se pueden poner uno después de otro sin mostrar la relación. El tema establece la unidad entre los párrafos.

Sin embargo, cuando un párrafo trata de algo distinto al párrafo anterior, se presenta un cambio. Este cambio es una **transición**. Es como una interrupción que ocurre en el camino y necesita un puente. En estos casos, la relación entre un párrafo y el siguiente no es aparente.

Las siguientes oraciones son parte de una carta que recibiste de Ecuador:

> Ayer estuvimos en las islas Galápagos donde Charles Darwin pasó cinco semanas estudiando los animales. Vimos diferentes tipos de iguanas, tortugas y peces. Desde una lancha pudimos ver delfines y manta rayas.
>
> Cayó una tremenda tormenta. Yo nunca había visto relámpagos tan impresionantes...

¿Suena bien el cambio de un párrafo a otro?

Hay palabras que hacen de puente entre dos ideas. Se llaman **palabras de enlace**. Se usan para:

- contraponer las ideas de un párrafo y otro: **sin embargo, pero, aunque, de repente**
- marcar el tiempo que transcurre entre dos párrafos: **entonces, luego, después, ahora, mientras, antes**
- explicar las ideas de los párrafos: **por ejemplo, es decir, o sea**

¿Qué palabras de enlace usarías para unir los dos párrafos de la carta?

Al revisar tu trabajo:

Subraya las palabras de enlace que has utilizado entre los párrafos. ¿Se entiende bien la relación entre un párrafo y el siguiente?

Guía del lenguaje

Ver Palabras de enlace, pág. 339.

Inténtalo tú

Lee un artículo de periódico o revista. Encuentra párrafos que se relacionen por el tema. Luego, busca ocasiones en que el periodista usa palabras de enlace para relacionar dos párrafos.

Fábulas y leyendas

Dragon Landscape (Paisaje de dragón) de Kinuko Y. Craft.
Courtesy of the artist.

ANTES DE LEER
Posada de las Tres Cuerdas

Punto de partida

Historias de terror

Desde tiempos inmemoriales todo el mundo ha disfrutado de historias de terror que ponen los pelos de punta. Algunas de estas historias han llegado a nosotros en forma de fábulas y de leyendas.

Comparte tus ideas

Piensa en tus historias de terror favoritas. Dibuja un círculo y dedica dos minutos a rellenarlo con las palabras que pasen por tu mente cuando pienses en esas historias. Con un grupo de compañeros, compartan sus dibujos y construyan un diagrama de Venn como el de abajo para ver qué palabras aparecen más de una vez.

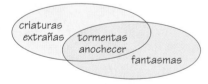

criaturas extrañas

tormentas anochecer

fantasmas

Toma nota

Si escribieras una historia de terror o dirigieras una película de terror, ¿qué detalles usarías para crear un ambiente aterrador? Escribe tus ideas libremente.

Diálogo con el texto

Al leer, ten una hoja de papel a mano para anotar tus ideas y reacciones.

Presta especial atención a los elementos del argumento y el ambiente que crean una atmósfera de misterio y suspenso. Los comentarios de un lector aparecen en la primera página como ejemplo.

Telón de fondo

El samurai

El samurai era un guerrero del Japón feudal que llegó a formar parte de la aristocracia militar. Los samuráis alcanzaron el poder a finales del siglo XII. Siguiendo un estricto código de conducta llamado *Bushido,* que premiaba la obediencia, valentía, honor y lealtad, los samuráis preferían cometer suicidio o *hara-kiri,* antes que enfrentarse al deshonor o a la derrota. Los samuráis llevaban dos espadas y un tocado especial. Perdieron su posición privilegiada en 1871, cuando Japón abolió el feudalismo.

El cuento que vas a leer a continuación es una adaptación de un cuento popular japonés.

Elementos de literatura

Anticipación

Cuando la madre de Caperucita Roja le advierte que no se desvíe del camino porque el Lobo Feroz podría estar por ahí, probablemente te hace sospechar que el lobo va a aparecer tarde o temprano. Cuando al principio de una historia se dice que el héroe ha salido de casa y ha olvidado cerrar la puerta, probablemente esperas que ocurra un robo u otro delito.

Pistas como éstas, la advertencia de la madre y la mención de la equivocación, te preparan para los acontecimientos que sucederán en la historia. Este recurso se llama **anticipación**. La anticipación a menudo intensifica el suspenso de una historia.

> La **anticipación** consiste en dar pistas que preparan al lector para los acontecimientos que ocurrirán más tarde en la historia.
>
> *Para más información sobre la anticipación, ver la página 65 y el GLOSARIO DE TÉRMINOS LITERARIOS.*

POSADA°
de las TRES CUERDAS

Ana María Shua

White Horse Shogun (Shogún y caballo blanco)
de Gary Hostallero.

Images International of Hawaii.

°**posada:** lugar donde los viajeros pasan la noche.

Los dos jóvenes iban muy erguidos sobre sus caballos y llevaban katanas (sables de samurai). Iban cubiertos de polvo por el largo viaje, y la seda de sus vestiduras colgaba hecha jirones. Pero los campesinos que los veían pasar sabían que se trataba de dos caballeros.

Junchiro y Koichi eran dos hermanos que volvían a la casa de sus padres. Su señor y jefe había sido vencido en la guerra. Habían luchado mucho y con valor pero ahora, a pesar de ser jóvenes, se sentían viejos, tristes y cansados. Aunque nunca hubieran aceptado decirlo en voz alta, aunque nunca se lo dijeran ni siquiera a sí mismos. Aunque siguieran hablando como hablan los hombres en Japón: con voz ronca y cortante, como si todo lo que dicen, hasta una pregunta o un comentario, fuera una orden violenta.

La guerra los había llevado lejos y deseaban llegar lo más pronto posible a su ciudad natal. Por eso apuraban el paso de sus caballos y se detenían apenas lo necesario para comer y dormir.

Descansaban en las horas más calurosas del día, cuando el sol estaba alto en el cielo, y aprovechaban para avanzar al fresco del amanecer y las últimas horas de la tarde.

Una noche, cuando ya estaban a pocos días de viaje de su ciudad natal, llegaron a un bosquecillo. Junchiro, el más joven, propuso seguir adelante.

—El bosque no es espeso. La noche es fresca pero no fría. Del otro lado debe de haber una aldea o tal vez una posada donde podremos descansar más cómodos.

—Tenemos que cuidar nuestros caballos —le contestó Koichi—. Necesitan descanso. No tenemos dinero para comprar otros. Mañana al amanecer seguiremos adelante.

Junchiro se burló de su hermano mayor con todo el mal humor que su propio cansancio le provocaba. Lo acusó de cobarde, sabiendo que era mentira.

—Los fantasmas del bosque le dan miedo a un guerrero. ¿O acaso está asustado de los zorros y los conejos?

Koichi, sin contestarle, empezó a desensillar tranquilamente su agradecido caballo.

Pensando que después de todo ya estaba tan cerca de su casa que no le importaría seguir solo (y con la secreta esperanza de que Koichi lo alcanzara), Junchiro apuró a su caballo y entró en el bosquecillo.

¿Por qué llevan los dos «caballeros» (samuráis) la ropa rota y polvorienta?

Ya veo: vuelven a casa después de la guerra.

Parecen prudentes y responsables.

Me pregunto cuál de los dos hermanos tomó la mejor decisión.

Estaba muy oscuro. Después de dormir durante todo el día, el mundo de la noche había despertado: había luciérnagas[1] y mariposas nocturnas y búhos y gatos salvajes y se escuchaban los crujidos de los árboles y el canto de las cigarras.[2]

Junchiro se sentía feliz: era bueno escuchar esa música en lugar del sonido de las espadas y los gritos de los hombres heridos.

Sin embargo, le sorprendió que el bosquecillo fuera más grande de lo que había supuesto. Antes de cruzarlo le había parecido divisar sus límites. En cambio ahora, a la luz de la luna, no alcanzaba a ver más allá de los árboles más cercanos, que crecían cada vez más juntos, como si se espesaran para cerrarle el paso.

Hacía ya dos horas que cabalgaba, enojado consigo mismo por no haber sabido calcular hasta dónde llegaban los árboles, cuando vio, en un claro, una casa iluminada. El cartel de la puerta decía así: *Posada de las Tres Cuerdas.*

Junchiro desmontó, muy contento de haber encontrado un lugar agradable donde pasar el resto de la noche. Ató su caballo, se quitó las sandalias y entró en una habitación grande, iluminada por una lámpara de aceite.

Era un lugar cómodo y limpio. El suelo estaba cubierto (como en todas las casas japonesas) por esterillas nuevas. Junto a la lámpara había una tetera de porcelana y, al costado, sobre una bandeja de plata, había una botella de sake[3]

Landscape (Paisaje) de Kano Motonobu.

1. **luciérnagas:** insectos que emiten una pequeña luz fosforescente visible en la noche.
2. **cigarras:** insectos que emiten un ruido estridente que se oye a muchos metros.
3. **sake:** bebida alcohólica de Japón, hecha de arroz.

ADUÉÑATE DE ESTAS PALABRAS

se espesaran, de espesarse *v.:* juntarse; hacerse más espeso, como hacen las ramas de los árboles.

esterilla *f.:* especie de alfombra, tapete o carpeta hecha generalmente de fibras de árboles.

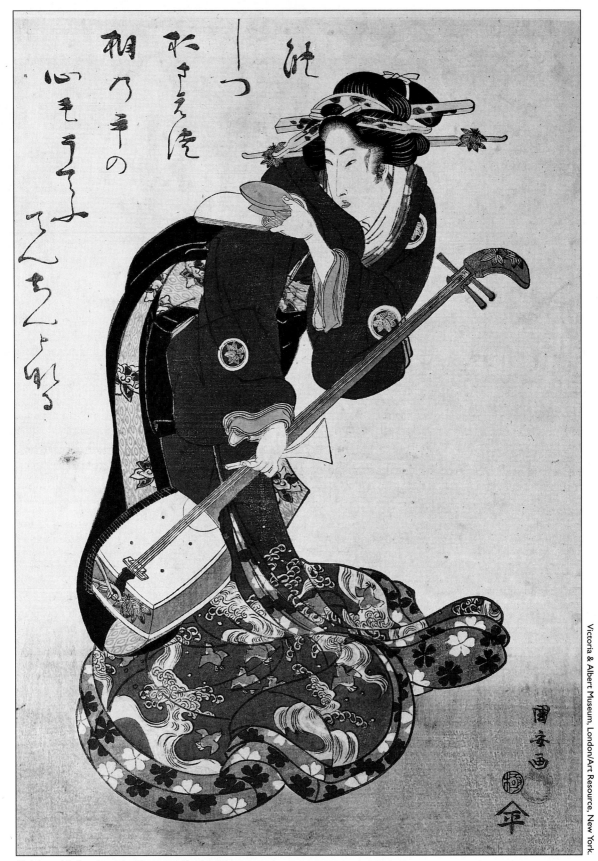

Geisha with Samisen de Utagawa Kuniyaso.

y un tazón pequeño. La habitación estaba vacía y el silencio era absoluto.

Junchiro estaba agotado. La discusión con su hermano le había dado fuerzas para llegar hasta allí, pero ahora lo que más deseaba en este mundo era acostarse y dormir.

Si no hubiese estado tan cansado, tal vez le hubieran llamado la atención algunos detalles: ese silencio tan grande en toda la casa, la puerta abierta, la bandeja servida como esperándolo.

La noche en el bosque era húmeda y fría y Junchiro se sintió satisfecho de estar en un lugar caliente y cómodo, sin pensar en nada más.

Sin ninguna preocupación, el joven se sirvió un tazón de sake caliente. Mientras el vino de arroz corría agradablemente por su garganta, escuchó unos pasos <u>livianos</u> y claros en las escaleras que llevaban al primer piso.

Una jovencita bellísima, vestida de seda, entró en la habitación. Junchiro ya estaba casi arrepentido de haber entrado solo en el bosque, pero cuando vio a la joven se felicitó por la decisión que le iba a permitir pasar la noche en tan buena compañía.

El cansancio y la sensación de confusión provocada por el vino, más fuerte de lo que parecía al probarlo, le quitaban las ganas de hablar. Miró a la muchacha y sonrió.

Era verdaderamente hermosa, con su carita delicada pintada de blanco, los brillantes ojos negros y la cabellera larga y espesa sostenida en lo alto de la <u>nuca</u> por un peine de marfil y agujetas de plata. Su kimono[4] de seda roja estaba bordado de flores y un cinturón dorado apretaba su finísima cintura, tan ajustado que casi parecía cortarla en dos.

En sus manos blancas y graciosas sostenía un instrumento de cuerda japonés, un shamizen, con sus tres cuerdas tensas sobre la caja de resonancia cubierta de cuero negro.

La joven se arrodilló con elegancia, inclinándose ante Junchiro. El guerrero quiso pedir disculpas por haber entrado así, sin haber sido invitado. Pero ella no lo dejó hablar. Con una sonrisa maravillosa, le ofreció otro tazón de sake.

De pronto Junchiro notó que la joven no había pronunciado ni una sola palabra desde que entró en la habitación, ni siquiera un saludo. Probablemente sería sordomuda. Y le agradeció por señas el segundo tazón de vino que ella le alcanzaba ahora y que, servido por sus manos, parecía tener un sabor todavía más delicioso.

Sin embargo, cuando quiso ofrecerle un tazón a ella, la muchacha no lo aceptó. En cambio tomó su instrumento y comenzó a tocar. Una melodía como Junchiro nunca antes había escuchado llenó la habitación. Por momentos era dulce y melodiosa, por momentos era violenta. Parecía asaltarlo casi como un dolor, desde todas partes, atrapándolo en sus notas.

Mientras tocaba, la muchacha no le quitaba de encima esos ojos que parecían despedir rayos. Junchiro quiso levantarse para acercarse más a ella, pero las piernas y los brazos no le obedecían. Tampoco él podía separar su mirada de la de ella y pronto fue como si no hubiera nada más en el mundo que esas pupilas negras y enormes que lo quemaban por dentro y esa música que lo encadenaba.

Junchiro había olvidado todo lo que lo rodeaba. Había olvidado a su hermano Koichi y las tristezas de la guerra y también a sus padres y a su ciudad. Recostado contra una de las columnas que sostenían el techo de la casa, bebía con la mirada la belleza de la muchacha, mientras la extraña música se apoderaba del aire y del espacio.

Cada vez que la joven tocaba la cuerda del medio del shamizen una nota más alta y más vibrante que las demás resonaba en el cuarto. Y Junchiro sentía que algo invisible, frío y pega-

---

4. **kimono:** túnica japonesa larga y ancha, similar a una bata o un vestido de mujer.

ADUÉÑATE DE ESTAS PALABRAS
liviano, -na *adj.:* de poco peso, ligero.
nuca *f.:* parte posterior del cuello.

Armadura japonesa, del siglo XVI–XVII. Museo Stibbert, Florence, Italy.

joso, se enroscaba alrededor de su cuello o su cara. Con esfuerzo consiguió llevarse la mano al cuello y la impresión desapareció, como si con su gesto hubiese roto una cuerda invisible.

La jovencita pareció sentirse molesta por su movimiento. Pero apenas por un instante frunció las cejas. Su maravillosa sonrisa volvió inmediatamente y siguió tocando el shamizen. La cuerda del medio vibraba cada vez más fuerte y más seguido y Junchiro se sentía atrapado por esa cosa invisible que lo aprisionaba.

A pesar del sueño y el malestar que le había provocado el vino de arroz, el joven samurai comprendió, aterrado, que había caído en una trampa. Reuniendo todas sus fuerzas, consiguió sacar su katana de la vaina.

Cuando la jovencita vio el sable desenvainado, ya no intentó disimular su enojo. Furiosa y descontrolada, tocó con tanta fuerza la cuerda del medio que se rompió. Alargándose, la cuerda voló a enroscarse sobre el cuerpo de Junchiro. Era demasiado tarde para intentar nada: estaba atrapado, atado a la columna. Sin embargo, a pesar de tener el brazo casi inmovilizado, logró arrojar el sable, que se clavó profundamente en la caja negra del instrumento musical.

La furia de la muchachita desapareció de golpe. Su cara blanca y fina pareció enflaquecer de pronto y tomó una expresión triste, dolorosa. Se levantó, alzó su instrumento del suelo, y volvió a subir las escaleras silenciosamente, con cierta dificultad.

Un silencio pesado envolvía la casa. Por la ventana entraba el frío de la noche. La llama de la lámpara flameó y finalmente se apagó. El prisionero quedó solo en la más negra oscuridad. El agotamiento fue más fuerte que el terror y Junchiro, en su incómoda posición, se quedó dormido.

Lo despertó la luz del amanecer. Junchiro miró a su alrededor y casi no pudo reconocer el lugar donde se encontraba. Las esterillas que cubrían el piso eran restos rotos, viejos, cubiertos de polvo. La puerta que creía haber empujado al llegar estaba tirada en el suelo, con la madera podrida y llena de gusanos. En lugar de la tetera había un montón de cenizas. En lugar de la botella de sake y el tazón había dos piedras.

¿Había sido un sueño? Pero la cuerda fría y pegajosa que lo ataba todavía a la columna era completamente real. Junchiro tironeó para soltarse y no pudo. También eran reales las gotas de sangre fresca en el piso: iban hacia las escaleras.

En ese momento escuchó la voz tranquilizadora y familiar de su hermano, que lo llamaba por su nombre. Gritó para guiarlo y con enorme alegría lo vio entrar en la *Posada de las Tres Cuerdas*.

Con su katana, Koichi cortó las ligaduras que ataban a su hermano. No se abrazaron porque los samuráis no se abrazan. Pero se miraron como si se abrazaran, felices de estar vivos y juntos otra vez.

Junchiro le contó a su hermano las aventuras de la noche anterior. Después siguieron por las escaleras el rastro de sangre fresca que subía hacia el piso superior. En la confusión de esa noche terrible, sin saber claramente qué había sucedido en realidad, confundido por la borrachera, Junchiro temía haber herido a la hermosa dueña de la casa.

Subiendo con mucho cuidado los escalones rotos y carcomidos, llegaron a la habitación del primer piso.

Allí, debajo de una enorme tela desgarrada, del tamaño de un hombre, encontraron a una gigantesca araña muerta, atravesada por la katana de Junchiro.

ADUÉÑATE DE ESTAS PALABRAS

se enroscaba, de **enroscarse** *v.*: enrollarse.
vaina *f.*: funda para proteger y llevar una arma cortante.
enflaquecer *v.*: languidecer, perder expresión y vida.
flameó, de **flamear** *v.*: parpadear una llama de fuego.
carcomido, -da *adj.*: comido o destruido parcialmente por el uso, por insectos o por sustancias corrosivas.

CONOCE A LA ESCRITORA

Ana María Shua (1951–) nació en Buenos Aires, Argentina. Empezó a escribir cuando tenía ocho años. A los quince, su primer volumen de poesía, *El sol y yo*, ganó el Premio Fondo Nacional de las Artes y la faja de Honor de la Sociedad Argentina de Escritores.

En 1980, la novela *Soy paciente* ganó el primer premio en el Concurso Internacional de Narrativa Losada. Los jueces de este premio revisaban las obras seleccionadas sin saber los nombres de los autores. Uno de los jueces comentó que, cuanto más leía *Soy paciente*, más convencido estaba de que el libro lo había escrito un hombre. Cuando se enteró de que la autora era Ana María Shua, tuvo que admitir que la habilidad de escribir una prosa vigorosa y con sentido del humor no era propia sólo del sexo masculino.

Shua ha publicado otras obras, como *Los días de pesca*, *La batalla entre los elefantes y los cocodrilos* y *Expedición al Amazonas*. En la actualidad es profesora de letras en la Universidad de Buenos Aires.

En la introducción a *La fábrica del terror*, de donde procede «Posada de las Tres Cuerdas», Shua nos dice:

«Cuando yo era chica, el miedo me gustaba y también me daba miedo. Insistía en ver películas de terror y después no dormía durante semanas enteras. No me pregunten por qué: ustedes mismos deberían saberlo.

Me aterraba la oscuridad, la soledad, las puertas cerradas... ¿Quién puede estar totalmente seguro de lo que hay detrás de una puerta cerrada?...

Cuando empecé a escribir, envidié por un momento a los directores de cine, que tienen tantos recursos y pueden asustar con el silencio, con la música, con las imágenes. Pero también pensé que un sobresalto se olvida rápido y en cambio hay palabras, horribles palabras, que pueden quedar resonando para siempre en nuestra mente.»

CREA SIGNIFICADOS

- ## Primeras impresiones

    1. ¿En qué punto de la historia te diste cuenta de que algo malo ocurriría? Explica tu respuesta.

  ## Interpretaciones del texto

    2. Explica el **conflicto** que causa que los hermanos se separen a la entrada del bosque. ¿Cuál de los dos hermanos demuestra tener más sentido común?

    3. ¿Qué detalles de la experiencia de Junchiro en la posada **anticipan** los extraños sucesos que ocurrirán más tarde?

    4. ¿Qué detalles del **ambiente** de la historia crean una sensación de misterio y suspenso?

    5. ¿Cuál es el **clímax** o punto culminante de la historia?

  ## Conexiones con el texto

    6. ¿Crees que habrías entrado a la posada como hizo Junchiro, o que te habrían inquietado la puerta abierta y la bandeja que parecían estar esperándolo? ¿Por qué?

  ## Más allá del texto

    7. ¿Te ha recordado esta historia alguna película que hayas visto? Explica tu respuesta.

Repaso del texto

a. ¿Adónde van Junchiro y Koichi?

b. ¿En qué momento del día tiene lugar la historia?

c. ¿Qué detalles de la posada pasa por alto Junchiro?

d. ¿Cómo le afecta a Junchiro la música que toca la joven?

e. ¿Cómo consigue liberarse Junchiro?

Black Horse Shogun (Shogún y caballo negro) de Gary Hostallero.

Images International of Hawaii.

OPCIONES: Prepara tu portafolio

Cuaderno del escritor

1. Compilación de ideas para una especulación sobre causas o efectos

¿Te has preguntado alguna vez por qué los personajes de las historias —y la gente de la vida real— actúan como lo hacen? Especular sobre las causas del comportamiento de un personaje te puede ayudar a entender mejor la historia. Por ejemplo, cuando leíste «Posada de las Tres Cuerdas», te habrás preguntado por qué Koichi y Junchiro actuaron de forma tan diferente al principio de la historia. Piensa por qué su actitud los lleva por caminos diferentes y nombra algunas de las razones por las que los hermanos actuaron como lo hicieron.

Koichi:
— es más considerado que Junchiro
— se preocupa por el bienestar de su caballo
Junchiro:
— tiende a actuar temerariamente sin pensar en las consecuencias de sus acciones

Redacción creativa

2. La metamorfosis en los cuentos

Llamamos cuentos de metamorfosis a los relatos en que los seres humanos se convierten en animales o los animales en seres humanos. Este tipo de cuento existe en todas las culturas. Escribe una historia de metamorfosis.

Hablar y escuchar

3. Cuenta un cuento de fantasmas

Ve a la biblioteca local y busca cuentos de fantasmas o de horror. Elige un cuento de terror y suspenso que te gustaría leerles a tus compañeros de clase. Para que tu presentación sea más efectiva, practica la lectura en voz alta. Asegúrate de leer de manera expresiva. Después de leerles la historia a tus compañeros, explica qué elementos de la historia (argumento, ambiente, suspenso, anticipación) son esenciales para componer un cuento de terror efectivo.

LENGUA Y LITERATURA   MINI LECCIÓN

Lengua y literatura

Ver pág. 91.

El acento escrito

Todas las palabras tienen una sílaba acentuada, pero ésta se señala por escrito sólo en ciertos casos. Esto se hace con un **acento escrito** llamado **tilde**.

Las palabras **agudas**, que tienen el acento en la última sílaba, llevan tilde cuando terminan en **vocal**, en **n** o en **s**. Todas las palabras de esta lista son agudas. Di cuáles deben llevar tilde:

> a<u>to</u>, ta<u>zon</u>, japo<u>nes</u>, habita<u>cion</u>, des<u>pues</u>, posi<u>cion</u>, lo<u>grar</u>, musi<u>cal</u>, te<u>rror</u>, do<u>lor</u>, Ja<u>pon</u>, na<u>tal</u>, mar<u>fil</u>, mon<u>ton</u>, oscuri<u>dad</u>

Las palabras **llanas**, que tienen acento en la penúltima sílaba, llevan tilde cuando no terminan en **vocal**, en **n** o en **s**. De este grupo de palabras llanas, ¿cuáles necesitan tilde?

> <u>tris</u>tes, mucha<u>chi</u>ta, <u>ron</u>ca, <u>ca</u>sa, <u>ar</u>bol, <u>jo</u>ven, instru<u>men</u>to, <u>ha</u>bil, esca<u>le</u>ras, ce<u>ni</u>zas, <u>sa</u>ble, fan<u>tas</u>mas

Guía del lenguaje

Ver Los acentos, pág. 353.

Las palabras **esdrújulas**, que se acentúan en la antepenúltima sílaba, siempre llevan tilde. Di dónde va la tilde en las siguientes palabras:

> comodo, ultimo, bellisima, musica, inclinandose, incomodo

Todas estas palabras aparecen en el cuento de Ana María Shua (menos «árbol» y «hábil», que como ves llevan tilde). Para ver si has acertado, búscalas en el texto.

> **Inténtalo tú**
>
> Revisa un ejercicio que hayas hecho para PREPARA TU PORTAFOLIO. Léelo en voz alta exagerando la pronunciación de los acentos. Decide de qué tipo es cada palabra y si lleva tilde o no.

VOCABULARIO   LAS PALABRAS SON TUYAS

ALCANCÍA DE PALABRAS

enroscar
nuca
posada
espesar
vaina
enflaquecer
flamear
carcomido

Un ambiente de miedo

Imagina que tienes una cámara de cine y que estás enfocando uno por uno, los elementos del escenario para una película de horror. ¿Qué ves?

Continúa esta descripción usando palabras de la ALCANCÍA y de la lectura:

> En medio de la habitación, había una estatua de espaldas. Una hiedra se <u>enroscaba</u> por la <u>nuca</u> de piedra.

Elementos de literatura

Mitos, leyendas, cuentos populares y fábulas

La **tradición oral** es el conjunto de los relatos que se transmiten de boca en boca y de generación a generación. Los **mitos**, **leyendas**, **cuentos populares** y **fábulas** son historias que se remontan a cientos o miles de años atrás. Estas obras son anónimas y existen versiones muy distintas de cada una.

Los **mitos** son historias de tiempos remotos que presentan seres sobrenaturales y que generalmente sirven para explicar un fenómeno natural. Pueblos de todas las épocas y lugares han contado mitos acerca de los comienzos de la creación, los orígenes de las montañas y otras características de la tierra, y de fenómenos naturales como el viento, el fuego y el crecimiento de los cultivos. Los mayas quiché de América Central recopilaron antiguos mitos sobre la creación del mundo en su libro sagrado, el *Popol Vuh*. Los aztecas narraban un mito acerca de la migración para explicar el origen de su propio pueblo. Los griegos explicaban la aparición del fuego en el mundo a través del mito de Prometeo, quien heroicamente se expuso a la ira de los dioses al robar el fuego para dárselo a la humanidad.

Las **leyendas** son historias del pasado que describen hazañas y sucesos extraordinarios. Mientras que los mitos tratan acerca de los acontecimientos cósmicos y tienen lugar en un sitio indefinido en un pasado remoto, las leyendas poseen normalmente alguna base histórica.

Las leyendas a menudo representan héroes humanos en vez de dioses u otros seres sobrenaturales característicos de los mitos. En «La puerta del infierno» (página 157), por ejemplo, el conflicto entre la pareja avariciosa y los indígenas pobres a los que explotan está basado en hechos históricos. Observa cómo el segundo párrafo se refiere a la transmisión de la historia por medio de la tradición oral.

Un **cuento popular** es una historia tradicional que ha llegado a nuestros días por transmisión oral. Los cuentos populares tienen un doble propósito: entretener al público y presentar también una moraleja o lección práctica. Los cuentos populares se distinguen de los mitos y las leyendas por sus personajes. Mientras que en estos últimos figuran dioses y héroes, muchos cuentos populares presentan como personajes a gigantes, dragones y animales que hablan. Incluso los personajes humanos con fuerzas extraordinarias u otras habilidades tienden a ser sencillos. En el cuento popular japonés «Posada de las Tres Cuerdas», se presenta al joven guerrero Junchiro de una manera realista, aunque le suceden experiencias fantásticas y misteriosas.

Muchos de los cuentos populares que conocemos provienen de Europa, como los cuentos de la Cenicienta y la Caperucita Roja. Estos cuentos se llaman **cuentos de hadas**. Al igual que la mayoría de los cuentos cuyas raíces se encuentran en la tradición oral, estas historias existen en múltiples versiones

y en culturas muy diferentes. Por ejemplo, el pueblo zuni del suroeste de los Estados Unidos tiene una versión de la Cenicienta que se ha transmitido por generaciones.

Las **fábulas** son historias breves que tienen una moraleja y que se hallan escritas tanto en prosa como en verso. Se cree que las fábulas más famosas del mundo de la literatura provienen del fabulista griego Esopo, quien posiblemente vivió alrededor del siglo VI aC. Las fábulas de Esopo son anécdotas breves de la vida o del comportamiento propio de un animal. Cada fábula termina con una moraleja. Entre otras fábulas muy conocidas en el mundo de la literatura están las antiguas historias indias del *Panchatantra* y los elegantes poemas cortos de Jean de La Fontaine, escritor francés del siglo XVII. Algunas de las más conocidas

fábulas de España provienen de dos escritores del siglo XVIII: Tomás de Iriarte y Félix María de Samaniego.

El contenido de los mitos, leyendas, cuentos populares y fábulas nos invita a vivir emocionantes aventuras en lugares extraños. Algunas veces, estas historias son sorprendentes o incluso inverosímiles. Cuando leas cuentos populares, da rienda

suelta a tu imaginación; no pienses en lo que pasaría en la vida real. Como dice Simón Robles al final de «Güeso y Pellejo» (página 164), «Cuento es cuento».

Caperucita Roja y el lobo, disfrazado de su abuela.

The Granger Collection, New York.

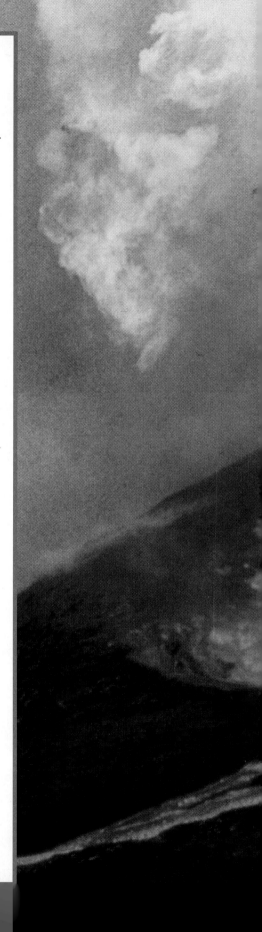

ANTES DE LEER
La puerta del infierno

Punto de partida

El desconocido misterioso

Imagina lo siguiente:
Afuera, la tormenta es intensa, y en casa, la familia disfruta de una cena caliente. Los golpes en la puerta son inesperados. El papá va a ver quién es. Un desconocido está esperando en la puerta.

¿Cómo es el desconocido? Con un grupo pequeño, llena el siguiente cuadro añadiendo los datos que faltan acerca del desconocido.

Edad:
Apariencia:
Cómo llegó a la casa:
Propósito de su visita:

Toma nota

Léanse unos a otros los cuadros completados. ¿Han descrito los demás grupos al desconocido de la misma manera? ¿O varían bastante las descripciones? En tu DIARIO DEL LECTOR, escribe dos o tres frases resumiendo los resultados de esta actividad.

Estrategias para leer

Haz predicciones

Al leer un cuento, ¿te has encontrado alguna vez diciéndote a ti mismo: «creo que sé cómo va a terminar esto» o «éste va a recibir lo que se merece»?

Cuando imaginas cómo va a terminar un cuento o lo que les sucederá a sus personajes, estás **haciendo predicciones**. Tus predicciones están basadas normalmente en tus conocimientos previos y en pistas de la historia que **anticipan** o insinúan lo que va a pasar.

Cuando empieces a leer esta leyenda, responde brevemente a estas preguntas en tu DIARIO DEL LECTOR.

- Fíjate en el título de la historia. ¿Crees que el cuento terminará felizmente para sus personajes?

- Lee los primeros siete párrafos de la historia. ¿Crees que los hacendados encontrarán el tesoro? ¿Pasará otra cosa?

LA PUERTA DEL INFIERNO

Antonio Landauro

En Izalco, en el departamento de Sonsonate, al oeste del territorio de El Salvador, se yergue el majestuoso volcán Izalco, en actividad permanente desde hace siglos. De noche se observa en su cima, desde lejos, un penacho de fuego, lo que le ha valido el nombre de «Faro de Centroamérica» o «Faro del Pacífico». Sus constantes llamaradas, según los lugareños, están muy ligadas a las malas artes y los conjuros.[1]

1. **las malas artes y los conjuros:** práctica de magia negra e invocación supersticiosa.

ADUÉÑATE DE ESTAS PALABRAS

se yergue, de **erguirse** y · **levantarse, ponerse en posición vertical.**

Julián Sisco, un indio que hablaba muy bien el español, y que fue gran narrador de tradiciones izalqueñas, contó esta historia, que a su vez le contó su padre, y a éste su abuelo, perdiéndose su origen en la nebulosa del tiempo.

Dicen que en épocas pasadas, habitaban en esta región dos personajes famosos por su avaricia —marido y mujer— cuyos nombres nadie recuerda, porque nadie quiso volver a nombrarlos después de la catástrofe que acabó con ellos y sus tierras. Vivían en una gran hacienda —el lugar que ahora ocupa el volcán—, y alquilaban sus terrenos a los indios pobres, quienes eran sus víctimas perennes.

Aquellas tierras parecían una bendición de Dios. Las mazorcas de maíz eran tres veces más grandes que las de ahora y constituían el sustento de la población indígena. Por aquellos tiempos los indios confiaban en la sinceridad del hombre blanco y en sus acciones. Pero el hacendado y su mujer tenían mal corazón y una codicia insaciable; cuantas veces iban los aborígenes a vender su maíz, les quitaban más de lo convenido o se quedaban con gran parte de los granos valiéndose de engaños y ardides.

Pero pronto aquellos miserables expiaron sus fechorías. Cierta noche, bajo una tempestad de rayos, llegó a la hacienda un misterioso señor. Llevaba anteojos negros, capa oscura y sobrebotas de charol. Montaba un soberbio caballo. Eso fue todo lo que pudieron decir de él algunos aldeanos.

Como el hombre tenía apariencia de rico mercader, los patronos salieron a recibirlo con mucha amabilidad. Pero ellos solamente, porque los criados que allí vivían sintieron un miedo inexplicable. También los animales dieron muestras de terror. Los perros aullaron con la cola entre las patas; y el ganado que estaba pastando echó a correr hacia las montañas, con mugidos inusitados.

¿Qué platicaron los patronos y el huésped? Quizás algo muy interesante y divertido, porque estuvieron alegres, bebiendo hasta altas horas de la noche. Al amanecer partió el extraño amigo, prometiendo volver, y volvió todas las noches. Así empezó la construcción de la boca del volcán.

Conociendo aquel viajero la gran codicia de los hacendados, les habló del fabuloso tesoro que estaba enterrado allí, y luego celebraron un trato para sacar el tesoro del fondo de la tierra. Tenían que hacer un pozo, cuya excavación quedaba a cargo del hacendado y su mujer, quienes deberían horadar[2] cierto sitio indicado. El extraño personaje les prometió que llegaría todas las noches, sin falta, a supervisar la excavación.

Y así lo hicieron. Varios días después el pozo tenía una profundidad enorme, aunque el cavador no hacía otra cosa sino echar la tierra en el barril que colgaba de la garrucha.[3] Grande era éste; y, sin embargo, la mujer tiraba de la cuerda con mucha facilidad. ¡Es claro, había alguien que le ayudaba!

Todas las noches llegaba el director de la obra. Iba a sacar a su amigo, a quien le habría sido imposible salir del pozo sin la ayuda del poderoso compañero.

Y llegó el momento esperado. Una noche apareció el tesoro. El barril salió repleto de oro y piedras preciosas. A la luz de la luna, aquella pedrería de diferentes colores se cubrió de fantásticos destellos.

2. **horadar:** hacer un hueco o un hoyo.
3. **garrucha:** polea por la que pasa una cuerda o un cable para subir agua o tierra de un pozo o hueco.

ADUÉÑATE DE ESTAS PALABRAS

perenne *adj.*: eterna, de siempre, constante.
codicia *f.*: deseo excesivo de dinero o posesiones materiales.
insaciable *adj.*: imposible de satisfacer.
aborigen *m.*: persona nativa u originaria de un lugar.
ardid *m.*: acto planeado con el propósito de causar mal.
fechoría *f.*: crimen.
soberbio, -bia *adj.*: magnífico, grandioso.
inusitado, -da *adj.*: raro, fuera de lo común.
destello *m.*: rayo de luz.

The Wanderer (El trotamundos) (hacia 1815) de Caspar David Friedrich. Óleo sobre lienzo.

Volcán Izalco.

¡Cómo sería el gozo de los avaros! Adentro del pozo se oían los alegres gritos del cavador.

—¡Hay más; hay más! Y arriba, su mujer gritaba también como loca: —¡Sácalo todo! ¡Todo! ¡Todo!

—Hay más —dijo el encapotado, quien llegó en ese momento y, soltando una atroz carcajada, agarró del pelo a la mujer y, de repente, la echó al pozo.

Aquella misma mañana el raro visitante tomó su tesoro y lo volvió a depositar en el pozo. Al saber el señor cura lo que había ocurrido, fue a la hacienda acompañado de mucha gente. Iba a conjurar el lugar maldito. Pero con los exorcismos se empeoró aquello. En efecto, porque al caer el agua bendita que echó el cura, sucedió una cosa tremenda. De la boca del pozo empezó a salir un vocerío que causaba espanto. Eran los alaridos de los condenados. Al oír los gritos, el cura y sus compañeros comprendieron qué era aquello, y echaron a correr. A tiempo lo hicieron, porque el pozo infernal comenzó a arrojar humo; y en seguida, una columna de fuego. Tal es el origen de ese vómito de teshcal[4] hirviente que ya cuenta tantos siglos.

Así fue como aquellos compinches del Diablo, por codiciosos, abrieron en su propia hacienda la puerta del infierno, que así es como los indios llaman al volcán Izalco. Y es artículo de fe entre ellos, que allí se encuentran los ricos que durante su vida fueron como los hacendados de la leyenda.

4. **teshcal:** lava petrificada de un volcán.

ADUÉÑATE DE ESTAS PALABRAS

avaro, -ra *m. y f.:* persona que acumula dinero y no es generosa.

CREA SIGNIFICADOS

- ## Primeras impresiones

  1. ¿Crees que los avaros hacendados recibieron lo que se merecían? ¿Por qué?

  ## Interpretaciones del texto

  2. ¿Qué pistas revelan la identidad del «misterioso señor»?

  3. ¿Cómo **anticipa** o sugiere el final de la historia el narrador?

  4. ¿Por qué crees que los patrones nunca son nombrados ni completamente desarrollados como personajes?

  5. ¿Qué lección o moraleja enseña la historia?

  ## Preguntas al texto

  6. ¿Estás de acuerdo en que «aquellos miserables expiaron sus fechorías»?

  ## Más allá del texto

  7. ¿Por qué crees que los indígenas de Izalco han creado la historia sobre el destino de los avaros hacendados?

  8. En la literatura, a menudo, los defectos o debilidades de un personaje lo llevan a su caída. Por ejemplo, en «La puerta del infierno» la avaricia de los hacendados es la causa de su ruina. ¿Qué otras historias puedes nombrar en las que los defectos de un personaje lo llevan a su destrucción?

Repaso del texto

a. ¿Cómo engañan el hacendado y su mujer a los izalqueños?

b. ¿Por qué son los patrones tan amistosos con el «misterioso señor»?

c. ¿Cómo reaccionan los animales ante la aparición del hombre?

d. ¿Qué trato hace el desconocido con los hacendados?

OPCIONES: Prepara tu portafolio

Cuaderno del escritor

1. Compilación de datos para una especulación sobre causas o efectos

Imagina que te han dado el tesoro que hay en el fondo del pozo y que de pronto te haces rico, muy rico. ¿De qué manera afectaría tu nueva riqueza tu vida diaria? Al escribir, piensa sobre estas preguntas:

- ¿De qué modo cambiaría tu vida como resultado de esta riqueza?
- ¿Serían positivos todos los efectos? ¿Podría haber resultados negativos también?
- ¿Cambiaría tu actitud hacia tu comunidad y tu futuro si te hicieras rico? ¿Por qué? ¿En qué cambiaría?

Hablar y escuchar

2. Una representación

En un grupo pequeño, escriban el diálogo que tuvo lugar la noche en que los hacendados y el desconocido estuvieron levantados hasta tarde y acordaron construir el pozo. Consigan algunos disfraces y utilería y representen la escena ante el resto de la clase.

Investigación

3. Un trabajo sobre volcanes

Busca información sobre volcanes. Para delimitar el tema de tu investigación, usa un diagrama como el de abajo. Comparte tus hallazgos con tus compañeros de clase.

Volcanes

Las erupciones

Cómo se predicen las erupciones

ESTRATEGIAS PARA LEER

Hacer predicciones

Cuando lees u oyes una historia, de manera espontánea empiezas a **hacer predicciones** o anticipar lo que sucederá en la historia y lo que les ocurrirá a los personajes. Hacer predicciones forma parte del proceso de ser un lector activo.

Las predicciones que haces cuando lees una historia a menudo están basadas en tu conocimiento y experiencia. Por ejemplo, probablemente sepas por otros relatos de literatura popular que hayas leído, que los personajes que representan lo malo y lo perverso son generalmente castigados al final de la historia. Después de leer los primeros párrafos de «La puerta del infierno», seguramente predijiste que la avariciosa pareja pagaría por sus fechorías.

Tus predicciones están basadas también en la información que te presenta una lectura. Por ejemplo, cuando se te dijo en «Posada de las Tres Cuerdas» (página 143) que Junchiro pasó por alto algunos detalles en la posada, seguramente supiste que algo iba a salir mal. De la misma manera, la descripción del misterioso señor en «La puerta del infierno» te llevó a predecir que ese hombre tendría algo que ver con la catástrofe que acabó con los hacendados.

Has estado haciendo predicciones en literatura desde que empezaste a escuchar cuentos de niño. Un esquema de este proceso de predicción puede parecerse al siguiente:

Al leer una historia, pregúntate si los acontecimientos suceden como habías imaginado. Intenta hacer nuevas predicciones a medida que vas leyendo. Puedes hacer predicciones sobre el final de la historia.

Güeso y Pellejo

Ciro Alegría

Y llegó el tiempo en que el ganado del Simón Robles aumentó y necesitaba mayor número de cuidadores, y también llegó el tiempo en que la Antuca debió hacerse cargo del rebaño, pues ya había crecido lo suficiente, aunque no tanto como para pasarse sin más ayuda que la Vicenta. Entonces, el Simón Robles dijo:

—De la parición que viene, separaremos otros dos perros para nosotros.

Y ellos fueron Güeso y Pellejo. El mismo Simón les puso nombre, pues amaba, además de tocar la flauta y la caja,[1] poner nombres y contar historias. Designaba a sus animales y a las gentes de la vecindad con los más curiosos apelativos. A una china le puso «Pastora sin manada», y a un cholo de ronca voz «Trueno en ayunas»; a un caballo flaco, «Cortaviento», y a una gallina estéril, «Poneaire». Por darse el gusto de nombrarlos, se las echaba de moralista y forzudo,[2] ensillaba con frecuencia a Cortaviento y se oponía a que su mujer matara la gallina. Al bautizar a los perros, dijo en el ruedo de la merienda:

—Que se llamen así, pues hay una historia, y ésta es que una viejita tenía dos perros: el uno se llamaba Güeso y el otro Pellejo. Y fue que un día la vieja salió de su casa con los perros, y entonces llegó un ladrón y se metió debajo de la cama. Volvió la señora por la noche y se dispuso a acostarse. El ladrón estaba calladito, esperando que ella se durmiera para ahogarla en silencio, sin que lo sintieran los perros y pescar las llaves de un cajón con plata. Y he allí que la vieja, al agacharse para coger la bacinica,[3] le vio las patas al ladrón. Y como toda vieja es sabida, ésa también lo era. Y entonces se puso a lamentarse, como quien no quiere la cosa: «Ya estoy muy vieja; ¡ay, ya estoy muy vieja y muy flaca; güeso y pellejo no más estoy!» Y repetía cada vez más fuerte, como admirada: «¡güeso y pellejo!, ¡güeso y pellejo!». Y en eso, pues, oyeron los perros y vinieron corriendo. Ella les hizo una señita y los perros se fueron contra el ladrón, haciéndolo leña[4]...

He aquí que por eso es bueno que estos perritos se llamen también Güeso y Pellejo.

La historia fue celebrada y los nombres, desde luego, aceptados. Pero la vivaz Antuca hubo de apuntar:

—¿Pero cómo para que adivine la vieja lo que iba a pasar y les ponga así?[5]

3. **bacinica:** recipiente que se coloca al lado de la cama.
4. **haciéndolo leña:** atacándolo y haciéndole daño.
5. **¿Pero cómo... les ponga así?:** ¿Pero cómo iba a saber ella lo que iba a pasar antes de llamarlos así?

ADUÉÑATE DE ESTAS PALABRAS

apelativo *m.:* nombre o sobrenombre.
sabida, -do *adj.:* que sabe o entiende mucho.

----

1. **caja:** tambor.
2. **moralista y forzudo:** pretendía ser muy correcto y fuerte.

El Simón Robles replicó:

—Se los puso y despúes dio la casualidad que valieran esos nombres... Así es en todo.

Y el Timoteo, arriesgando evidentemente el respeto lleno de <u>mesura</u> debido al padre, argumentó:

—Lo que es yo, digo que la vieja era muy de otra laya, porque no trancaba su puerta. Si no, no hubieran podido entrar los perros cuando llamaba. Y si es que los perros estaban dentro y no vieron entrar al ladrón, eran unos perros por demás zonzos[6]...

6. **zonzos:** tontos.

El encanto de la historia había quedado roto. Hasta en torno del <u>fogón</u>, donde la simplicidad es tan natural como masticar el trigo, la lógica se <u>entromete</u> para enrevesar y desencantar al hombre. Pero el Simón Robles respondió como lo hubiera hecho cualquier relatista de más cancha:[7]

—Cuento es cuento.

7. **cancha:** experiencia.

CONOCE AL ESCRITOR

Ciro Alegría (1909–1967) nació en la ciudad de Trujillo, Perú, pero se familiarizó con las historias y costumbres de los indígenas cuando, de adolescente, visitó la región de Huamacucho.

Cuando Alegría asistía a la escuela secundaria de San Juan, comenzó a interesarse por la lectura. Se familiarizó con los clásicos peruanos y descubrió a una nueva generación de escritores. Escribió para el periódico de estudiantes, que él mismo había cofundado, y más adelante trabajó como redactor de un diario de Trujillo.

Alegría se interesó por la política y se hizo miembro de un partido clandestino. Su trabajo por la reforma económica y social, especialmente la de los pobres de su país, lo llevó a prisión y luego a un exilio que habría de durar veinticinco años.

Alegría fijó su residencia inicialmente en Chile donde escribió tres novelas que fueron premiadas. Estos libros reflejaban las

vidas y tradiciones del pueblo nativo peruano y lograron que un gran público tomase conciencia de su sufrimiento. El premio que recibió por su tercera y más conocida novela, *El mundo es ancho y ajeno* (1941), le permitió viajar a los Estados Unidos donde enseñó en varias universidades. También pasó un tiempo en Puerto Rico y Cuba. Alegría pudo volver a Perú en 1960 donde reanudó su carrera política y, más adelante, fue electo a la Cámara de Diputados.

«Güeso y Pellejo» es una leyenda andina que apareció por primera vez en la segunda novela de Alegría, *Los perros hambrientos* (1938). También está incluida en una recopilación de su obra titulada *Fábulas y leyendas americanas* (1982).

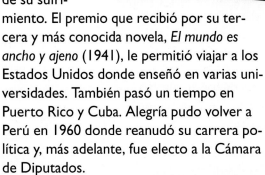

Taller del escritor

Tarea
Escribe un ensayo de especulación sobre causas o efectos.

LA EXPOSICIÓN

ESPECULACIÓN SOBRE CAUSAS O EFECTOS

Quizá te preguntes de vez en cuando por qué sucedió algo de una manera determinada. O quizá a veces intentes predecir lo que hubiera pasado en una situación particular. En cualquiera de los dos casos estás **especulando**. Cuando te preguntas «¿por qué?», estás especulando sobre las **causas**. Cuando te preguntas «¿qué sucedería si...?», estás especulando sobre los **efectos**. Un ensayo de especulación sobre causas o efectos explora las razones por las que ocurre un evento o situación, o las consecuencias que resultan de ello.

Antes de escribir

1. Cuaderno del escritor

Repasa las notas de tu CUADERNO DEL ESCRITOR de esta colección. ¿Encuentras algunas ideas que puedas desarrollar en un ensayo? De no ser así, prueba las estrategias siguientes.

2. Escritura libre

Hazte estas preguntas.

- *¿Por qué* está aumentando la temperatura global?

- *¿Por qué* está aumentando el número de animales atropellados en nuestra área?

- *¿Qué sucedería si* a cada estudiante se le diera una computadora al comenzar la escuela?

- *¿Qué sucedería si* cada estudiante trabajara una hora a la semana en una campaña para la limpieza del vecindario?

Escribe sin detenerte durante unos cinco minutos para contestar cada pregunta. Después repasa lo que has escrito y escoge la pregunta que más te interese. Si escoges una pregunta que empieza con «¿por qué?», estarás especulando sobre las causas.

Escritura libre
¿Qué sucedería si nuestro colegio apoyara un equipo de debate?

Los estudiantes aprenderían más acerca de temas de actualidad. Tendrían la oportunidad de viajar a competiciones. No haría falta tanto dinero porque los participantes no necesitarían uniformes o equipo caro. ¿Y el entrenamiento?

Si escoges una pregunta que empieza con «¿qué sucedería si...?», estarás especulando sobre los efectos.

3. Investiga los medios de comunicación

En un pequeño grupo de compañeros, consulten ejemplares recientes de periódicos y revistas. Estas publicaciones les darán información actual sobre distintos temas de interés, como los deportes, la moda, las computadoras, la economía y el arte. Escribe algunas notas sobre un tema que te interese.

4. Explora causas o efectos

Una vez que hayas elegido tu tema, piensa más en la situación. Ten en cuenta que especular significa preguntarse algo o «hacer una suposición». No significa describir las cosas como realmente son sino como pueden ser.

El evento o situación sobre el que estás especulando puede tener más de una causa o efecto. Recuerda que la **causa** contesta la pregunta «¿por qué?» y el **efecto** contesta la pregunta «¿qué sucedería si...?»

5. Busca pruebas

En la especulación sobre las causas o los efectos, parte de tu trabajo como escritor es persuadir al público de que tu explicación o predicción es creíble. Para ser persuasivo, necesitas usar pruebas como las siguientes:

- razones
- hechos
- estadísticas
- ejemplos
- opiniones expertas
- citas

En un ensayo sobre los posibles efectos de empezar un equipo de debate, por ejemplo, podrías referirte a las experiencias de otras escuelas con equipos de debate exitosos. Para reforzar aún más tus argumentos, incluye los comentarios de estudiantes o entrenadores, y datos sobre los presupuestos y los logros de otros equipos.

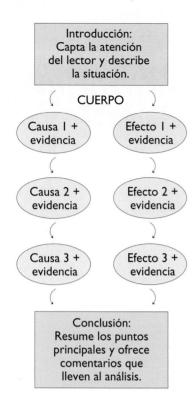

Introducción:
Capta la atención del lector y describe la situación.

CUERPO

Causa 1 + evidencia

Efecto 1 + evidencia

Causa 2 + evidencia

Efecto 2 + evidencia

Causa 3 + evidencia

Efecto 3 + evidencia

Conclusión:
Resume los puntos principales y ofrece comentarios que lleven al análisis.

Palabras de enlace

Causa	*Efecto*
porque	como
debido a	resultado
en vista de	consecuen-
que	temente
por lo tanto	para que
	entonces

El borrador

1. Organización

Cuando escribas un borrador, limítate a poner tus pensamientos por escrito. En esta fase, no te preocupes demasiado por la ortografía y la puntuación. Al esbozar tu ensayo, intenta seguir un esquema como el que aparece a la izquierda.

En tu **introducción**, considera empezar con una cita concreta, un hecho o una estadística sorprendente, o una anécdota curiosa. Esto te puede ayudar a captar la atención del lector desde el principio. Después, describe la situación o el evento que piensas tratar. Indica claramente si vas a reflexionar sobre las causas o los efectos. Hacia el final del primer párrafo los lectores deben entender tu tema y tu interés central.

En el **cuerpo** o parte principal de tu ensayo, presenta tus pruebas sobre las causas o los efectos. Puedes usar un **orden cronológico** para presentar una serie de causas o efectos relacionados. Otra opción que tienes es usar el **orden de importancia** en esta parte de tu trabajo: para dar más énfasis coloca las causas o efectos más importantes al principio o al final.

En la **conclusión**, resume los puntos más importantes. Para terminar, ofrécele a tu público un final que le haga pensar acerca de la situación o del evento.

2. Desarrolla tu estilo: Tipos de oraciones

Tu ensayo puede resultar aburrido si todas las oraciones siguen el mismo patrón. Trata de variar la estructura de las oraciones usando una pregunta, una orden o una exclamación.

3. Enlaza ideas

Indica claramente la relación entre las ideas de tu trabajo usando **palabras de enlace** cuando sea necesario. Las palabras de enlace ayudan a que tu ensayo sea coherente. A la izquierda tienes una lista de enlaces que te podrán ser de utilidad para la especulación sobre las causas o los efectos.

Evaluación y revisión

1. Intercambio entre compañeros

Elige un(a) compañero(a) y lean por turnos sus ensayos. Después completa una o más de las afirmaciones que aparecen en el margen de la página siguiente.

2. Autoevaluación

Usa las siguientes pautas para revisar tu escritura. Añade, elimina o reorganiza los datos de tu ensayo y haz todos los cambios necesarios.

Pautas de evaluación

1. ¿Capto la atención del lector?

2. ¿Presento de manera clara el evento o la situación?

3. ¿Incluyo especulaciones lógicas sobre causas o efectos?

4. ¿Es clara la organización de mi trabajo?

5. ¿Termino con una conclusión concreta?

Técnicas de revisión

1. Empieza con una pregunta, una orden, un hecho notable o una cita.

2. Contesta a las preguntas ¿quién?, ¿qué?, ¿cuándo?, ¿dónde? y ¿cómo?

3. Añade datos y pruebas que apoyen tu argumento.

4. Utiliza el orden cronológico o el orden de importancia.

5. Vuelve a plantear los puntos principales y añade un comentario final.

Compara las dos siguientes versiones del párrafo introductorio de un ensayo de especulación sobre los efectos.

MODELOS

Borrador 1

Iniciar un equipo de debate en nuestra escuela secundaria sería interesante y divertido. Algunos administradores podrían oponerse a los gastos que requeriría mantener un equipo. Muchos estudiantes aprenderían más acerca de temas de actualidad en los debates. Los gastos no son tan altos en el Seminole High, donde hay un exitoso equipo de debate. También serviría para aumentar el nivel de autoestima de los estudiantes. Los efectos positivos pesan más que los negativos.

Evaluación: Este párrafo no capta la atención del lector y presenta el tema de manera desorganizada. El escritor expone varios efectos pero no consigue definir el tema.

Estímulos para la evaluación

• Puedes tratar... para captar la atención del lector.

• En la introducción podrías haber descrito mejor la situación si hubieras...

• Una causa/efecto que puedes haber pasado por alto es...

• Me gustaría saber la fuente que has consultado para...

• Una de las partes que no entendí claramente fue...

Borrador 2

«El hacerme parte del equipo de debate, me dio mucha confianza en mí misma». Así es como Rosa Sanders, una estudiante de décimo grado de Seminole High en nuestro distrito, evaluó su experiencia en el equipo de debate. ¿Se puede repetir la experiencia de Rosa con el debate? Me atrevo a decir que sí. Los efectos positivos de un activo equipo de debate pueden beneficiar a muchos estudiantes de enseñanza secundaria.

Evaluación: Mejor. El escritor empieza con una cita convincente, identifica el tema e indica que el ensayo explorará efectos. Además el autor varía la estructura de las frases y usa un tono serio y persuasivo.

Corrección de pruebas

Elige un(a) compañero(a) e intercambien trabajos. Corrige el ensayo de tu compañero(a) detenidamente, marcando los errores que encuentres en gramática, ortografía y puntuación.

Publicación

Considera estas formas de compartir o publicar tu ensayo:

- Ilustra tu ensayo con tablas, diagramas, fotos u otros gráficos apropiados y exhíbelo en el tablón de anuncios de la clase.

- Envía tu ensayo a un experto interesado en el tema que elegiste.

- Organiza una mesa redonda sobre el tema de tu ensayo, junto con otros estudiantes que estén interesados en la situación.

Reflexión

Escribe una redacción corta para completar una o dos de estas oraciones:

- La parte más difícil de este programa fue...

- Escribir este ensayo me hizo cambiar de opinión sobre...

- Especular sobre las causas o los efectos es una actividad útil porque...

PREPARA TU PORTAFOLIO
Taller de oraciones

COMBINA ORACIONES

A continuación aparece una secuencia de oraciones. Cada una de estas oraciones se relaciona con la anterior. Observa:

> El hidroavión acuatizó en un río.
>> El río estaba rodeado de una selva impenetrable.
>>> La selva estaba llena de árboles retorcidos.
>>>> De los árboles, colgaban plantas aéreas.
>>>>> Esas plantas se llamaban «barbas de conquistador».

En el ejemplo que sigue verás que se han combinado las dos primeras oraciones para formar otra que es más larga pero que elimina la repetición innecesaria de palabras. Estudia la siguiente oración:

> El hidroavión acuatizó en un río <u>que estaba rodeado de una selva impenetrable</u>.

Para no repetir la palabra «río», se pone la palabra **que**. «Que» es una palabra de enlace especial: se utiliza para situar una oración dentro de otra. «Que» actúa como **pronombre relativo** porque sustituye a un nombre, como «río». El nombre al que se refiere «que» es el **antecedente**. Observa:

> Las palmeras <u>que se inclinaban sobre el agua buscando la luz</u> acababan cayéndose.

Di a qué nombres se refiere «que» en estas oraciones:

> Había cocodrilos que nos miraban con sospecha.
> Miguel, que era mecánico, estudió el motor.
> Los demás hicimos una hoguera que alertaría a cualquier avión que pasara por allí.

Ya has visto cómo se combinan oraciones para formar otras nuevas. ¿Puedes volver ahora a la secuencia del principio y hacer oraciones nuevas combinando las últimas tres oraciones?

Al revisar tu trabajo:

Busca oraciones cortas que vayan seguidas o palabras que se repitan en oraciones cercanas. ¿Quedan mejor esas oraciones cuando las combinas?

Guía del lenguaje

Ver Complementos del nombre, pág. 342.

Inténtalo tú

Edita este artículo combinando oraciones para que se pueda publicar en el periódico.

El hidroavión consiguió despegar. El hidroavión había sufrido una avería en una hélice. El piloto realizó un acuatizaje de urgencia sobre el Black River, en la Florida central. El piloto prefiere no ser identificado. El vuelo se daba ya por desaparecido. El vuelo iba de Pensacola a Orlando.

COLECCIÓN 5

¿Quién soy?

Las Mujeres Muralistas, Members: Patricia Rodriguez, Graciela Carrillo, Consuelo Mendez, and Irene Pérez, *Panamerica*, 1974, Mission Districts & 26th Street San Francisco, CA. Photo: Eva Cockcroft.

ANTES DE LEER
Aprender el inglés
Yo soy lo jíbaro

Punto de partida

¿Quién soy?

¿Con qué te identificas? ¿Con lo que te gusta hacer o con lo que haces bien? ¿Con el país en el que naciste? ¿Con la lengua que hablas? Escribe algunas notas sobre ti en forma de un árbol de ideas como el que aparece a la derecha.

Toma nota

Anota algunas palabras o frases que resuman algo sobre ti o que de alguna manera te identifiquen.

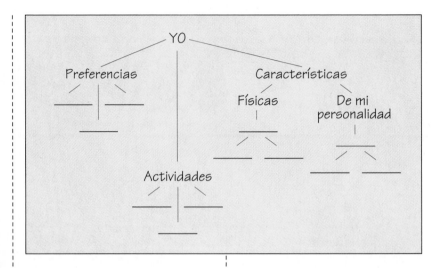

Elementos de literatura

Repetición y paralelismo

Los músicos, como sabes, usan la **repetición** de sonidos, palabras o tonos para tener un efecto sobre las emociones. Los poetas utilizan la repetición de manera parecida: con palabras, frases o ritmos. La repetición da al poema una cualidad musical y enfatiza las ideas importantes.

Una forma de repetición es el **paralelismo**. El paralelismo es la repetición de palabras o de frases que tienen estructura y contenido parecidos. Además de crear un efecto musical, el uso del paralelismo contribuye al diseño de la estructura interna de un poema. Cuando leas «Yo soy lo jíbaro», busca ejemplos del paralelismo.

La **repetición** es la recurrencia de palabras, frases, ritmos o sonidos en una composición literaria.

El **paralelismo** es la repetición de palabras o frases que tienen estructura y contenido parecidos.

Para más información sobre la repetición y el paralelismo, ver la página 187 y el GLOSARIO DE TÉRMINOS LITERARIOS.

Aprender el inglés

Luis Alberto Ambroggio

Vida
para entenderme
tienes que saber español
sentirlo en la sangre de tu alma.

5 Si hablo otro lenguaje
y uso palabras distintas
para expresar sentimientos que nunca
cambiarán
no sé
10 si seguiré siendo
la misma persona.

Cortesía de la Galería Helga de Alvear, Madrid.

Limbo (1986) de José Maldonado.
Acrílico sobre lienzo (193 x 220 cm).

CONOCE AL ESCRITOR

Puede que te sorprenda saber que **Luis Alberto Ambroggio** (1945–   ) no es un escritor de profesión. En realidad, es un hombre de negocios a quien le gusta la literatura. Entre sus libros publicados se encuentran: *Poemas de amor y vida, Hombre del aire* y *Oda ensimismada*. Actualmente, Ambroggio está preparando una colección de poesía que se llamará *Live-in Translation*.

Ambroggio nació en Córdoba, Argentina. Estudió en la Universidad Católica y en el Instituto de Filosofía y Letras. Tras terminar sus estudios obtuvo un puesto en la Pan-American Development Foundation. Luego, Ambroggio se fue a vivir a los Estados Unidos, donde obtuvo una licenciatura en comercio del Virginia Polytechnic Institute and State University, además de trabajar en la Embajada de Argentina. En 1976 Ambroggio fundó la empresa industrial AIM Enterprises, de la cual es presidente. También es director de la Academia Iberoamericana de Poesía y una persona muy activa en asuntos públicos.

Ambroggio ha dicho:

Las palabras crean el mundo en el que vivimos. «Te quiero, mamá», por ejemplo, significa para mí lo mismo que «I love you, mom». Estas expresiones al principio no me sonaban igual; podía notar una gran diferencia en la calidez del contenido. Cuando escribí mi primer poema en inglés, lo titulé «Communion». Después se tradujo al español y más tarde, se volvió a traducir al inglés, bajo el título «Learning English». Un típico caso de «live translation» continúa.

Yo soy lo jíbaro°

Francisco Hernández Vargas

Yo soy el que canta,
coplero de la altura,
cantor de la montaña,
lo puro de mi tierra
5   por mí habla.

°**jíbaro:** campesino.

Versador soy de velorios,
rey de bombas,°
de décimas y guarachas.°

Cuando rompo a cantar
10 no canto en jíbaro,
porque yo soy lo jíbaro,
porque nací en la sínsora°
y me crié en el abra,°
porque mi tiple° está templado
15 con la prima° de la quebrada.°

Yo, que alcé un monumento al piche°
y otro a la pana;
que he velado una hoguera,
y he ordeñado una cabra,
20 y sé lo que es un guiso
y un trago é puya°
por las mañanas.

Yo, que he rodado por las guindas,
y he repechado° por las jaldas,°...
25 que como en dita,°
bebo en coco
y echo mi sueño en la jamaca,
y el portavoz soy de la sierra,
lo puro de mi tierra
30 por mí habla.

Quien un cantar boricua°
esté buscando,
que suba por mi cuerda
a la montaña.

24. **repechado:** subido cuesta arriba.   **jaldas:** falda de un monte.   **25. dita:** vasija pequeña que se hace del fruto de un árbol.   **31. boricua:** puertorriqueño.

7. **bombas:** rimas improvisadas.   **8. décimas y guarachas:** dos tipos de música campesina.
12. **sínsora:** lo más profundo de la montaña; campo adentro.   **13. abra:** apertura amplia entre dos montañas.   **14. tiple:** guitarra pequeña que produce una voz aguda.   **15. prima:** la cuerda que produce el tono más agudo en algunos instrumentos de cuerda.   **quebrada:** riachuelo.
16. **piche:** especie de trigo de grano blando y oscuro.
21. **puya:** café negro, fuerte y sin azúcar.

CONOCE AL ESCRITOR

Francisco Hernández Vargas
(1914–1981) nació en Arecibo, Puerto Rico. Publicó su primer libro de poemas, *Música criolla*, en 1933. Además de ser abogado, dedicó su don literario al periodismo, colaborando en distintas revistas y periódicos a lo largo de su carrera. En su segunda obra, *La vereda*, Hernández Vargas celebra al jíbaro como símbolo del sentimiento patriótico, que prosigue con su poemario *Brazos* (1939), en el cual el poeta expresa su interés por los problemas sociales. Perteneció al Ateneo Puertorriqueño y a la Sociedad Puertorriqueña de Escritores, de la cual llegó a ser presidente.

CREA SIGNIFICADOS

Primeras impresiones

1. ¿Te identificas con el poeta de «Yo soy lo jíbaro» o con el de «Aprender el inglés»? ¿Por qué?

Interpretaciones del texto

2. ¿De qué se enorgullece el poeta de «Yo soy lo jíbaro»? ¿De qué manera le afecta su relación con la tierra?

3. De acuerdo con el poeta de «Aprender el inglés», ¿cómo afecta el lenguaje de una persona su relación con los demás?

4. ¿Qué siente el poeta de «Aprender el inglés» cuando usa una lengua distinta del español? ¿Cómo influye la lengua que habla en el concepto que tiene sobre sí mismo?

Conexiones con el texto

5. ¿Has tenido alguna vez dificultades para comunicarte con otros porque no entienden tu idioma? Explica tu respuesta.

Más allá del texto

6. ¿Qué pueden hacer las personas que hablan idiomas distintos para entenderse mejor?

OPCIONES: Prepara tu portafolio

Cuaderno del escritor

1. Compilación de ideas para una semblanza

El poeta de «Yo soy lo jíbaro» describe su vida de una manera que la hace parecer emocionante y fascinante. Piensa en alguien a quien conozcas que tenga una ocupación que te parezca emocionante. Escribe algunas notas sobre el estilo de vida de esa persona y di por qué él o ella podría tener algún motivo de satisfacción y orgullo en su vida.

Escritura creativa

2. Una carta

Al usar detalles específicos, el poeta de «Yo soy lo jíbaro» logra una vívida descripción de la vida que lleva. Imagina que tienes un amigo o familiar que vive en otra ciudad o en otro país donde el paisaje y las costumbres son muy diferentes a las tuyas. Escribe una carta a esa persona en la que hables de tu vida, el lugar donde vives y lo que te gusta hacer. Acuérdate de incluir detalles concretos.

LENGUA Y LITERATURA   MINI LECCIÓN

Palabras distintas

Al leer las colecciones de este libro has conocido literatura de diferentes lugares, entre ellos, distintos países de Latinoamérica. Quizá has notado que muchas veces un autor habla de algo que conoces, usando palabras distintas a las que usarías tú para referirte a lo mismo. Un ejemplo de esto es el uso de la palabra «yacaré» en el cuento «La guerra de los yacarés» de Horacio Quiroga. El nombre más común para referirse a este animal es «caimán». Asimismo, en el fragmento de *Cuando era puertorriqueña*, Esmeralda Santiago describe el peinado de una mujer del siguiente modo: «la pollina cepillaba las puntas de sus pestañas falsas». «Pollina» es la palabra que se usa en Puerto Rico para decir «flequillo». En el poema «Yo soy lo jíbaro», has visto muchas palabras como «puya», «sínsora», «jalda» y «quebrada», que probablemente no conocías. Repasa la lectura para que recuerdes mejor los significados de estas palabras.

Estas palabras poco comunes que aparecen en las diferentes lecturas se llaman **regionalismos**. Los regionalismos son palabras o expresiones que se usan sólo en algunos lugares o regiones y que probablemente no se entienden fuera de esa región.

La existencia de los regionalismos es común en todas las lenguas. Además, no sólo se da en la literatura sino que es muy común el uso de regionalismos en nuestras conversaciones de la vida cotidiana. Seguramente tienes amigos de tu escuela o de tu vecindario que vienen de distintos países o quizá de diferentes regiones dentro de un mismo país. ¿No has dicho alguna vez palabras que tus amigos no entienden? A veces ocurren situaciones muy graciosas porque lo que para ti quiere decir algo, para otros significa algo totalmente distinto. Trata de recordar alguna situación similar y comparte tu experiencia con la clase.

Inténtalo tú
Resuelve el misterio

Muchos detectives famosos, como Sherlock Holmes, trabajan en equipo para resolver problemas difíciles. A continuación, encontrarás una serie de oraciones que contienen regionalismos que quizá no conozcas. Las palabras subrayadas son regionalismos. Escoge un(a) compañero(a) para resolver el misterio que encierra cada oración; en cada caso usa el diccionario y ten en cuenta las pistas del contexto.

1. La mamá de José está frente a la casa esperando la guagua que la lleva al centro.

2. Marcos no pudo bajar los libros que estaban en la parte alta de la estantería porque él es muy petizo.

3. A mí no me gustan las zanahorias pero sí me gusta el choclo.

4. Marcos no entiende la lección; sólo la repite como un papagayo.

5. Cuando llega el verano nos gusta bañarnos en la pileta.

ANTES DE LEER
El negro habla de ríos

Punto de partida

Tus antepasados

¿Qué sabes acerca de tus antepasados? ¿Sabes en qué países vivían o en qué trabajaban?

En el poema que vas a leer a continuación, un escritor afro-americano reflexiona sobre la historia del pueblo del que él desciende. Sabe que sus antepasados emigraron, con el paso de los siglos, de Asia a África y finalmente a los Estados Unidos.

Reúnete con un grupo de compañeros de clase y compartan lo que saben sobre los orígenes de sus familias. Localicen sus lugares de origen en un mapa o en un globo terráqueo. A continuación reúnan su información en un cuadro como éste.

Familiares	Lugar de origen
Bisabuela Rosa	Lima, Perú
Abuelo Tomás	Durango, México

Toma nota

Escribe unas cuantas frases sobre uno de los familiares que describiste a tus compañeros de clase. ¿Qué sabes sobre su vida?

Elementos de literatura

Imágenes

Las **imágenes** son descripciones que estimulan nuestros sentidos: vista, oído, olfato, gusto y tacto. Ayudan a los poetas a transmitir sus sentimientos y hacen que nuestra experiencia con la literatura sea más intensa.

> Las **imágenes** son descripciones que estimulan uno o más de nuestros sentidos.
>
> *Para más información sobre las imágenes, ver la página 187 y el GLOSARIO DE TÉRMINOS LITERARIOS.*

El negro habla de ríos

Langston Hughes

Reflection (1957) de Hughie Lee-Smith. Óleo sobre masonite.

Evans-Tibbs Collection, Washington, D.C.
© 1997 Hughie Lee-Smith/Licensed by VAGA,
New York, NY.

He conocido ríos:
He conocido ríos antiguos como el mundo y más viejos que el fluir
     de sangre humana por venas humanas.

Mi alma se ha hecho profunda como los ríos.

Me bañé en el Éufrates° cuando las auroras eran jóvenes.
5 Construí mi cabaña junto al Congo° y arrullado por él me dormí.
Contemplé el Nilo° y sobre él levanté las pirámides.
Oí el cantar del Mississippi° cuando Abe Lincoln° bajó a Nueva Orleans,°
     y he visto su seno de lodo tornarse de oro al sol poniente.

He conocido ríos:
Antiguos ríos oscura tez.

10 Mi alma se ha hecho profunda como los ríos.

—Traducción de Manuel Losada-Rodríguez

4. **Éufrates:** río en Iraq. **5–6. Congo... Nilo:** ríos de África; el Nilo es el más largo del mundo.
7. **Mississippi:** río más largo de los Estados Unidos. **Abe Lincoln:** Abraham Lincoln,
presidente de los Estados Unidos durante la guerra civil, abolió la esclavitud. **Nueva
Orleans:** ciudad en el sur de los Estados Unidos.

CONOCE AL ESCRITOR

Langston Hughes (1902–1967) nació en Joplin, Missouri, y se crió en pequeños pueblos de Kansas e Illinois. Tuvo una infancia solitaria; sus padres se habían separado y hasta que tuvo doce años vivió con sus abuelos y con amigos de la familia.

Después de acabar los estudios de enseñanza media, Hughes se fue a vivir a Cleveland, Ohio, con su madre y su padrastro. En el centro donde estudiaba descubrió a varios escritores europeos famosos. Uno de los que más influyó en la vida de Hughes fue el escritor francés Guy de Maupassant.

Hughes decidió estudiar en la Universidad de Columbia en la ciudad de Nueva York porque está cerca de Harlem. En los años veinte, Harlem fue el centro de lo que hoy conocemos como el *Harlem Renaissance*.

The Granger Collection, New York.

Al final de su vida Hughes no sólo había escrito poesía sino también ficción, obras de teatro, una autobiografía y piezas breves de humor. Además, editó una serie de antologías y tradujo al inglés libros en español.

Sobre el origen de «The Negro Speaks of Rivers», Hughes escribió:

Aquella tarde, en el tren, había cenado temprano, estaba atardeciendo y cruzábamos lentamente el Mississippi por el puente. Miré por la ventana del vagón cómo fluía el lodoso y amplio río, descendiendo hacia el corazón del Sur, y empecé a pensar lo que aquel río, el viejo Mississippi, había significado en el pasado para los negros, de qué forma el que los vendieran como esclavos río abajo era el peor destino que se podía sufrir en la época de la esclavitud. Luego recordé haber leído que Abraham Lincoln, en un viaje que hizo a Nueva Orleans en balsa, Mississippi abajo, había visto las peores condiciones de la esclavitud y había decidido que esa situación debía desaparecer de la vida americana. Luego comencé a pensar en otros ríos de nuestro pasado —el Congo, el Níger y el Nilo en África— y me vino esta idea a la cabeza: «He conocido ríos», lo escribí en la parte de atrás de un sobre que llevaba en el bolsillo y a los diez o quince minutos, mientras el tren ganaba velocidad en la oscuridad, yo escribía este poema que titulé «The Negro Speaks of Rivers».

CREA SIGNIFICADOS

• **Primeras impresiones**

   1. ¿De qué manera influye el poema en lo que sientes acerca de tus orígenes?

Interpretaciones del texto

   2. ¿Por qué crees que el poema está escrito en primera persona, aunque el poeta no esté presente en los lugares que describe?

   3. ¿Qué **imágenes** puedes encontrar en el poema? ¿Cuál de los cinco sentidos evoca cada una?

   4. Señala ejemplos de **repetición**. ¿Por qué crees que el poeta utiliza este recurso?

   5. El **tono** de una obra literaria es la actitud o el enfoque del autor hacia su tema. ¿Cómo describirías el tono de «El negro habla de ríos»?

Conexiones con el texto

   6. El poeta nombra lugares concretos que fueron importantes en la historia de sus antepasados. Piensa en los orígenes de tu familia. ¿Qué ríos, montañas o ciudades pudieron ser importantes en sus vidas?

Preguntas al texto

   7. En este poema, Hughes cuenta la historia y las experiencias del pueblo afroamericano. ¿Crees que las imágenes de ríos que utiliza en su obra le dan fuerza al poema? ¿Por qué?

OPCIONES: Prepara tu portafolio

Cuaderno del escritor

1. Compilación de ideas para una semblanza

Cuando lees este poema, ¿qué impresión te produce el poeta? ¿Es respetuoso? ¿reflexivo? ¿sabio? ¿Te recuerda el poeta a alguien que conozcas? Escribe algunas notas sobre alguien que se parezca al poeta.

> Mi abuelo Alejandro:
> — Sabe mucho sobre lugares lejanos.
> — Le gusta contar viejas historias sobre nuestra familia.
> — Nos da a mis hermanas y a mí consejos valiosos.

Redacción creativa

2. Un poema sobre lugares

Piensa en los lugares que son importantes en tu vida, por ejemplo: parques, patios de recreo, tiendas, calles o las casas de tus amigos. Escribe un poema en el que expreses lo que esos lugares significan para ti. Intenta usar **imágenes**, lenguaje que atrae los sentidos, de manera que tus lectores puedan experimentar lo que estás describiendo. Al empezar podrías mencionar las formas, los sonidos y los olores asociados con los lugares que has escogido describir.

Dibujo

3. Una escena a orillas de un río

Investiga acerca de uno de los ríos que Hughes menciona en su poema. Haz una lista de preguntas para guiar tu estudio, como:

- ¿Dónde está localizado el río?
- ¿Cómo es?
- ¿Qué formas de industria o de agricultura se asocian con él?
- ¿Quiénes viven cerca?

Crea una escena que describa la vida alrededor del río. Utiliza cualquier medio gráfico con el que estés familiarizado. Explica tu escena a tus compañeros.

Investigación

4. Un artículo de revista

Imagina que un editor de una revista te ha pedido que prepares un artículo sobre uno de los miembros de tu familia. Investiga lo más que puedas sobre el tema. Busca fuentes de información tales como cartas, diarios, postales o fotografías. Si es posible, entrevista a la persona o a otros miembros de la familia que conozcan bien a esa persona. Cuando acabes de escribir tu artículo, compártelo con otros compañeros de tu clase.

Elementos de literatura

POESÍA I: Recursos de sonidos e imágenes

¿Por qué leemos poesía? El poeta Víctor Hernández Cruz, que nació en Puerto Rico y creció en la ciudad de Nueva York, ha dicho: «la poesía nos hace revelaciones que iluminan lo que era desconocido para nosotros».

Además de leer poesía por su mensaje y por su contenido, leemos poesía por la manera en que cautiva nuestros sentidos.

Muchos poemas son placenteros debido a su cualidad musical. El sonido especial de la poesía se crea mediante recursos tales como la **rima**, el **ritmo**, la **repetición** y el **paralelismo**. Algunos poemas captan nuestra imaginación al dibujar ideas en nuestra mente; esto se consigue con las **imágenes**, descripciones que despiertan nuestros sentidos.

Recursos de sonido: Rima

La **rima** es la repetición de sonidos vocales o consonantes. Normalmente hallamos la rima al final de los versos. Además de crear un sonido placentero, la rima ayuda a destacar las palabras importantes y la relación entre los versos. También, el tipo de **rima** contribuye a formar la estructura de un poema.

En la **rima consonante** o **total**, la repetición del sonido de la vocal y de la consonante es exacta. Fíjate en el uso de ella que hace José Martí en esta estrofa de *Versos sencillos* (página 235):

Tiene el leopardo un abr**igo**
En su monte seco y p**ardo**:
Yo tengo más que el
    leop**ardo**,
Yo tengo un buen am**igo**.

En la **rima asonante** o **parcial**, sólo se repiten los sonidos de las vocales, como en esta estrofa de un poema de Gabriela Mistral:

La perdiz duerme en el
    tréb**o**l
escuchándome lat**i**r:
no te turben mis alient**o**s,
¡duérmete apegado a m**í**!
    —«Apegado a mí»

Ritmo

El **ritmo**, como la rima, ayuda a dar a la poesía una cualidad musical. El ritmo a veces se usa para realzar el contenido de un poema al imitar el sonido de la acción que se está describiendo.

La mejor manera de percibir el ritmo de un poema es leerlo en voz alta. Practica con la siguiente estrofa de Rubén Darío:

Al compás de un canto de
    artista de Italia
que en la brisa errante la
    orquesta deslíe,
junto a los rivales, la divina
    Eulalia
la divina Eulalia ríe, ríe, ríe.
    —«Era un aire suave...»

No todos los poemas tienen rima y ritmo regulares. Por ejemplo, Luis Alberto Ambroggio usa **verso libre** —como se llama a este tipo de versos— en «Aprender el inglés». Otros dos poemas de esta colección, «El negro habla de ríos» de Langston Hughes y «Yo soy lo jíbaro» de Francisco Hernández Vargas, también están escritos en verso libre.

Repetición y paralelismo

Los poetas realzan ideas o sentimientos por medio de la **repetición** de palabras y frases clave. Por ejemplo, Langston Hughes repite dos frases clave en «El negro habla de ríos»: «He conocido ríos» (versos 1, 2 y 8) y «mi alma se ha hecho profunda como los ríos» (versos 3 y 10). ¿Cuál es el efecto de esta repetición?

El **paralelismo** es la repetición de frases que son similares en su estructura o en su contenido. Francisco Hernández Vargas usa el paralelismo en esta estrofa de «Yo soy lo jíbaro»:

Cuando rompo a cantar
no canto en jíbaro,
porque yo soy lo jíbaro,
porque nací en la sínsora
y me crié en el abra,
porque mi tiple está
 templado
con la prima de la quebrada.

Aliteración

Se llama **aliteración** a la repetición de sonidos similares en un grupo de palabras, habitualmente sonidos conso-nantes. Al igual que la rima y el ritmo, la aliteración puede dar un mayor énfasis a un grupo de palabras o ayudar a crear un tono particular. ¿Qué sonidos se repiten en esta estrofa de Nicolás Guillén?

Cuelga colgada,
cuelga en el viento,
la gorda luna
de Barlovento.
　　　—«Barlovento»

Onomatopeya

Algunas palabras imitan o sugieren el sonido propio de su significado. Algunos ejemplos serían «croar», «silbido» y «zumbido».

El uso de una palabra o de un grupo de palabras que imita el sonido de lo que representan se llama **onoma-topeya**. ¿Cómo sugieren el llamado a una puerta los siguientes versos de Nicolás Guillén?

—¡Tun, tun!
—¿Quién es?
—Una rosa y un clavel...
—¡Abre la muralla!
—¡Tun, tun!
　　　— «La muralla»

Imágenes

Las **imágenes** son un recurso literario que usa el poeta para evocar los cinco sentidos: vista, oído, gusto, olfato y tacto. Al estimular nuestros sentidos, el poeta nos induce a leer de manera más activa e imaginativa.

En esta colección encontra-mos varios ejemplos de imágenes. Por ejemplo, Lang-ston Hughes utiliza palabras que evocan una imagen del río Nilo en este verso de «El negro habla de ríos»:

Contemplé el Nilo y sobre él
 levanté las pirámides.

Rubén Darío también usa imágenes en «¡Al trabajo!» (página 304). ¿Qué imágenes puedes identificar en los versos siguientes?

Cuando amanece Dios, toda
 la tierra
se estremece de amor, llena
 de vida;
dora el alba encendida
las cumbres de la sierra...

ANTES DE LEER
de Barrio Boy

Punto de partida

Cuenta tu historia

En la selección que vas a leer a continuación, Ernesto Galarza describe la manera en la que sus compañeros de clase comparten historias sencillas que revelan sus diferentes orígenes culturales. Reúnete con un grupo de compañeros para que cada uno cuente algún aspecto de su origen que los ayude a conocerse mejor.

Toma nota

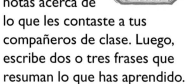

Toma algunas notas acerca de lo que les contaste a tus compañeros de clase. Luego, escribe dos o tres frases que resuman lo que has aprendido.

Estrategias para leer

Distingue hechos de opiniones

Hay dos tipos de afirmaciones, las que se basan en hechos y las que expresan opiniones. Las primeras pueden comprobarse, mientras que las segundas no; éstas corresponden a creencias personales.

Muy a menudo, las afirmaciones presentadas como hechos son en realidad opiniones. Al leer el fragmento de *Barrio Boy*, busca afirmaciones que estén basadas en hechos y afirmaciones que reflejen la opinión del autor.

de Barrio Boy

Ernesto Galarza

Ernesto Galarza montando una de las mascotas
favoritas de la familia, 1916.

Colección de fotografías de la familia de Ernesto Galarza.

Una mañana, los dos caminamos por la Calle Cinco hasta llegar a la esquina con la Calle Q y doblamos a la derecha. La Escuela Lincoln ocupaba media cuadra; era un edificio de madera, de tres pisos, con dos naves conectadas por un corredor central que le daban la forma de una doble T. Era un edificio nuevo, pintado de amarillo con techo de tejas de madera, muy distinto al techo de tejas rojas de la escuela de Mazatlán.[1] Observé otras diferencias, ninguna muy alentadora.

Subimos la ancha escalinata tomados de la mano y cruzamos la puerta que se cerró tras de nosotros. Un dispositivo mecánico hacía que la puerta se cerrara suavemente.

Hasta entonces habíamos repasado cuidadosamente la aventura de inscribirme en la escuela. La señora Dodson[2] nos había dicho cómo llegar, y en nuestros paseos diarios habíamos pasado por allí varias veces. Los amigos del barrio nos explicaron que al director lo llamaban *principal*, y que era una mujer y no un hombre. Nos aseguraron que siempre había una persona en la escuela que hablaba español.

Tal como nos habían dicho, en la puerta había un letrero que decía en inglés y en español: *Principal*. Cruzamos el corredor y entramos en la oficina de Miss Nettie Hopley.

Miss Hopley estaba sentada detrás de un escritorio de tapa corrediza, en una silla giratoria con ruedas. En la pared opuesta, había un sofá colocado entre dos ventanas y una puerta que daba a un pequeño balcón. Había una mesa con sillas y de las paredes colgaban fotografías enmarcadas de un señor de cabello blanco y de otro señor de cara triste y barba negra.

La directora se volvió a medias en su silla giratoria y nos miró por encima de sus lentes sujetos en la punta de la nariz. Para ello tuvo que agachar un poco la cabeza como si fuera a cruzar una puerta de umbral bajo.

No entendimos lo que nos dijo pero reconocimos en sus ojos una bienvenida afectuosa y cuando se quitó los lentes y se enderezó, sonrió cordialmente, como la señora Dodson. Nosotros por supuesto, no hablábamos, tan sólo captábamos el tono amistoso de su voz y el brillo de sus ojos mientras decía palabras que no entendíamos. Nos indicó que nos acercáramos a la mesa. Crucé la oficina casi de puntillas y me las arreglé para tener a mi madre entre la gringa y yo. Tenía unos segundos para decidir si ella sería una amiga o una amenaza. Nos sentamos.

En ese momento Miss Hopley hizo algo formidable. Se puso de pie. Si habría estado de pie cuando entramos, nos hubiera parecido alta. Pero al levantarse de la silla, se elevó, y junto con ella su estructura voluminosa de espaldas firmes, su nariz recta y afilada, sus mejillas llenas y ligeramente marcadas por una línea curva junto a la nariz; sus labios delgados que se movían como resortes[3] de acero y su frente alta coronada por el cabello recogido en un moño. El cuerpo de Miss Hopley no era tan voluminoso pero cuando lo movilizaba para ponerse de pie, parecía gigante. Decidí que me agradaba.

Miss Hopley caminó hacia una puerta al otro extremo de la oficina, la abrió y llamó a alguien. En la puerta apareció un niño de unos diez años. Se sentó a un extremo de la mesa. Era moreno como nosotros, regordete, de cabello negro, brillante y peinado hacia atrás, pulcro, indiferente y ligeramente detestable.

Miss Hopley se acercó con un libro grande y algunos papeles en la mano. Ella también se

3. **resortes:** piezas metálicas que pueden recobrar su posición si se mueven.

1. **Mazatlán:** puerto importante del estado de Sinaloa en la costa del Pácifico de México.
2. **la señora Dodson:** la propietaria de la casa en la que vivían los Galarzas.

ADUÉÑATE DE ESTAS PALABRAS

alentadora, -dor *adj.*: que anima; que produce el deseo de hacer algo.

sentó y comenzaron las preguntas y respuestas a través de nuestro intérprete. Mi nombre era Ernesto. El nombre de mi madre era Henriqueta. Mi certificado de nacimiento estaba en San Blas. Aquí estaba mi última libreta de calificaciones de la Escuela Municipal Número 3 para Varones, de Mazatlán, etc. Miss Hopley escribió algunas cosas en el libro y mi madre firmó una tarjeta.

Mi madre podía quedarse mientras las preguntas continuaran, y yo me sentía protegido. Cuando éstas terminaron, Miss Hopley la acompañó hasta la puerta, despidió a nuestro intérprete y sin más me tomó de la mano y caminamos por el corredor hacia la clase de primer grado de Miss Ryan.

Miss Ryan me llevó a un escritorio al frente del salón, donde me senté y me encogí para observarla mejor. Como yo era más bien pequeñito y flacucho, ella me parecía alta e imponente cuando recorría la clase. Y cuando menos lo esperaba, allí estaba, de cuclillas junto a mi escritorio, su cara blanca y radiante junto a la mía, haciéndome practicar una y otra vez las necedades y dificultades del inglés.

Durante las siguientes semanas Miss Ryan, inclinada sobre mi escritorio para ayudarme con alguna palabra de mi silabario, logró quitarme el temor que tenía a los profesores altos y severos. Paso a paso, consiguió que tanto mis compañeros de clase como yo dejáramos la seguridad de nuestros escritorios para recitar junto al pizarrón o acercarnos a su escritorio para consultarle algo. Con frecuencia lanzaba alegres anuncios a toda la clase. «Ito puede leer una frase», e Ito, el pequeño japonés, tímido y de ojos rasgados, leía lentamente mientras la clase escuchaba con admiración: «*Come, Skipper, come. Come and run*». Los coreanos, portugueses, italianos y polacos del primer grado tuvieron iguales momentos de gloria, no menos brillantes que el mío el día que logré pronunciar la palabra *butterfly*, que persistía en pronunciar como en español, «buterfley». «Niños», dijo Miss Ryan,

«¡Ernesto ha aprendido a pronunciar la palabra *butterfly!*» Y yo di la prueba con una perfecta imitación de la pronunciación de Miss Ryan. Después de aquel momento célebre, pronto pude igualar los progresos de Ito cuando leí la frase «*Come, butterfly, come fly with me*».

Igual que a Ito y a otros niños del primer grado que no sabían inglés, Miss Ryan me dio lecciones privadas en un cuarto pequeño junto al aula que tenía puertas a ambos extremos. Junto a una de estas puertas, Miss Ryan colocaba una silla grande para ella y otra más pequeña para mí. Sin perder de vista a los demás estudiantes a través de la puerta abierta, Miss Ryan leía conmigo los cuentos sobre las ovejas en el campo y el pollito asustado que iba a ver al rey. Me ayudaba a corregir mi tendencia a leer como en español palabras como *pasture, bow-wow-wow, hay* y *pretty*, palabras que para mi oído y mis ojos mexicanos, tenían muchas letras y sonidos innecesarios. Me hacía observar sus labios y luego cerrar los ojos mientras ella repetía palabras que yo encontraba difíciles de leer. Cuando nos conocimos un poco más, yo trataba de interrumpir para decirle cómo se decía la palabra en español. Pero no resultó. Miss Ryan decía «oh», y luego seguía con *pasture, bow-wow-wow* y *pretty*. Era como si en ese pequeño cuarto los dos estuviéramos descubriendo juntos los secretos del inglés y sufriendo con las tragedias de Bo-Peep. La razón principal por la que me gradué con honores del primer grado fue que me había enamorado de Miss Ryan. Su personalidad radiante y franca hacía que tuviéramos miedo de no quererla, o que la quisiéramos para no tener miedo, no estoy seguro cuál de estas dos era la razón. No sólo sabíamos que era íntegra, sino que estaba íntegramente con nosotros.

Como el primer grado, el resto de la Escuela Lincoln era una muestra de la población de la parte baja de la ciudad, donde se habían establecido gentes de muchas razas. Mis mejores amigos del segundo grado eran Kazushi, cuyos padres sólo hablaban japonés; Matti, un italiano flaquito; y Manuel, un portugués gordo que nunca se metía en peleas sino que volteaba al suelo a cualquier <u>contrincante</u> y se le sentaba encima. La diversidad de nacionalidades incluía coreanos, yugoslavos, polacos, irlandeses y americanos del lugar.

Miss Hopley y los profesores no dejaban que olvidáramos la razón por la que estábamos en el Lincoln: los extranjeros, para convertirnos en buenos ciudadanos americanos; los nacidos americanos, para que nos aceptaran. Fuera de los límites de la escuela, intercambiábamos los mismos insultos que escuchábamos de las personas mayores. En el patio de recreo, podíamos estar seguros de que nos llevarían a la oficina de la directora por decir insultos racistas. La escuela no era un *melting pot* sino una cazuela donde Miss Hopley y sus ayudantes nos <u>sazonaban</u> con conocimientos y nos cocinaban hasta quitarnos cualquier odio racial.

Para la Lincoln, el convertirnos en americanos no implicaba que debíamos <u>desechar</u> nuestras raíces extranjeras. Los profesores nos llamaban como lo hacían nuestros padres, o en la mejor forma que podían pronunciar nuestros nombres en español, o en japonés. Nunca se castigó a un niño por hablar en su lengua materna durante el descanso en el patio de recreo. Matti hizo una presentación delante de la clase sobre el acolchado que su madre había hecho en Italia con las plumas finas de mil gansos. Encarnación demostró cómo los niños aprenden a pescar en las Filipinas. Yo dejé admirados a mis compañeros del tercer grado contándoles de mis viajes en diligencia que ninguno de la clase había visto nunca, excepto en el museo del Fort Sutter. Después de una visita a la Crocker Art Gallery y de ver la colección de pinturas heroicas de la época de oro de California, un estudiante mostró una pintura china hecha sobre tela de seda. Miss Hopley tenía su propia manera de expresar admiración por estas cosas, con los ojos muy abiertos, casi saliéndosele de las órbitas. Me era fácil sentir que el orgullo de volverme americano, que ella decía que debíamos sentir, no significaba que debía sentir vergüenza de ser mexicano.

La americanización de mi «yo» mexicano no fue cosa fácil. Tuve que pelear con un grosero que se burló de mis viajes en diligencia y de mi barbarismo al traducir la palabra como *diligence*.[4] Él se partía de la risa hasta que lo enderecé de una patada. En la clase, insistí en que en México los gallos cantan «qui-qui-ri-quí» y no «*cock-a-doodle-doo*», pero a la salida de la escuela tuve que aguantar las burlas de un yugoslavo grandote que decía que los gallos mexicanos estaban locos.

Pero el que me dio la mejor lección para ser un futuro americano fue Homer.

Homer era un fornido irlandés que vestía como si todos los días fueran domingo. Se peinaba en un estilo entre corte de cepillo y copete. Y era inteligente, como lo demostró claramente cuando ambos fuimos candidatos para la presidencia del tercer grado.

Todos sabían que las elecciones iban a ser una demostración de cómo los americanos elegían al presidente. La maestra nos explicó que en las elecciones, los candidatos podían ser generosos y votar el uno por el otro. Echamos las papeletas en una caja de zapatos, y Homer ganó por dos votos. Hice una encuesta entre mis partidarios y llegué a la conclusión de que no sólo yo había votado por Homer; él también votó por sí mismo. Después de clase lo confronté y no lo negó, recordándome lo que había dicho la maestra —podíamos votar por el contrincante, pero no era una obligación.

---

4. *diligence:* palabra del inglés. Aplicación al trabajo o a los estudios.

- - - - - - - - - - - - - - - - - - - -

ADUÉÑATE DE ESTAS PALABRAS

contrincante *m.*: el que se opone a otro en una competencia.
sazonaban, de **sazonar** *v.*: dar buen gusto a la comida.
desechar *v.*: excluir, menospreciar.

- - - - - - - - - - - - - - - - - - - -

La parte baja de la ciudad era un conglome-rado de nacionalidades en medio del cual Miss Nettie Hopley dirigía la escuela con disciplina y compasión. Convocaba asambleas generales en el salón del segundo piso para presentar a personas célebres como el sargento de policía o el jefe de bomberos, para explicar las regula-ciones de la escuela, para entregar premios a nuestros atletas campeones y para darnos avisos importantes. Uno de éstos fue que yo había sido propuesto por la escuela y aceptado como miembro de la Banda de Niños de Sacra-mento que recién se había formado. «¿No es algo admirable?» preguntó Miss Hopley a la escuela reunida en asamblea, y todos me miraron. Y todos contestaron en coro, incluso yo: «Sí, Miss Hopley».

No sólo los padres llamados a su despacho y los niños que cumplían castigos allí sabían que Nettie Hopley era firme como una roca. Una mañana, durante el saludo a la bandera, la escuela entera fue testigo del fervor americano de Miss Hopley en su más tremenda majestuo-sidad.

Como de costumbre, todos los niños estaban en fila en el patio, entre las dos alas del edificio, listos a marchar hacia las clases después de la campana. Miss Shand estaba en el balcón de la oficina de Miss Hopley, en el segundo piso, para dirigir nuestro entusiasta coro de «My Country Tiz-a-thee». Nuestra directora, como de costumbre, cantaba con nosotros, en posición de firmes con la mano derecha sobre el corazón.

A mitad de la segunda estrofa Miss Hopley dio unos pasos al frente, levantó el brazo en señal de orden y con voz fuerte y clara ordenó, «Dejen de cantar». Miss Shand la miró pasmada. Nosotros quedamos tiesos de asombro.

Miss Hopley estaba asomada al balcón, los ojos le brillaban y su voz era grave y resonante; nos llegaban claramente sus palabras cargadas de indignación.

«Hay dos señores caminando por el patio de la escuela con los sombreros puestos mientras nosotros cantamos», dijo, y recorrió con la mirada las filas de niños. «Nos quedaremos callados hasta que los señores se pongan en firmes y se quiten los sombreros.»

El terrible minuto de silencio terminó cuando Miss Hopley fijó la mirada en algún punto detrás de nosotros, dio la señal a Miss Shand y volvimos a comenzar a cantar el himno familiar. Esa tarde, después de la escuela la noticia corrió. Los dos señores eran el Superintendente de Escuelas y un invitado importante que estaban de inspección.

ADUÉÑATE DE ESTAS PALABRAS
pasmada, -do *adj.*: asombrada.

CONOCE AL ESCRITOR

Cuando tenía seis años, **Ernesto Galarza** (1905–1984) se trasladó de México, con su familia, a un barrio en las afueras de Sacramento, California. Aprendió inglés en seguida y, con frecuencia, hizo de intérprete para otros mexicanos recién llegados. Galarza tuvo que trabajar de jornalero para ayudar a su familia; el recuerdo de las terribles condiciones de aquellos campos lo acompañaría por el resto de su vida.

A pesar de tener que trabajar en el campo, Galarza seguía estudiando. Recibió una beca del Occidental College de Los Ángeles y, más adelante, obtuvo una maestría de la Universidad de Stanford y un doctorado de la Universidad de Columbia.

Galarza dedicó su vida a mejorar las condiciones de los trabajadores agrícolas. Trabajó once años con el Pan-American Union en Washington, D.C., y doce años con el National Farm Labor Union. Denunció el trato injusto hacia los campesinos, encabezó huelgas, ocupó puestos de mando en muchos sindicatos y luchó contra la aprobación de leyes discriminatorias.

Durante los años 60 y 70, Galarza dedicó más tiempo a la lectura y a la escritura. Además de publicar libros sobre los problemas de los campesinos, ayudó a desarrollar programas de enseñanza, y escribió una colección de cuentos infantiles y su famosa autobiografía *Barrio Boy*.

CREA SIGNIFICADOS

- ## Primeras impresiones

  1. ¿Te gustaría ir a una escuela como la Lincoln? ¿Por qué?

  ## Interpretaciones del texto

  2. ¿Cómo animan las maestras de la Escuela Lincoln a los estudiantes para que se sientan orgullosos de sus orígenes?

  3. ¿Por qué crees que Galarza recuerda con tanto cariño a Miss Ryan?

  4. ¿Qué crees que aprendieron los estudiantes acerca de ellos mismos en la Lincoln? ¿Y qué aprendieron sobre cómo llevarse bien con los demás?

  5. Galarza dice que Miss Hopley «dirigía la escuela con disciplina y compasión». ¿Qué incidentes del pasaje apoyan esta afirmación?

  ## Conexiones con el texto

  6. ¿Son tu escuela y comunidad parecidas a las de Ernesto? Explica tu respuesta.

  ## Más allá del texto

  7. Los estudiantes de la Escuela Lincoln aprendieron a aceptarse y respetarse mutuamente. ¿Qué puedes hacer para ayudar a que otros se sientan aceptados y respetados?

Repaso del texto

a. ¿Quién acompañó a Ernesto en su primer día de la escuela?

b. ¿Cuál fue la primera impresión que Miss Hopley causó en Ernesto?

c. ¿Cómo ayudaba Miss Ryan a los estudiantes que no sabían inglés?

d. ¿Por qué dejó de cantar Miss Hopley?

Cuaderno del escritor

1. Compilación de ideas para una semblanza

Incluso sin entender lo que Miss Hopley decía, Ernesto encontró aliento en la sonrisa entusiasta y en el tono amistoso de su voz. ¿Alguna vez te ha hecho alguien sentirte bienvenido o cómodo en una situación desconocida? Escribe algunas notas en las que describas a la persona y al incidente.

> Mi amiga Juana:
> —Nos acabábamos de mudar al vecindario.
> —Yo estaba preocupada y era tímida.
> —Juana me dijo «hola» y me invitó a saltar a la cuerda.

Redacción creativa

2. Una semblanza de un personaje

Hojea revistas y periódicos y busca una fotografía de una persona que te parezca interesante. ¿Cómo te imaginas que podría ser esa persona? ¿Qué tipo de cosas podría hacer? Usa a esa persona como protagonista de una historia breve o de una semblanza.

cada grupo representa sobre el total. Muestra tus resultados en un gráfico como el de abajo.

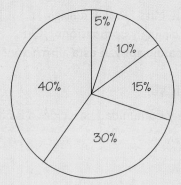

populares en el país de origen de tu familia. Podrías investigar uno de los siguientes temas:

- Música
- Danza
- Deportes
- Trabajos manuales

Comparte tus hallazgos con tus compañeros de clase.

Estadísticas

3. Un gráfico

A la escuela primaria de Galarza asistían estudiantes de varias nacionalidades. ¿Cuántas nacionalidades hay representadas en tu clase? Haz una encuesta entre tus compañeros de clase para averiguarlo y anota los diferentes grupos que encuentres. A continuación calcula el porcentaje que

Investigación

4. La artesanía tradicional

Los niños en la clase de Galarza comparten información sobre sus culturas. Un niño describe un acolchado que su madre había hecho en Italia; otro enseña un rollo de seda con una pintura china. Investiga sobre la artesanía y los pasatiempos que son

ESTRATEGIAS PARA LEER

Distingue hechos de opiniones

Casi a diario, recibes una gran cantidad de información de los libros, revistas, periódicos, televisión y radio. ¿Es verdad todo lo que lees y oyes? Como oyente y lector inteligente que eres, una de las destrezas más importantes que vas a desarrollar es la habilidad para distinguir hechos de opiniones.

Un hecho es algo que puede comprobarse. Una opinión, por el contrario, no puede comprobarse pues viene de la creencia o postura personal de alguien. Algunas veces necesitas examinar cuidadosamente una afirmación para determinar si representa un hecho o una opinión. Las oraciones en las dos columnas siguientes presentan información sobre el mismo tópico, pero las de la izquierda son hechos y las de la derecha son opiniones.

Inténtalo tú

Reúnete con un pequeño grupo de compañeros y escojan un artículo de un periódico o de una revista que presente tanto hechos como opiniones. Entonces, cada miembro del grupo hará por su cuenta dos columnas como las de abajo, escribiendo en una los hechos y en la otra las opiniones.

Cuando terminen, comparen sus resultados. ¿Han escrito todos lo mismo en las columnas? Comenten las diferencias.

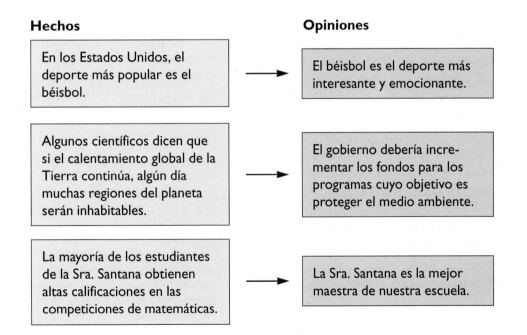

Hechos

En los Estados Unidos, el deporte más popular es el béisbol.

Algunos científicos dicen que si el calentamiento global de la Tierra continúa, algún día muchas regiones del planeta serán inhabitables.

La mayoría de los estudiantes de la Sra. Santana obtienen altas calificaciones en las competiciones de matemáticas.

Opiniones

El béisbol es el deporte más interesante y emocionante.

El gobierno debería incrementar los fondos para los programas cuyo objetivo es proteger el medio ambiente.

La Sra. Santana es la mejor maestra de nuestra escuela.

COCINAS

AURORA LEVINS MORALES

Acabo de ir a la cocina a revolver los frijoles negros con arroz, los brillantes frijoles negros que flotan encima de los lisos granos de arroz marrón y el calabacín que también se vuelve oscuro en la tinta de los frijoles. Mi cocina es una cocina a la californiana, repleta de verduras frescas y granos integrales, botellas de agua de manantial y yogur en potes de plástico, pero cuando levanto la tapa de esa gran olla negra, mi cocina se llena de las manos de las mujeres que vinieron antes que yo, lavando arroz, lavando frijoles, espulgándolos con destreza, tan velozmente, que nunca pude ver qué defectos tenían los frijoles que ellas lanzaban rápidamente, encima del hombro, por la ventana. Un instinto en esas yemas de dedos espulgadores sabía sentir lo podrido del frijol engusanado o carcomido en un costado. Parada aquí, veo los lisos frijoles rojos y marrones y blancos y moteados deslizándose por entre los dedos a los tazones de agua, su suave y chasqueante apuro al verterse a la olla, oigo el silbido del vapor que se escapa, huelo la espuma de los frijoles que flota en la superficie, debajo de la tapa. Veo los granos de arroz que reposan en un cuenco sobre la mesa de la cocina, volviendo lechosa el agua con la pasta y el polvo que se usa para suavizar los granos; dedos que se mojan nadando a través de las aguas turbias y blancas, tanteando el grano con la punta renegrida, la mancha oscura.

Con el rabo del ojo, veo el destello de la hoja del cuchillo, reduciendo a sofrito un montón de cebollas, ajo, cilantro y pimentones verdes, sofrito que va a freírse y a guardarse, y lo mejor de todo es el aporreo y la circular molienda del pilón:[1] *aporreo, aporreo, golpeteo, molido, aporreo, aporreo, golpeteo, molido, aporreo, aporreo* (el ajo y el orégano machacados juntos), ¡GOLPETEO! (se alza el mortero y se incrusta hasta despegar del tazón de madera las hierbas y las especias machacadas), molido (la lenta rotación de la mano del mortero partiendo en mil pedazos el rezumante puré, mezclando los jugos, la mancha verde del cilantro y el orégano, el pegajoso y amarillento ajo, la arenilla de la pimienta negra).

1. **pilón:** mortero de madera para machacar y moler granos, especialmente maíz.

ADUÉÑATE DE ESTAS PALABRAS
espulgándolos, de **espulgar,** *v.:* limpiar, quitar las impurezas.
destreza *f.:* habilidad, eficiencia.
apuro *m.:* prisa, urgencia.
turbia, -bio *adj.:* que tiene impurezas, sucia, oscura.
sofrito, de **sofreír,** *v.* freír en poco aceite.
rezumante *adj.:* se dice de una sustancia que deja salir por sus poros pequeñas cantidades de líquido.

El fogón de la cocina del Museo de Casa Blanca, residencia que perteneciera a los descendientes del colonizador español Juan Ponce de León.
Foto: Archivo fotográfico del Programa de Museos y Parques del Instituto de Cultura Puertorriqueña.

Es la danza de la cocinera: salir,
ir por el cubo de agua, volver,
toda gracia muscular y esfuerzo,
echar el agua, la luz danzando en la olla,
5   y posar el cubo sobre el madero renegrido.
La llama azul relumbra en su esquina oscura,
y el café despide vapor en la pequeña y blanca cacerola.
Nudosos dedos, <u>mondando</u> ajo,
picando cebolla, cortando pan,
10 colando café,
Revolviendo el arroz con una cuchara grande y larga
llenando a diez barrigas
de una sola y ennegrecida olla.

ADUÉÑATE DE ESTAS PALABRAS

mondando, de **mondar** *v.:* quitar la cáscara de los vegetales o
las frutas.

Es magia, es poder, es un ritual de amor y trabajo que se alza en mi cocina, a miles de kilómetros de esas mujeres vestidas de algodón que hace veinte años me enseñaron las reglas de sus ritos a mí, la aprendiza, la novata, la niña muchacha: «Niña, no salgas sin cubrirte la cabeza, has estado tostando café, y ¡te va' a pa'mar!» «Este tanto de café en el colador, niña, o lo que vas a servir va a ser agua color café». «Mete el cuenco en el río, así, para que no te lleves lodo». «Al pelar plátanos verdes hazlo siempre colocándolos bajo agua fría, mijita, o vas a cortarte los dedos y llenarte de manchas, y esas manchas nunca se quitan: la mancha de la <u>savia</u> negra del guineo[2] verde y del plátano, es una mancha que te marca para siempre».

Por eso, pelo mis bananos bajo el agua del grifo, pero la mancha no se va a quitar, y el sutil y verde olor a tierra de la savia me persigue, desde las montañas, a las ciudades, hasta los lugares donde los bananales son como verdes sueños, inimaginables a la luz del día: Chicago, New Hampshire, Oakland. Por eso, recorro kilómetros en el autobús hasta los mercados de otros inmigrantes, y vuelvo a casa cargada de paquetes, e incluso, de vez en cuando, en las mesas forradas de plástico del supermercado, encuentro un racimito verde y curvo para llevar deprisa a casa, apuradamente, antes de que madure, para pelarlo y cocerlo, para impregnarme en la fragancia de su cocción,[3] y sentir el río fluir ahora por mi cocina, el río de mi lugar en la tierra, el verde y antiguo río de mis abuelas, que nace y crece y desciende desde las altas cocinas de las montañas de mi pueblo.

—Traducción de Yolanda Blanco

2. **guineo:** especie de plátano pequeño.

3. **cocción:** proceso de cocinar.

ADUÉÑATE DE ESTAS PALABRAS
savia *f.:* sustancia líquida que circula por las plantas de la cual se alimentan.

CONOCE A LA ESCRITORA

Aurora Levins Morales (1954–   ) nació y creció en Indiera Baja, en la zona montañosa de Yauco, Puerto Rico, donde su padre, un profesor universitario, y su madre, la escritora Rosario Morales, se habían trasladado desde los Estados Unidos. La familia, más adelante, se volvió a mudar a varios lugares de los Estados Unidos, entre ellos Rochester en el estado de Nueva York, Ann Arbor en Michigan y la ciudad de Nueva York.

Cuando Morales tenía cinco años, su madre le enseñó a leer, y a los siete escribió su primer poema. A los trece, cuando vivía con su familia en Chicago, comenzó a escribir un diario.

Morales se mudó a California en 1976 y empezó a publicar poesía y ensayos. Su obra ha aparecido en *Cuentos: Stories by Latinas* (1983), *The Courage to Heal* (1989) y *Reconstructed American Literature* (1990). «Cocinas» se publicó por primera vez en *Getting Home Alive* (1986), un libro que Morales escribió con su madre. Al igual que otras obras escritas por puertorriqueños que viven en los Estados Unidos, es una exploración de la herencia hispana y el cruce cultural.

Taller del escritor

Tarea
Escribe una semblanza.

LA DESCRIPCIÓN

SEMBLANZA

En su autobiografía, Ernesto Galarza describe a una serie de personas, como Miss Hopley y Miss Ryan, cuyo apoyo y aliento dejaron huellas en la vida de otros. ¿Te ha inspirado alguno de tus maestros de la misma manera que Miss Hopley y Miss Ryan inspiraron a Ernesto? ¿Quiénes son algunas de las personas a las que más admiras? Una **semblanza** describe la apariencia física, los rasgos de la personalidad y los logros de una persona que conoces. También explica lo que esa persona significa para ti.

Antes de escribir

1. Cuaderno del escritor

TRABAJO EN CURSO

Empieza por revisar los apuntes que has hecho en tu CUADERNO DEL ESCRITOR de esta colección. Hazte las siguientes preguntas:

- ¿Cuáles de las personas a las que menciono me inspiran más?
- ¿Qué persona me ha causado una mayor impresión?
- ¿Tengo algo más que decir acerca de una persona en particular?

2. Escritura libre

Para recopilar más ideas, podrías escribir sobre uno o más de los temas enumerados abajo:

- una persona que te ayudó
- alguien con una carrera profesional interesante
- alguien que sabe escuchar
- una persona con una habilidad especial
- alguien que posee un buen sentido del humor

Escritura libre
Una de las personas a las que más admiro es mi entrenador de fútbol, el Sr. Oliva. Él sabe cómo hacer que todos los chicos del equipo den lo mejor de sí mismos, sin gritar o hacer que nadie se sienta inferior o avergonzado.

The history
of the written
word is rich and
Page 1

Había una vez

3. Investigación

Repasa fotografías de familia u hojea un álbum que contenga
fotos, cartas u otros recuerdos de familia. Escoge una persona
que sea importante en tu vida y escribe palabras o frases que
indiquen cómo te hace sentir el conocer a esa persona. Escribe
también una lista de las experiencias que hayas compartido con
esa persona. Intenta identificar dos o tres incidentes que
revelen su carácter.

4. Objetivo y público

Una vez que hayas seleccionado un sujeto, piensa en tu objetivo
y en tu público. En una semblanza, tu **objetivo** es informar a tus
lectores sobre esa persona especial y decir qué significa para ti.
Céntrate en este objetivo resumiendo lo que representa para ti
esa persona en una o dos oraciones. Este enunciado será la
idea principal de tu semblanza. Para identificar la idea principal, hazte estas preguntas:

- ¿Cómo me ha cambiado el conocer a esta persona?

- ¿Por qué sus logros o su personalidad son importantes para mí?

- ¿Cómo creo que puede influir esta persona en mis decisiones,
valores o metas para el futuro?

   Tu **público** estará compuesto probablemente por tu
maestro, tus compañeros de clase y algunos familiares cercanos
o amigos. Ten en cuenta lo que tu público ya sabe acerca de la
persona. Basándote en esto, decide cuánta información previa
necesitarán.

5. Compilación de datos

Los datos específicos y las descripciones vívidas son esenciales
en cualquier semblanza. Recopila datos que le permitan a tu
público hacerse una imagen clara de la persona. Aquí tienes
algunas técnicas para recoger datos específicos sobre tu
sujeto:

Idea principal
La razón principal por la que
admiro a mi abuelo es
porque me enseñó la
importancia de estar
orgullosa de nuestras raíces
y tradiciones familiares.

- Observa una fotografía y toma nota de sus rasgos físicos más sobresalientes.

- Piensa en un lugar en donde estuviste con esta persona, o imagina este lugar tan vívidamente como puedas.

- Reproduce dos o tres enunciados de la persona usando sus propias palabras. ¿Qué revela acerca del carácter de la persona cada cita?

El borrador

1. Organización

Una manera de organizar los datos para un primer borrador es por **orden cronológico** o **temporal**. Con este método presentas, en el orden en el que ocurrieron, una serie de incidentes que revelan la personalidad del sujeto.

Puedes usar también el **orden de importancia** y presentar las cualidades más sobresalientes al principio o al final. Por ejemplo, organiza la semblanza basada en los rasgos de su personalidad. Si eliges este método, asegúrate de incluir por lo menos un incidente específico que ilustre cada rasgo.

2. Desarrolla tu propio estilo

El uso de las **figuras retóricas** hace que tu semblanza sea más vívida e interesante. Por ejemplo, en una descripción puedes usar el **símil**, una comparación de dos cosas en la cual se usan «como», «igual» y «parecido». Una inesperada o llamativa comparación entre dos cosas sin el uso de «como», «igual» o «parecido» es una **metáfora**. La **personificación** es otra figura retórica: atribuye cualidades humanas a un animal o una cosa.

Estudia estos ejemplos:

La Sra. Sandoval tenía una bonita sonrisa.	La sonrisa de la Sra. Sandoval era **como las flores en primavera**.
Todos disfrutaban de sus clases.	Sus clases eran **viajes alrededor del mundo**.
Sus libros eran útiles e interesantes.	Sus libros nos **guiaban** por esos viajes interesantes.

I. Introducción
  A. Capta la atención del lector.
  B. Presenta a la persona.
II. Cuerpo
  Utiliza el orden cronológico para relatar sucesos que revelen la personalidad del sujeto, o usa el orden de importancia para presentar los rasgos del carácter del sujeto con ejemplos.
III. Conclusión
  Resume la idea principal.

Pauta de escritura
Usa **palabras de enlace** para conectar las ideas en tu escritura. Algunas palabras de enlace útiles son: primero, a continuación, entonces, mientras tanto, por último, finalmente, más importante, pero, además, y por ejemplo.

Evaluación y revisión

1. Intercambio entre compañeros

Elige un(a) compañero(a) y túrnense para leer sus borradores en voz alta. Después háganse preguntas como las de la derecha. Toma notas de los datos de tu semblanza que te gustaría suprimir, revisar o reorganizar.

2. Autoevaluación

Usa las pautas siguientes para revisar tu trabajo. Añade, elimina o reordena los datos y haz todos los cambios de estilo o de organización que sean necesarios.

Pautas de evaluación	Técnicas de revisión
1. ¿Consigo captar el interés del lector desde el principio?	1. Empieza con una cita que capte la atención o con una frase humorística.
2. ¿Está claro el trasfondo?	2. Añade los hechos necesarios.
3. ¿He presentado mis datos de manera clara y detallada?	3. Reordena tu material o usa más palabras de enlace.
4. ¿He incluido un lenguaje realista para dar vida a mi sujeto?	4. Añade figuras retóricas usando el símil, la metáfora y la personificación.
5. ¿He explicado claramente lo que esta persona significa para mí?	5. Revisa o expande tu idea principal.

Compara las dos siguientes versiones de un párrafo introductorio tomado de una semblanza.

MODELOS

Borrador 1

Mi profesora de historia de quinto grado era la Sra. Sandoval. Ella era muy buena maestra porque sabía cómo interesar a la clase en lugares lejanos y en los diferentes pueblos del mundo. Había viajado mucho y nos contaba historias acerca de países extranjeros.

Evaluación: Este párrafo es demasiado general y abstracto. Se necesita concretar el tema y las circunstancias que lo rodean.

Estímulos para la evaluación

- ¿Cómo expresarías la idea principal?

- ¿Qué datos son los más vívidos? ¿Cuáles son los más vagos?

- ¿Sobre qué quieres saber más?

Borrador 2

«El viajar puede ser como abrir una cortina ante los ojos y la mente.» El apasionamiento de la Sra. Sandoval por el mundo y su respeto por todos los pueblos producían entusiasmo por la historia entre sus alumnos. Alta y delgada, tenía cabello color castaño y gafas grandes como de aviador. Los pañuelos de seda que llevaba nos parecían contarnos historias maravillosas de los lugares donde había estado: la Ciudad de México, París y las ruinas incas de Machu Picchu en Perú. Sentarte en la clase de quinto grado de la Sra. Sandoval era como dar una vuelta al mundo en un viaje que había sido especialmente diseñado para nosotros.

Evaluación: Mejor. El párrafo empieza con una cita sorprendente. El uso de datos y de lenguaje figurado da una idea clara del tema. El párrafo consigue expresar la idea principal de la semblanza.

Corrección de pruebas

Intercambia trabajos con un(a) compañero(a) de clase y corrijan cada una de las semblanzas cuidadosamente. Marquen cualquier error de gramática, ortografía y puntuación.

Publicación

Considera las siguientes maneras de publicar o compartir tu escrito:

- Envía tu semblanza a la revista o periódico de la escuela.
- Lee tu semblanza a un pequeño grupo de familiares.
- Ilustra tu trabajo con fotografías o dibujos y exhíbelo en el tablón de anuncios de tu clase.

Reflexión

Escribe una respuesta breve a una o a varias de estas preguntas:

- Este trabajo: ¿qué me ha enseñado como escritor? ¿Y como persona?
- ¿Cuál fue la parte más fácil de este trabajo? ¿Cuál fue la más difícil?
- ¿Qué sugerencias puedo anotar en mi CUADERNO DEL ESCRITOR para ayudarme en futuras tareas como ésta?

Apuntes para la reflexión
Fue difícil conseguir algunas citas que revelaran exactamente la personalidad de la Sra. Sandoval. Pero cuando pedí a algunos compañeros de clase que me ayudaran, Greg me recordó la vez que ella nos habló de cómo el viajar abre los ojos y la mente.

Taller de oraciones

SIGNOS QUE SON ENLACES

Hay dos signos de puntuación que se utilizan para enlazar oraciones. Intenta adivinar cuáles son:

> Dos hermanos iban de viaje por un desierto. No sabían donde quedaban las montañas. Uno quería tirar hacia el sur; el otro prefería el norte. De pronto, vieron una caravana: diez camellos seguidos de diez hombres. Llevaban un sinfín de mercancías: potes de cobre, alfombras, sacos arómaticos de especies. Con un acento extraño, un hombre con un turbante rojo les dijo: «Vengan con nosotros. ¡Las montañas del Atlas quedan al oeste! Nos ayudarán a vender nuestro botín al otro lado del desfiladero.» Los hermanos se miraron con resignación; es decir, se dieron cuenta de que estaban equivocados.

El **punto y coma** se usa para unir dos oraciones que están estrechamente relacionadas en cuanto al sentido. Se usa cuando:

- dos oraciones ilustran facetas de un mismo punto y son como caras de la misma moneda.
- la segunda oración explica el contenido o el resultado de la primera oración.

Encuentra ejemplos de cada caso en el párrafo de arriba.

Los **dos puntos** se usan para:

- anunciar una lista o serie
- presentar lo que dice un personaje

Encuentra ejemplos de cada caso en el párrafo.

Al revisar tu trabajo:

1. Relaciona oraciones con punto y coma. (Pista: Usa el punto y coma antes de oraciones que empiecen con «es decir», «o sea», «como resultado», «sin embargo».)

2. Utiliza dos puntos para enumerar las características del personaje de tu semblanza y para anunciar las cosas que dijo.

Inténtalo tú

Combina estas oraciones haciendo una serie para no repetir siempre la palabra «mostró»:

El desconocido mostró las cualidades inconfundibles de un verdadero líder. Mostró valor. También mostró tener visión. Además, mostró generosidad. Por último, mostró un conocimiento profundo de aquella tierra y de las habilidades de sus hombres y sus camellos.

Dentro del corazón

Les Mariés de la Tour Eiffel (El matrimonio de la Torre Eiffel) de Marc Chagall.

ANTES DE LEER
Mañana de sol

Punto de partida

Un cambio de sentimientos

En esta obra conocerás a doña Laura y don Gonzalo, dos personajes que no parecen tenerse mucha simpatía. Sin embargo, en el transcurso de la historia los personajes empiezan a cambiar. Al ir revelando sus secretos, empiezan a verse el uno al otro de forma diferente.

Recuerda alguna ocasión en la que cambiaron tus sentimientos hacia alguien o hacia algo y dibuja un diagrama como el que sigue. En el corazón de la izquierda escribe palabras que describan lo que sentías al principio. En el corazón de la derecha, escribe palabras que describan lo que sentiste después.

Experiencia:

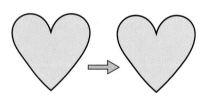

Toma nota

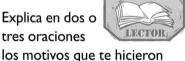

Explica en dos o tres oraciones los motivos que te hicieron cambiar la manera de sentir.

Diálogo con el texto

Leer una obra dramática es algo parecido a leer un cuento. Hay que fijarse en los detalles, usar la imaginación y responder al texto haciendo preguntas y formulando predicciones. En una obra dramática conocemos a los personajes y nos enteramos de sus motivaciones por medio del **diálogo**, es decir, la conversación entre los personajes. Gracias a las **acotaciones escénicas** sabemos cómo hablan y actúan los personajes, y dónde y cuándo tiene lugar la acción. Cuando leas «Mañana de sol», trata de imaginar la obra representada en un escenario.

Elementos de literatura

El drama

Un **drama** es una historia escrita para ser representada ante un público. Seguramente ya habrás tenido la oportunidad de conocer el género dramático en alguna de sus diversas formas, como las obras teatrales, las telenovelas y las películas. El **diálogo** es el vehículo fundamental de un drama: por medio de él se manifiestan los personajes y se desarrolla la acción de la obra.

En muchas obras dramáticas se usa el **aparte**, técnica mediante la cual uno o varios personajes hablan brevemente de cara al público, para dar a entender que los otros personajes que están en escena no los oyen. Esta técnica sirve para darle al público más información sobre el argumento o los personajes. Cuando leas «Mañana de sol», identifica los momentos en que doña Laura y don Gonzalo hablan aparte.

> Un **drama** es una historia escrita para ser representada ante un público.
>
> *Para más información, ver la página 222 y el GLOSARIO DE TÉRMINOS LITERARIOS.*

Mañana de sol

Serafín y Joaquín Álvarez Quintero

Personajes

Doña Laura	**Don Gonzalo**
Petra	**Juanito**

Lugar apartado de un paseo público, en Madrid. Un banco a la izquierda del actor. Es una mañana de otoño templada y alegre.

DOÑA LAURA *y* PETRA *salen por la derecha.* DOÑA LAURA *es una viejecita setentona,[1] muy <u>pulcra</u>, de cabellos muy blancos y manos muy finas y bien cuidadas. Aunque está en la edad de chochear,[2] no chochea. Se apoya de una mano en una sombrilla, y de la otra en el brazo de* PETRA, *su criada.*

Doña Laura. Ya llegamos… Gracias a Dios. Temí que me hubieran quitado el sitio. Hace una mañanita tan templada…

Petra. Pica el sol.

Doña Laura. A ti, que tienes veinte años. (*Siéntase[3] en el banco.*) ¡Ay!… Hoy me he cansado más que otros días. (*Pausa. Observando a* PETRA, *que parece impaciente.*) Vete, si quieres, a charlar con tu guarda.

Petra. Señora, el guarda no es mío; es del jardín.

Doña Laura. Es más tuyo que del jardín. Anda en su busca, pero no te alejes.

Petra. Está allí esperándome.

---

1. *setentona*: mujer de 70 años aproximadamente.
2. *chochear*: actuar como una persona de mucha edad a la cual se le debilitan sus facultades mentales o físicas.
3. *siéntase*: se sienta. En el español antiguo los pronombres inacentuados no podían empezar una oración y entonces se decían y se escribían después del verbo.

ADUÉÑATE DE ESTAS PALABRAS

pulcra, -cro *adj.*: muy limpia, impecable.

¿Ocurrirá toda la acción en el parque?

¿Habrá otros personajes en la obra?

Doña Laura tiene su propio banco —debe ir al parque a menudo.

Debe ser que existe una historia de amor entre Petra y el guarda.

Doña Laura. Diez minutos de conversación, y aquí en seguida.

Petra. Bueno, señora.

Doña Laura (*deteniéndola*). Pero escucha.

Petra. ¿Qué quiere usted?

Doña Laura. ¡Que te llevas las miguitas de pan!

Petra. Es verdad; ni sé dónde tengo la cabeza.

Doña Laura. En la escarapela[4] del guarda.

Petra. Tome usted. (*Le da un cartucho de papel pequeñito y se va por la izquierda.*)

Doña Laura. Anda con Dios. (*Mirando hacia los árboles de la derecha.*) Ya están llegando los tunantes.[5] ¡Cómo me han cogido la hora!... (*Se levanta, va hacia la derecha y arroja adentro, en tres puñaditos, las migas de pan.*) Éstas, para los más atrevidos... Éstas, para los más glotones... Y éstas, para los más granujas, que son los más chicos... Je... (*Vuelve a su banco y desde él observa complacida el festín de los pájaros.*) Pero, hombre, que siempre has de bajar tú el primero. Porque eres el mismo: te conozco. Cabeza gorda, boqueras grandes... Igual a mi administrador. Ya baja otro. Y otro. Ahora dos juntos. Ahora tres. Ese chico va a llegar hasta aquí. Bien; muy bien; aquél coge su miga y se va a una rama a comérsela. Es un filósofo. Pero ¡qué nube! ¿De dónde salen tantos? Se conoce que ha corrido la voz... Je, je... Gorrión habrá que venga desde la Guindalera.[6] Je, je... Vaya, no pelearse, que hay para todos. Mañana traigo más.

[*Salen* DON GONZALO *y* JUANITO *por la izquierda del foro.* DON GONZALO *es un viejo contemporáneo de* DOÑA LAURA, *un poco cascarrabias.*[7] *Al andar arrastra los pies. Viene de mal temple, del brazo de* JUANITO, *su criado.*]

Don Gonzalo. Vagos, más que vagos... Más valía que estuvieran diciendo misa...

Juanito. Aquí se puede usted sentar: no hay más que una señora.

[DOÑA LAURA *vuelve la cabeza y escucha el diálogo.*]

Don Gonzalo. No me da la gana, Juanito. Yo quiero un banco solo.

Juanito. ¡Si no lo hay!

Don Gonzalo. ¡Es que aquél es mío!

Juanito. Pero si se han sentado tres curas...

Don Gonzalo. ¡Pues que se levanten!... ¿Se levantan, Juanito?

Juanito. ¡Qué se han de levantar! Allí están de charla.

Don Gonzalo. Como si los hubieran pegado al banco... No; si cuando los curas cogen un sitio... ¡cualquiera los echa! Ven por aquí, Juanito, ven por aquí.

[*Se encamina hacia la derecha resueltamente.* JUANITO *lo sigue.*]

Doña Laura (*indignada*). ¡Hombre de Dios!

Don Gonzalo (*volviéndose*). ¿Es a mí?

Doña Laura. Sí señor; a usted.

Don Gonzalo. ¿Qué pasa?

Doña Laura. ¡Que me ha espantado usted los gorriones, que estaban comiendo miguitas de pan!

Don Gonzalo. ¿Y yo qué tengo que ver con los gorriones?

Doña Laura. ¡Tengo yo!

Don Gonzalo. ¡El paseo es público!

Doña Laura. Entonces no se queje usted de que le quiten el asiento los curas.

Don Gonzalo. Señora, no estamos presentados. No sé por qué se toma usted la libertad de dirigirme la palabra. Sígueme, Juanito.

[*Se van los dos por la derecha.*]

Doña Laura. ¡El demonio del viejo! No hay como llegar a cierta edad para ponerse impertinente. (*Pausa.*) Me alegro; le han quitado aquel

---

4. **escarapela:** etiqueta con el nombre, y a veces con la fotografía, que se lleva en el pecho para identificación.
5. **tunantes:** bribones, pícaros.
6. **Guindalera:** un barrio en las afueras de Madrid.
7. ***cascarrabias:*** persona que se enoja con facilidad.

ADUÉÑATE DE ESTAS PALABRAS

glotón, -na *adj.*: que come en exceso.
filósofo, -fa *m. y f.*: persona con sabiduría.

banco también. ¡Anda! para que me espante los pajaritos. Está furioso... Sí, sí; busca, busca. Como no te sientes en el sombrero... ¡Pobrecillo! Se limpia el sudor... Ya viene, ya viene... Con los pies levanta más polvo que un coche.

Don Gonzalo (*saliendo por donde se fue y encaminándose a la izquierda*). ¿Se habrán ido los curas, Juanito?

Juanito. No sueñe usted con eso, señor. Allí siguen.

Don Gonzalo. ¡Por vida...! (*Mirando a todas partes perplejo.*) Este Ayuntamiento, que no pone más bancos para estas mañanas de sol... Nada, que me tengo que conformar con el de la vieja. (*Refunfuñando, siéntase al otro extremo que* DOÑA LAURA, *y la mira con indignación.*) Buenos días.

Doña Laura. ¡Hola! ¿Usted por aquí?

Don Gonzalo. Insisto en que no estamos presentados.

Doña Laura. Como me saluda usted, le contesto.

Don Gonzalo. A los buenos días se contesta con los buenos días, que es lo que ha debido usted hacer.

Doña Laura. También usted ha debido pedirme permiso para sentarse en este banco que es mío.

Don Gonzalo. Aquí no hay bancos de nadie.

Doña Laura. Pues usted decía que el de los curas era suyo.

Don Gonzalo. Bueno, bueno, bueno... se concluyó. (*Entre dientes.*) Vieja chocha... Podría estar haciendo calceta[8]...

Doña Laura. No gruña usted, porque no me voy.

8. **calceta:** trabajo de punto que se hace a mano.

ADUÉÑATE DE ESTAS PALABRAS
refunfuñando, de **refunfuñar** *v.*: protestar, quejarse en voz baja.

Grabado de la época.

Editorial La Muralla, S. A.

Don Gonzalo (*sacudiéndose las botas con el pañuelo*). Si regaran un poco más, tampoco perderíamos nada.

Doña Laura. Ocurrencia es: limpiarse las botas con el pañuelo de la nariz.

Don Gonzalo. ¿Eh?

Doña Laura. ¿Se sonará usted con un cepillo?

Don Gonzalo. ¿Eh? Pero, señora, ¿con qué derecho... ?

Doña Laura. Con el de vecindad.

Don Gonzalo (*cortando por lo sano*). Mira, Juanito, dame el libro; que no tengo ganas de oír más tonterías.

Doña Laura. Es usted muy amable.

Don Gonzalo. Si no fuera usted tan entremetida...

Doña Laura. Tengo el defecto de decir todo lo que pienso.

Don Gonzalo. Y el de hablar más de lo que conviene. Dame el libro, Juanito.

Juanito. Vaya, señor. (*Saca del bolsillo un libro y se lo entrega. Paseando luego por el foro, se aleja hacia la derecha y desaparece.*)

[DON GONZALO, *mirando a* DOÑA LAURA *siempre con rabia, se pone unas gafas prehistóricas, saca una gran lente, y con el auxilio de toda esa cristalería se dispone a leer.*]

Doña Laura. Creí que iba usted a sacar ahora un telescopio.

Don Gonzalo. ¡Oiga usted!

Doña Laura. Debe usted de tener muy buena vista.

Don Gonzalo. Como cuatro veces mejor que usted.

Doña Laura. Ya, ya se conoce.

Don Gonzalo. Algunas liebres y algunas perdices lo pudieran atestiguar.

Doña Laura. ¿Es usted cazador?

Don Gonzalo. Lo he sido... Y aún... aún...

Doña Laura. ¿Ah, sí?

Don Gonzalo. Sí, señora. Todos los domingos, ¿sabe usted? cojo mi escopeta y mi perro, ¿sabe usted? y me voy a una finca de mi propiedad,

cerca de Aravaca[9]... A matar el tiempo, ¿sabe usted?

Doña Laura. Si como no mate usted el tiempo... ¡lo que es otra cosa!

Don Gonzalo. ¿Conque no? Ya le enseñaría yo a usted una cabeza de jabalí que tengo en mi despacho.

Doña Laura. ¡Toma! y yo a usted una piel de tigre que tengo en mi sala. ¡Vaya un argumento!

Don Gonzalo. Bien está, señora. Déjeme usted leer. No estoy por darle a usted más palique.

Doña Laura. Pues con callar, hace usted su gusto.

Don Gonzalo. Antes voy a tomar un polvito. (*Saca una caja de rapé.*[10]) De esto sí le doy. ¿Quiere usted?

Doña Laura. Según. ¿Es fino?

Don Gonzalo. No lo hay mejor. Le agradará.

Doña Laura. A mí me descarga mucho la cabeza.

Don Gonzalo. Y a mí.

Doña Laura. ¿Usted estornuda?

Don Gonzalo. Sí, señora: tres veces.

Doña Laura. Hombre, y yo otras tres: ¡qué casualidad!

[*Después de tomar cada uno su polvito, aguardan los estornudos haciendo visajes,*[11] *y estornudan alternativamente.*]

Doña Laura. ¡Ah... chis!

Don Gonzalo. ¡Ah... chis!

Doña Laura. ¡Ah... chis!

Don Gonzalo. ¡Ah... chis!

Doña Laura. ¡Ah... chis!

---

9. **Aravaca:** pueblo de la provincia de Madrid.
10. **rapé:** tabaco en polvo que se aspira por la nariz.
11. **visajes:** gestos, expresiones de la cara.

- -

ADUÉÑATE DE ESTAS PALABRAS

entremetida, -do *adj.*: que interviene en la vida o los asuntos de otras personas.

atestiguar *v.*: dar testimonio.

jabalí *m.*: un tipo de puerco o cerdo salvaje.

palique *m.*: conversación de poca importancia.

- -

Don Gonzalo. Ah... chis!

Doña Laura. ¡Jesús!

Don Gonzalo. Gracias. Buen provechito.

Doña Laura. Igualmente. (Nos ha reconciliado el rapé.)

Don Gonzalo. Ahora me va usted a dispensar que lea en voz alta.

Doña Laura. Lea usted como guste: no me incomoda.

Don Gonzalo (*leyendo*). «Todo en amor es triste; mas, triste y todo, es lo mejor que existe.» De Campoamor,[12] es de Campoamor.

Doña Laura. ¡Ah!

Don Gonzalo (*leyendo*). «Las niñas de las madres que amé tanto, me besan ya como se besa a un santo.» Éstas son humoradas.[13]

Doña Laura. Humoradas, sí.

Don Gonzalo. Prefiero las doloras.[14]

Doña Laura. Y yo.

Don Gonzalo. También hay algunas en este tomo. (*Busca las doloras y lee.*) Escuche usted ésta: «Pasan veinte años: vuelve él... »

Doña Laura. No sé qué me da verlo a usted leer con tantos cristales...

Don Gonzalo. ¿Pero es que usted, por ventura, lee sin gafas?

Doña Laura. ¡Claro!

Don Gonzalo. ¿A su edad?... Me permito dudarlo.

Doña Laura. Déme usted el libro. (*Lo toma de mano de* DON GONZALO *y lee.*) «Pasan veinte años; vuelve él, y al verse, exclaman él y ella: (—¡Santo Dios! ¿y éste es aquél?...) (—Dios mío ¿y ésta es aquélla?...).» (*Le devuelve el libro.*)

Don Gonzalo. En efecto: tiene usted una vista envidiable.

Doña Laura. (¡Como que me sé los versos de memoria!)

Don Gonzalo. Yo soy muy aficionado a los buenos versos... Mucho. Y hasta los compuse en mi mocedad.

Doña Laura. ¿Buenos?

Don Gonzalo. De todo había. Fui amigo de Espronceda,[15] de Zorrilla,[16] de Bécquer[17]... A Zorrilla lo conocí en América.

Doña Laura. ¿Ha estado usted en América?

Don Gonzalo. Varias veces. La primera vez fui de seis años.

Doña Laura. ¿Lo llevaría a usted Colón en una carabela?[18]

Don Gonzalo (*riéndose*). No tanto, no tanto... Viejo soy, pero no conocí a los Reyes Católicos[19]...

Doña Laura. Je, je...

Don Gonzalo. También fui gran amigo de éste: de Campoamor. En Valencia[20] nos conocimos... Yo soy valenciano.

Doña Laura. ¿Sí?

Don Gonzalo. Allí me crié; allí pasé mi primera juventud... ¿Conoce usted aquello?

Doña Laura. Sí señor. Cercana a Valencia, a dos o tres leguas de camino, había una finca que si aún existe se acordará de mí. Pasé en ella algunas temporadas. De esto hace muchos años; muchos. Estaba próxima al mar, oculta entre naranjos y limoneros... Le decían... ¿cómo le decían?... *Maricela*.

Don Gonzalo. *¿Maricela?*

Doña Laura. *Maricela*. ¿Le suena a usted el nombre?

12. Campoamor: Ramón de Campoamor y Campoosorio (1817–1901), poeta de España.
13. humoradas: dichos, frases o sentencias festivas y cómicas.
14. dolora: breve composición poética dramática que expresa las tristezas e ironías de la vida.

15. Espronceda: José de Espronceda y Delgado (1808–1842), poeta romántico de España.
16. Zorrilla: José Zorrilla y Moral (1817–1893), poeta español muy conocido por sus leyendas.
17. Bécquer: Gustavo Adolfo Bécquer (1836–1870), poeta romántico español muy famoso por sus *Rimas y leyendas*.
18. ¿Lo llevaría... carabela?: expresión que sugiere que la otra persona es muy vieja.
19. Reyes Católicos: Fernando de Aragón e Isabel de Castilla, reyes que se casaron y unificaron a España en el siglo XV.
20. Valencia: región y ciudad de la costa oriental de España.

ADUÉÑATE DE ESTAS PALABRAS

mocedad *f.*: juventud, adolescencia.
legua *f.*: medida que indica gran distancia.

Don Gonzalo. ¡Ya lo creo! Como si yo no estoy <u>trascordado</u> —con los años se va la cabeza, —allí vivió la mujer más preciosa que nunca he visto. ¡Y ya he visto algunas en mi vida!... Deje usted, deje usted... Su nombre era Laura. El apellido no lo recuerdo... (*Haciendo memoria.*) Laura. Laura... ¡Laura Llorente!

Doña Laura. Laura Llorente...

Don Gonzalo. ¿Qué?

[*Se miran con atracción misteriosa.*]

Doña Laura. Nada... Me está usted recordando a mi mejor amiga.

Don Gonzalo. ¡Es casualidad!

Doña Laura. Sí que es peregrina casualidad. La *Niña de Plata*.

Don Gonzalo. La *Niña de Plata*... Así le decían los huertanos y los pescadores. ¿Querrá usted creer que la veo ahora mismo, como si la tuviera presente, en aquella ventana de las campanillas azules?... ¿Se acuerda usted de aquella ventana?...

Doña Laura. Me acuerdo. Era la de su cuarto. Me acuerdo.

Don Gonzalo. En ella se pasaba horas enteras... En mis tiempos, digo.

Doña Laura (*suspirando*). Y en los míos también.

Don Gonzalo. Era ideal, ideal... Blanca como la nieve... Los cabellos muy negros... Los ojos muy negros y muy dulces... De su frente parecía que brotaba luz... Su cuerpo era fino, esbelto, de curvas muy suaves... «¡Qué formas de belleza soberana modela Dios en la escultura humana!» Era un sueño, era un sueño...

Doña Laura. (¡Si supieras que la tienes al lado, ya verías lo que los sueños valen!) Yo la quise de veras, muy de veras. Fue muy desgraciada. Tuvo unos amores muy tristes.

Don Gonzalo. Muy tristes.

[*Se miran de nuevo.*]

Doña Laura. ¿Usted lo sabe?

Don Gonzalo. Sí.

Doña Laura. (¡Qué cosas hace Dios! Este hombre es aquél.)

Don Gonzalo. Precisamente el enamorado galán, si es que nos referimos los dos al mismo caso...

Doña Laura. ¿Al del duelo?[21]

Don Gonzalo. Justo: al del duelo. El enamorado galán era... era un pariente mío, un muchacho de toda mi predilección.

Doña Laura. Ya vamos, ya. Un pariente... A mí me contó ella en una de sus últimas cartas, la historia de aquellos amores, verdaderamente románticos.

Don Gonzalo. <u>Platónicos</u>. No se hablaron nunca.

Doña Laura. Él, su pariente de usted, pasaba todas las mañanas a caballo por la veredilla de los rosales, y arrojaba a la ventana un ramo de flores, que ella cogía.

Don Gonzalo. Y luego, a la tarde, volvía a pasar el gallardo <u>jinete</u>, y recogía un ramo de flores que ella le echaba. ¿No es esto?

Doña Laura. Eso es. A ella querían casarla con un comerciante... un cualquiera, sin más títulos que el de enamorado.

Don Gonzalo. Y una noche que mi pariente rondaba la finca para oírla cantar, se presentó de improviso aquel hombre.

Doña Laura. Y le provocó.

Don Gonzalo. Y se <u>enzarzaron</u>.

Doña Laura. Y hubo <u>desafío</u>.

Don Gonzalo. Al amanecer: en la playa. Y allí se quedó malamente herido el provocador. Mi

---

21. **duelo:** combate entre dos personas como consecuencia de un reto.

- -

ADUÉÑATE DE ESTAS PALABRAS

trascordado, de **trascordarse** *v.*: confundirse, trastornarse, perder la memoria.

platónico, -ca *adj.*: idealista.

jinete *m.*: persona que va a caballo.

de improviso *expresión adverbial:* inesperadamente, sin aviso.

enzarzaron, de **enzarzar,** *v.*: entrar en pelea; iniciar una discordia.

desafío, de **desafiar** *v.*: retar a otra persona a pelear para mantener su honor.

- -

pariente tuvo que esconderse primero, y luego que huir.

Doña Laura. Conoce usted al dedillo la historia.

Don Gonzalo. Y usted también.

Doña Laura. Ya le he dicho a usted que ella me la contó.

Don Gonzalo. Y mi pariente a mí... (Esta mujer es Laura... ¡Qué cosas hace Dios!)

Doña Laura. (No sospecha quién soy: ¿para qué decírselo? Que conserve aquella ilusión...)

Don Gonzalo. (No presume que habla con el galán... ¿Qué ha de presumirlo?... Callaré.)

[*Pausa.*]

Doña Laura. ¿Y fue usted, acaso, quien le aconsejó a su pariente que no volviera a pensar en Laura? (¡Anda con ésa!)

Don Gonzalo. ¿Yo? ¡Pero si mi pariente no la olvidó un segundo!

Doña Laura. Pues ¿cómo se explica su conducta?

Don Gonzalo. ¿Usted sabe?... Mire usted, señora: el muchacho se refugió primero en mi casa —temeroso de las consecuencias del duelo con aquel hombre, muy querido allá; —luego se trasladó a Sevilla;[22] después vino a Madrid[23]... Le escribió a Laura ¡qué sé yo el número de cartas! —algunas en verso, me consta... —Pero sin duda las debieron de interceptar los padres de ella, porque Laura no contestó... Gonzalo, entonces, desesperado, desengañado, se incorporó al ejército de África, y allí, en una trinchera,[24] encontró la muerte, abrazado a la bandera española y repitiendo el nombre de su amor: Laura... Laura... Laura...

22. **Sevilla:** ciudad del sur de España.
23. **Madrid:** capital de España.
24. **trinchera:** muro, pared o canal hecho de tierra o sacos de arena para proteger a los soldados de la infantería.

La *Señora Canals* de Pablo Picasso.

Doña Laura. (¡Qué embustero!)

Don Gonzalo. (No me he podido matar de un modo más gallardo.)

Doña Laura. ¿Sentiría usted a par del alma esa desgracia?

Don Gonzalo. Igual que si se tratase de mi persona. En cambio, la ingrata, quién sabe si estaría a los dos meses cazando mariposas en su jardín, indiferente a todo...

Doña Laura. Ah, no señor, no, señor...

ADUÉÑATE DE ESTAS PALABRAS

ingrata, -to *adj.*: que no siente o expresa agradecimiento.

Don Gonzalo. Pues es condición de mujeres...

Doña Laura. Pues aunque sea condición de mujeres, la *Niña de Plata* no era así. Mi amiga esperó noticias un día, y otro, y otro... y un mes, y un año... y la carta no llegaba nunca. Una tarde, a la puesta del sol, con el primer lucero de la noche, se la vio salir resuelta camino de la playa... de aquella playa donde el <u>predilecto</u> de su corazón se jugó la vida. Escribió su nombre en la arena —el nombre de él, —y se sentó luego en una roca, fija la mirada en el horizonte... Las olas murmuraban su <u>monólogo</u> eterno... e iban poco a poco cubriendo la roca en que estaba la niña... ¿Quiere usted saber más?... Acabó de subir la marea... y la arrastró consigo...

Don Gonzalo. ¡Jesús!

Doña Laura. Cuentan los pescadores de la playa que en mucho tiempo no pudieron borrar las olas aquel nombre escrito en la arena. (¡A mí no me ganas tú a finales poéticos!)

Don Gonzalo. (¡Miente más que yo!)

[*Pausa.*]

Doña Laura. ¡Pobre Laura!

Don Gonzalo. ¡Pobre Gonzalo!

Doña Laura. (¡Yo no le digo que a los dos años me casé con un fabricante de cervezas!)

Don Gonzalo. (¡Yo no le digo que a los tres meses me largué a París con una bailarina!)

Doña Laura. Pero, ¿ha visto usted cómo nos ha unido la casualidad, y cómo una aventura <u>añeja</u> ha hecho que hablemos lo mismo que si fuéramos amigos antiguos?

Don Gonzalo. Y eso que empezamos riñendo.

Doña Laura. Porque usted me espantó los gorriones.

Don Gonzalo. Venía muy mal templado.

Doña Laura. Ya, ya lo vi. ¿Va usted a volver mañana?

Don Gonzalo. Si hace sol, desde luego. Y no sólo no espantaré los gorriones, sino que también les traeré miguitas...

Doña Laura. Muchas gracias, señor... Son buena gente; se lo merecen todo. Por cierto que no sé dónde anda mi chica... (*Se levanta.*) ¿Qué hora será ya?

Don Gonzalo (*levantándose*). Cerca de las doce. También ese bribón de Juanito... (*Va hacia la derecha.*)

Doña Laura (*desde la izquierda del foro, mirando hacia dentro*). Allí la <u>diviso</u> con su guarda... (*Hace señas con la mano para que se acerque.*)

Don Gonzalo (*contemplando mientras a la señora*). (No... no me descubro... Estoy hecho un mamarracho[25] tan grande... Que recuerde siempre al mozo que pasaba al galope y le echaba las flores a la ventana de las campanillas azules...)

Doña Laura. ¡Qué trabajo le ha costado despedirse! Ya viene.

Don Gonzalo. Juanito, en cambio... ¿Dónde estará Juanito? Se habrá engolfado[26] con alguna niñera. (*Mirando hacia la derecha primero, y haciendo señas como* DOÑA LAURA *después.*) Diablo de muchacho...

Doña Laura (*contemplando al viejo*). (No... no me descubro... Estoy hecha una estantigua[27]... Vale más que recuerde siempre a la niña de los ojos negros, que le arrojaba las flores cuando él pasaba por la veredilla de los rosales...)

[JUANITO *sale por la derecha y* PETRA *por la izquierda.* PETRA *trae un manojo de violetas.*]

Doña Laura. Vamos, mujer; creí que no llegabas nunca.

Don Gonzalo. Pero, Juanito, ¡por Dios! que son las tantas...

---

25. **mamarracho:** persona o cosa defectuosa, ridícula, imperfecta.
26. **engolfado:** dejado llevar.
27. **estantigua:** persona alta, seca y mal vestida.

- -

ADUÉÑATE DE ESTAS PALABRAS

predilecto, -ta *adj.:* preferido, favorito.

monólogo *m.:* discurso de una persona sin otro interlocutor.

añeja, -jo *adj.:* antigua, vieja, de muchos años.

diviso, de **divisar** *v.:* ver, notar, percibir.

- -

Petra. Estas violetas me ha dado mi novio para usted.

Doña Laura. Mira qué fino... Las agradezco mucho... (*Al cogerlas se le caen dos o tres al suelo.*) Son muy hermosas...

Don Gonzalo (*despidiéndose*). Pues, señora mía, yo he tenido un honor muy grande... un placer inmenso...

Doña Laura (*lo mismo*). Y yo una verdadera satisfacción...

Don Gonzalo. ¿Hasta mañana?

Doña Laura. Hasta mañana.

Don Gonzalo. Si hace sol...

Doña Laura. Si hace sol... ¿Irá usted a su banco?

Don Gonzalo. No, señora; que vendré a éste.

Doña Laura. Este banco es muy de usted.

[*Se ríen.*]

Don Gonzalo. Y repito que traeré migas para los gorriones.

[*Vuelven a reírse.*]

Doña Laura. Hasta mañana.

Don Gonzalo. Hasta mañana.

[DOÑA LAURA *se encamina con* PETRA *hacia la derecha.* DON GONZALO, *antes de irse con*

JUANITO *hacia la izquierda, tembloroso y con gran esfuerzo se agacha a coger las violetas caídas.* DOÑA LAURA *vuelve naturalmente el rostro y lo ve.*]

Juanito. ¿Qué hace usted, señor?

Don Gonzalo. Espera, hombre, espera...

Doña Laura. (No me cabe duda: es él...)

Don Gonzalo. (Estoy en lo firme: es ella...)

[*Después de hacerse un nuevo saludo de despedida.*]

Doña Laura. (¡Santo Dios! ¿y éste es aquél?...)

Don Gonzalo. (¡Dios mío! ¿y ésta es aquélla?...)

[*Se van, apoyado cada uno en el brazo de su servidor y volviendo la cara sonrientes, como si él pasara por la veredilla de los rosales y ella estuviera en la ventana de las campanillas azules.*]

CONOCE A LOS ESCRITORES

Los hermanos **Serafín Álvarez Quintero** (1871–1938) y **Joaquín Álvarez Quintero** (1873–1944) nacieron y se criaron en la provincia de Andalucía, España. De adolescentes comenzaron a escribir juntos obras de teatro y, a lo largo de toda una vida de colaboración, escribieron más de doscientas.

La mayoría son comedias ligeras de un solo acto que reflejan el habla coloquial y el humor andaluz. Además de «Mañana de sol» (1905), algunos de sus trabajos más importantes son: *Los Galeotes* (1900), *El amor que pasa* (1904) y *Doña Clarines* (1909). Una de sus obras serias, *Malvaloca* (1912), recibió un premio de la Real Academia Española.

El teatro de los hermanos Quintero fue tan popular que, durante cuarenta años, a partir de 1897, en cada temporada teatral de Madrid se representaba al menos una de sus obras.

CREA SIGNIFICADOS

Primeras impresiones

1. ¿Qué te hizo sentir el final de la obra? Explica tu respuesta.

Interpretaciones del texto

2. El término **ironía** se utiliza para describir una situación en la que ocurre lo contrario de lo que se espera. A la luz de lo que sabemos después sobre don Gonzalo y doña Laura, ¿qué ironía hay en la forma en que se tratan el uno al otro al principio de la obra?

3. ¿Cómo es don Gonzalo al principio de la obra? ¿Cómo cambia después de conocer a doña Laura?

4. ¿Por qué quieren don Gonzalo y doña Laura mantener en secreto sus verdaderas identidades?

5. ¿Por qué utilizan los autores la técnica del **aparte** en esta obra?

6. ¿Por qué introducen los autores los personajes de Petra y Juanito?

Repaso del texto

a. ¿Por qué comparte doña Laura su banco con don Gonzalo?

b. ¿Cómo logra doña Laura engañar a don Gonzalo para que crea que ella puede leer las palabras del libro?

c. ¿Cómo terminó el duelo en el que se batió don Gonzalo?

d. ¿En qué se ponen de acuerdo don Gonzalo y doña Laura al final de la obra?

Conexiones con el texto

7. Doña Laura y don Gonzalo no se reconocen al principio porque ambos han cambiado físicamente. Desde los días en que estaban enamorados, con seguridad han cambiado de otros modos también. Haz un cuadro con tus compañeros de clase que muestre cómo podría haber cambiado el carácter de los dos personajes.

doña Laura	don Gonzalo
1. _____	1. _____
2. _____	2. _____

Más allá del texto

8. Trata de recordar otras historias de amor que hayas visto o leído. ¿En qué se diferencian de «Mañana de sol»? ¿En qué se parecen?

9. ¿Cómo te imaginas que será la relación futura entre doña Laura y don Gonzalo?

Cuaderno del escritor

1. Compilación de ideas para una evaluación

Supón que estás preparando una lista de obras dramáticas o películas que recomendarías a otros estudiantes. ¿Incluirías en ella «Mañana de sol»? Antes de decidir, tendrás que hacer una **evaluación** o crítica de las obras o películas en cuestión. Tu evaluación tendría que basarse en criterios o normas razonables. Podrías preguntarte, por ejemplo, hasta qué punto son atractivos los personajes, si el argumento es interesante y si la historia tiene sentido para el lector de hoy. ¿Qué criterios utilizarías para evaluar una película o una obra? Pon tus ideas por escrito.

> CRITERIOS DE EVALUACIÓN
> 1. Argumento: ¿Es lógico el argumento? ¿Tiene sentido el final?
> 2. Personajes: ¿Son verosímiles los personajes? ¿Es natural el diálogo; es decir, hablan como lo haría la gente en la vida real?
> 3. _____
> 4. _____

Redacción creativa

2. Un diálogo

Busca en libros, periódicos y revistas una foto interesante en la que aparezcan personas hablando entre sí. ¿Dónde y cuándo tiene lugar la escena? ¿De qué pueden estar hablando las personas? ¿Es trivial y cómico el tono de la conversación, como en «Mañana de sol», o es triste y serio? Imagina la conversación que mantienen estas personas y escríbela en forma de diálogo.

Dramatización

3. Colaboración

En la vida real muchas personas colaboran con otras; en pareja o en equipo, hacen trabajos y proyectos en los que comparten sus diversas destrezas. Aunque la mayoría de los escritores trabajan solos, algunos combinan sus esfuerzos con éxito para escribir un relato o una obra dramática. En «Mañana de sol» colaboraron dos hermanos, Serafín y Joaquín Álvarez Quintero. ¿Cómo crees que lo hicieron? Haz un experimento: colabora con un(a) compañero(a) en una breve obra teatral. Puedes hacerlo de esta manera: cada estudiante inventa un personaje (que puede basarse en una persona real) y decide qué es lo que quiere este personaje. Luego, ambos escriben por turnos el diálogo para los personajes. Si lo prefieres, planea la historia de antemano con tu compañero(a). Recuerda: un buen drama necesita un conflicto. Si quieres, representa la escena ante la clase.

Elementos de literatura

DRAMA

Un **drama** es una historia representada, generalmente en un escenario, por actores que interpretan los papeles de los personajes. Ya conoces algunos de los elementos de un drama porque aparecen también en el cuento y la poesía. Sin embargo, hay otros elementos que son propios del género dramático.

Representación

La palabra «drama» procede de una palabra griega que significa «acción». Así pues, el texto escrito o guión es sólo una parte; para que una obra teatral cobre vida plenamente, debe ser representada. Cuando lees una obra, debes tratar de imaginar a personas reales que den vida a la acción en una **representación**.

Una representación dramática tiene tres elementos esenciales: los **actores**, el **público** y un **espacio escénico** para la representación.

El espacio escénico es tradicionalmente un **escenario**. En representaciones modernas que tienen lugar en teatros,

los actores pueden usar los pasillos e incluso todo el teatro. En representaciones al aire libre, las posibilidades creativas del espacio escénico son todavía mayores.

Son varias las técnicas que se pueden utilizar para dar vida a la acción y al ambiente en la representación de una obra. Por ejemplo, en la mayoría de las obras se utilizan **escenografías**, es decir, reproducciones de los lugares en los que se desarrolla la acción, tales como una habitación, un paisaje o cualquier otro lugar. La **iluminación** también contribuye a situar la acción en un tiempo y un lugar, y a crear la atmósfera. Por último, el **vestuario** y el **maquillaje** contribuyen a dar vida a los personajes.

Argumento

Al igual que los cuentos, las leyendas, los cuentos populares y las novelas, las obras teatrales tienen un **argumento**, lo que acontece a través de la obra. El diagrama que sigue muestra la

trama o la estructura típica de una obra de teatro:

En la **exposición** de una obra se presenta a los personajes principales y las circunstancias en que se desarrolla la acción. El elemento más importante de una obra es el **conflicto**, las luchas o los problemas que surgen entre los personajes o en su propio interior. Algunas obras desarrollan más de un conflicto. Obras cortas como «Mañana de sol» pueden desarrollar varios conflictos diferentes, tanto externos como internos. ¿Cuál de estos dos tipos de conflicto es el más importante en «Mañana de sol»?

El punto culminante de una obra se llama **clímax**. Éste es el momento en que se resuelve el conflicto principal. ¿Cuál es el clímax en «Mañana de sol»?

Diálogo

El **diálogo** es la conversación entre los personajes de una obra. El diálogo es el elemento más importante de un drama. Aparte de las acotaciones de escena, una obra se compone enteramente de diálogo. Los dramaturgos usan el diálogo para hacer progresar la acción y presentar los personajes. El diálogo también condiciona la **atmósfera** o tono de la obra.

Puesto que en una obra teatral el diálogo ocurre «en vivo», es decir, en presencia de un público que ve y oye lo que dicen los actores, es especialmente importante que el diálogo sea realista y consistente con el carácter de los personajes.

Acotaciones escénicas

Las **acotaciones escénicas** son instrucciones escritas que indican el aspecto y la disposición de la escenografía, y la forma en que los actores deben interpretar el diálogo. Las acotaciones de escena también contienen instrucciones acerca de los gestos y los movimientos de los actores en el escenario.

Al comienzo de «Mañana de sol», por ejemplo, las acotaciones de escena describen el **ambiente** de la obra, o sea, el tiempo y el lugar de la acción. También aquí se describe a los dos personajes que aparecen primero, doña Laura y Petra. Acotaciones tales como «indignada», «entre dientes» y «se miran con atracción misteriosa» indican a los personajes cómo interpretar su papel y qué gestos hacer.

Utilería

La **utilería** es un conjunto de objetos que se emplean en un escenario teatral. Aunque «Mañana de sol» es una obra corta, la utilería es muy importante: por ejemplo, la bolsa de migas de pan, el libro que Juanito le entrega a don Gonzalo, los enormes lentes y la caja de rapé. ¿Qué importancia tiene el ramo de violetas al final de la obra?

Al leer una obra

Las pautas siguientes te ayudarán a comprender mejor una obra teatral y a disfrutar más de su lectura:

1. Al leer, identifica el conflicto o los conflictos, ya sean externos o internos. Piensa en las acciones que deben realizar los personajes para resolver esos conflictos.

2. Presta atención a las acotaciones de escena. Suelen dar información importante sobre los sentimientos de los personajes y sobre acciones de las cuales no se dice nada en el diálogo.

3. No te fijes sólo en las palabras. Imagina la obra «en acción».

ANTES DE LEER
de Paula

Punto de partida

¿Por qué creamos?

¿Por qué las personas pintan, dibujan, esculpen, tocan música o escriben? Una razón es que la actividad creativa les permite expresar lo que piensan y sienten, lo que está dentro del corazón. De la misma manera, contemplar un cuadro o leer un buen cuento nos puede ayudar a comprender lo que sentimos y pensamos.

Toma nota

Escribe durante dos o tres minutos lo primero que se te ocurra sobre una canción, una fotografía, un cuento o una película que de alguna manera refleje tus propios pensamientos y sentimientos, o que te ayude a comprenderte mejor.

Telón de fondo

Los motivos de la autora

El pasaje que vas a leer pertenece a *Paula,* un relato autobiográfico que la autora escribió mientras su hija se encontraba en estado de coma. Durante los meses de espera en los pasillos del hospital, Isabel Allende sobrellevó la insoportable angustia llenando cuadernos y cuadernos de notas. Temerosa de que Paula desper-

tara un día y descubriera que no recordara su pasado, Allende llenó las páginas con la historia de la familia y con historias de su propia vida. El acto de escribir fue para Allende la forma de transmitirle a su hija su propio pasado y sus recuerdos, todo lo que llevaba dentro del corazón.

Estrategias para leer

Reconoce relaciones de causa y efecto

Una manera de comprender mejor un relato, un artículo o un ensayo es reconocer las relaciones de causa y efecto. Los novelistas y los dramaturgos usan a veces relaciones de causa y efecto para desarrollar la trama. Los ensayistas y los periodistas a menudo desarrollan ideas importantes mediante la explicación de relaciones de causa y efecto.

Considera este ejemplo de «Historia del pájaro...» (página 67):

Causa: Las hermanas celosas abandonan a los recién nacidos en el río.
Efecto: El jardinero rescata a los niños y los cría.

En el resto del relato, una serie parecida de causas y efectos conduce a la reunión de los hijos con sus padres, el Sultán y la Sultana.

Cuando leas el pasaje de *Paula,* identifica una serie de relaciones de causa y efecto.

Literatura y arte

Marc Chagall

La descripción que Isabel Allende hace de la pintura que encontró en la pared de su cuarto podría aplicarse a gran parte de la obra de Marc Chagall (1887–1985). El artista, cuya fuente principal de inspiración fue el pueblo ruso de Vitebsk, es conocido por su arte poblado de imágenes del mundo de los sueños y la fantasía —combinaciones extrañas de animales, flores, amantes y violinistas sobre tejados.

Chagall pasó la mayor parte de su vida en Francia, donde desarrolló el estilo único que habría de ser su sello inconfundible durante sesenta años.

Chagall ilustró libros y diseñó escenografías y vestuarios para ballets y óperas. Pintó el techo de la Ópera de París, creó murales para la Metropolitan Opera de Nueva York en Lincoln Center y diseñó vidrieras de colores.

Su espíritu gozoso y poético ha convertido a Chagall en uno de los artistas más populares del siglo veinte.

de
Paula

Isabel Allende

Au village (En el pueblo) (1973) de Marc Chagall.

Al despertar por la mañana encontré una caja con frascos de témpera, pinceles y una nota astuta del miserable Viejo Pascuero,[1] cuya caligrafía era sospechosamente parecida a la de mi madre, explicando que no me trajo lo pedido para enseñarme a ser menos codiciosa, pero en cambio me ofrecía las paredes de mi pieza para pintar el perro, los amigos y los juguetes. Miré a mi alrededor y vi que habían quitado los severos retratos antiguos y el lamentable Sagrado Corazón de Jesús, y en el muro desnudo frente a mi cama descubrí una reproducción a color recortada de un libro de arte. El desencanto me dejó atónita por varios minutos, pero finalmente me repuse lo suficiente como para examinar esa imagen, que resultó ser una pintura de Marc Chagall.[2] Al principio me parecieron sólo manchas anárquicas,[3] pero pronto descubrí en el pequeño recorte de papel un asombroso universo de novias azules volando patas arriba, un pálido músico flotando entre un candelabro de siete brazos, una cabra roja y otros veleidosos personajes. Había tantos colores y objetos diferentes que necesité un buen rato para moverme en el maravilloso desorden de la composición. Ese cuadro tenía música: un tic-tac de reloj, gemido de violines, balidos de cabra, roce de alas, un murmullo inacabable de palabras. Tenía también olores: aroma de velas encendidas, de flores silvestres, de ungüentos de mujer. Todo parecía envuelto en la nebulosa de un sueño feliz, por un lado la atmósfera era cálida como una tarde de siesta y por el otro se percibía la frescura de una noche en el campo. Yo era demasiado joven para analizar la pintura, pero recuerdo mi sorpresa y curiosidad, ese cuadro era una invitación al juego. Me pregunté fascinada cómo era posible pintar así, sin respeto alguno por las normas de composición y perspectiva que la profesora de arte intentaba

1. **Viejo Pascuero:** San Nicolás, Papá Noel.
2. **Marc Chagall:** pintor (1887–1985). Pintó cuadros de colores vivos y temas fantásticos.
3. **anárquicas:** sin orden.

inculcarme en el colegio. Si este Chagall puede hacer lo que le da la gana, yo también puedo, concluí, abriendo el primer frasco de témpera. Durante años pinté con libertad y gozo un complejo mural donde quedaron registrados los deseos, los miedos, las rabias, las preguntas de la infancia y el dolor de crecer. En un sitio de honor, en medio de una flora imposible y una fauna desquiciada, pinté la silueta de un muchacho de espaldas, como si estuviera mirando el mural. Era el retrato de Marc Chagall, de quien me había enamorado como sólo se enamoran los niños. En la época en que yo pintaba furiosamente las paredes de mi casa en Santiago,[4] el objeto de mis amores tenía sesenta años más que yo, era célebre en todo el mundo, acababa de poner término a su larga viudez casándose en segundas nupcias y vivía en el corazón de París, pero la distancia y el tiempo son convenciones frágiles, yo creía que era un niño de mi edad y muchos años después, en abril de 1985, cuando Marc Chagall murió a los 98 años de eterna juventud, comprobé que en verdad lo era. Siempre fue el chiquillo imaginado por mí. Cuando nos fuimos de esa casa y me despedí del mural, mi madre me dio un cuaderno para registrar lo que antes pintaba: un cuaderno de anotar la vida. Toma, desahógate escribiendo, me dijo. Así lo hice entonces y así lo hago ahora en estas páginas. ¿Qué otra cosa puedo hacer? Me sobra tiempo. Me sobra el futuro completo. Quiero dártelo, hija, porque has perdido el tuyo.

4. **Santiago:** capital de Chile.

ADUÉÑATE DE ESTAS PALABRAS

codiciosa, -so *adj.:* que desea dinero o posesiones excesivamente.

atónita, -to *adj.:* extremadamente sorprendida.

veleidoso, -sa *adj.:* que cambia, inconstante.

ungüento *m.:* sustancia con la que se unta el cuerpo; pomada, crema.

convención *f.:* norma o práctica que es costumbre.

desahógate, de **desahogar** *v.:* aliviar las penas que oprimen a alguien.

I and the Village (Yo y el pueblo) (1911) de Marc Chagall.
Oil on canvas (6' 3⅝" x 59⅝"; 192.1 x 151.4 cm).

The Museum of Modern Art, New York. Simon Guggenheim Fund.
Photograph © 1997 The Museum of Modern Art, New York.

Conoce a la escritora

Las historias de **Isabel Allende** (1942–   ) se leen en todo el mundo y están traducidas a varios idiomas. Isabel Allende creció en Santiago, Chile, en la casa de sus padres que pertenecían a una familia rica. Ella nos dice:

> «Resultaba imposible aburrirse en esa casa llena de libros y de parientes estrafalarios, con un sótano prohibido, sucesivas camadas de gatos recién nacidos... y la radio de la cocina, encendida a espaldas de mi abuelo, donde atronaban canciones de moda, noticias de crímenes horrendos y novelas de despecho».

En el sótano estaba la colección de libros de su padre, de forma que cuando quería huir de la soledad o de sus miedos infantiles, se metía allí con una linterna y alimentaba la imaginación con las obras de los grandes maestros.

Allende dejó el colegio a los dieciséis años. Cuando cumplió los veinte empezó a trabajar de periodista y, más tarde, a escribir obras de teatro y a ocuparse de sus hijos. Esta vida, con la que se sentía tan satisfecha, cambió drásticamente cuando en 1973 Chile sufrió un golpe de estado que acabó con el gobierno de su tío Salvador Allende. Un año y medio más tarde, ella y su familia se vieron forzados a huir a Venezuela.

Durante varios años no escribió nada, confundida por su situación de exiliada y por la dificultad de encontrar trabajo en algún periódico. En 1981, empezó a escribirle una larga carta a su abuelo en Chile. Un año más tarde ya había escrito 500 páginas, que habrían de convertirse en su primera novela, *La casa de los espíritus* (1982).

Allende había encontrado su verdadera vocación: escribir ficción. Publicó dos novelas más, *De amor y de sombra* (1984) y *Eva Luna* (1987). La narrativa de Allende está inspirada en la situación política de su país, en la historia de su familia y sus experiencias personales. En 1992, Allende comenzó a escribir su autobiografía dedicada a su hija que estaba gravemente enferma. El libro, que se publicó en 1994, se titula *Paula*.

CREA SIGNIFICADOS

Primeras impresiones

1. ¿Habrías reaccionado tú de la misma manera al recibir de regalo las pinturas? Explica tu respuesta.

Interpretaciones del texto

2. ¿Crees que la madre de Allende le regaló las pinturas simplemente para enseñarle a la niña una lección sobre la codicia? Explica tu respuesta.

3. ¿Qué rasgos de la pintura de Chagall le llamaron la atención a Allende?

4. ¿Por qué le gustaba tanto a Allende la pintura?

5. ¿Por qué le regaló la madre de Allende a su hija un cuaderno de notas? Compara este regalo con el que Allende esperaba darle a Paula, su propia hija.

Conexiones con el texto

6. ¿Has disfrutado alguna vez del dibujo, la pintura, la escritura u otra actividad creativa? Si tu respuesta es sí, explica por qué.

OPCIONES: Prepara tu portafolio

Cuaderno del escritor

1. Compilación de ideas para una evaluación

¿Te parece que el pasaje de *Paula* está bien logrado como texto literario? Apunta por escrito tu respuesta y justifícala. Piensa en las preguntas siguientes:

- ¿Están claramente presentadas las ideas?

- ¿Describe la escritora claramente lo que vio y sintió?

- ¿Ofrece el pasaje algún mensaje especial? ¿Me ayuda a comprenderme mejor a mí mismo(a) y a otros?

- ¿Puedo comparar la experiencia de la escritora con algún episodio de mi propia vida?

Redacción creativa

2. Una carta

Isabel Allende consideró este episodio lo suficientemente importante como para incluirlo en el libro que estaba escribiendo para su hija. Piensa en un episodio que haya sido importante en tu propia vida y cuéntaselo a alguien en una carta.

Arte

3. Un mural

Localiza en la biblioteca un libro de arte que incluya obras de Marc Chagall. Con un grupo de compañeros de clase, crea un mural que capte el espíritu de la obra de Chagall.

Lengua y Literatura `MINI LECCIÓN`

¿Un sonido o dos?

Guía del lenguaje

Ver
Los acentos,
pág. 353.

El nombre «Paula» tiene dos vocales que van juntas. ¿Se leen como un solo sonido o como dos?

Cuando se dicen dos vocales juntas, forman un **diptongo**. Los diptongos siguen las reglas normales de acentuación. Observa:

> camión   después   cuidado   farmacéutico

«Camión» lleva acento escrito porque es una palabra aguda que acaba en «n». ¿Por qué llevan o no acento las demás palabras?

Dos vocales que se leen separadas forman un **hiato**. «Hiato» quiere decir ruptura o pausa. Observa:

> alde-a   ca-ótico   to-alla   tra-er

¿Cuántas sílabas tiene cada palabra? Estas palabras también siguen las reglas normales de la acentuación. ¿Por qué lleva acento «caótico»?

El problema es que hay vocales que podrían decirse juntas o separadas, como un diptongo o como un hiato. ¿Cuáles son diptongos y cuáles son hiatos?

> María   premio   alegría

Se pone un acento escrito cuando hay un hiato. Llevan acento escrito palabras como:

> sonríe   río   iría

No llevan acento palabras como:

> Eugenia   tragedia   medio

Copia el diálogo de la historieta cómica. Di qué sonidos son diptongos y qué sonidos son hiatos. Después, pon acentos donde hagan falta. Los fontaneros son Zipi y Zape disfrazados y tienen un aerosol que los hace minúsculos.

ESTRATEGIAS PARA LEER

Reconocer relaciones de causa y efecto

Una causa es una razón por la que ocurre algo. Un efecto es la consecuencia de lo que ha ocurrido. Quedarse dormido por la mañana es la **causa** de que uno llegue tarde a la escuela, y llegar tarde a la escuela es el **efecto** de quedarse dormido.

Las relaciones de causa y efecto son frecuentes en la literatura. Se pueden encontrar en cuentos, obras de teatro y novelas; también en ensayos, artículos y biografías. Reconocer relaciones de causa y efecto te ayuda a comprender mejor y a disfrutar más lo que lees.

A veces, las causas y sus efectos forman una reacción en cadena. El efecto de un acontecimiento se convierte a su vez en la causa de otro efecto, y así sucesivamente. El siguiente diagrama de causas y efectos representa una secuencia posible de «Mañana de sol»:

Inténtalo tú

Si estudias el pasaje de *Paula* de Isabel Allende, encontrarás una serie de relaciones de causa y efecto. ¿Cómo pudo el regalo navideño de una niña dar lugar a la creación de un complejo mural y, en último término, a toda una vida de expresión y descubrimiento personal? Dibuja un diagrama de causas y efectos similar al que acabas de ver para «Mañana de sol».

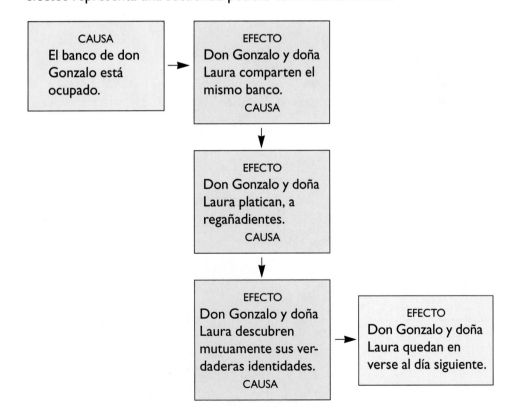

CAUSA
El banco de don Gonzalo está ocupado.

EFECTO
Don Gonzalo y doña Laura comparten el mismo banco.
CAUSA

EFECTO
Don Gonzalo y doña Laura platican, a regañadientes.
CAUSA

EFECTO
Don Gonzalo y doña Laura descubren mutuamente sus verdaderas identidades.
CAUSA

EFECTO
Don Gonzalo y doña Laura quedan en verse al día siguiente.

Vida y obra de Frida Kahlo

ACTIVIDADES PARA EMPEZAR

1. Repasa varios libros que contengan reproducciones de pinturas. ¿Qué diferencias de estilo puedes observar? ¿Hay algún cuadro que te guste más? Si es así, explica por qué te gusta.

2. Planea crear un retrato de ti mismo o de alguien que conozcas. Toma notas sobre lo siguiente:

- La técnica que utilizarías, que puede ser lápiz, pluma y tinta, pastel o pintura.
- La expresión o la actitud de la persona que te gustaría retratar.

Autorretrato con retrato del Dr. Farill de Frida Kahlo.

Reproducción autorizada por el Instituto Nacional de Bellas Artes y Literatura.

Primeros años

Frida Kahlo nació en Coyoacán, México, en 1907. De las hijas de la familia, ella era la más apasionada, inteligente y decidida. También era rebelde e independiente. Hacía cosas que en la época otras niñas de su edad no hacían: le gustaba patinar y andar en bicicleta e iba a la escuela sola.

Frida ingresó, en 1922, en la Escuela Nacional Preparatoria para más tarde estudiar medicina. Fue aquí donde conoció al célebre artista Diego Rivera, quien estaba trabajando en un mural en el exterior de la escuela. Frida quedó prendada de él.

Una tarde de 1925, cuando Frida regresaba a su casa desde la escuela, el autobús en el que viajaba chocó con un tranvía. Las lesiones que sufrió en la columna vertebral y en la pelvis la condenaron a una vida marcada por el dolor, numerosas operaciones quirúrgicas, corsés de yeso y largos periodos de inmovilidad.

Una futura artista

Durante el largo tiempo que estuvo en cama sin poder moverse, mientras se recuperaba del accidente, Frida se sintió poseída por un intenso deseo de pintar. Pidió unos lápices y al poco tiempo empezó a hacer bocetos de sí misma en un intento de vencer aquella imagen de la cual no podía escapar. Cuando su padre le trajo unos tubos de pintura, pasó de los dibujos a los cuadros, y el color se hizo imprescindible para ella. Así es como al principio, creó hermosos retratos de sus amigos y de su familia al estilo tradicional.

Unos años más tarde, Frida se encontró de nuevo con Rivera. Le mostró algunos de sus primeros trabajos y él la animó a seguir pintando. Nació entre los dos una relación, y en 1929 Frida Kahlo y Diego Rivera se casaron. Los tres años siguientes Kahlo los pasó viajando por los Estados Unidos con Rivera, que recorría varias ciudades pintando murales.

Los temas de las obras

El característico estilo de Kahlo surgió en los años treinta. Los temas de sus cuadros los extrajo de importantes experiencias de su vida: la muerte de su madre, sus problemas médicos, su amor por México y su relación con Rivera, que fue apasionada pero turbulenta. La obra de Kahlo recibió elogios de varios artistas ilustres, incluso de Pablo Picasso, y sus cuadros fueron expuestos en Nueva York y París.

Una de las obras más famosas de Kahlo, *Las dos Fridas* (1939), nació de la angustia que sintió durante el año en que ella y Rivera se divorciaron. En la doble imagen de sí misma, una de las dos Fridas es incapaz de ayudar a la otra, a quien Rivera ya ha dejado de amar. En *Autorretrato con monos* (1943), Kahlo está de pie acompañada de un ave del paraíso y monos del infierno. Esta imagen muestra dos caras de Kahlo, su lado racional y su lado primitivo.

A pesar de sus limitaciones físicas, Kahlo llevó una vida activa y emocionante. Era una persona entusiasta y jovial. Le gustaba ir al cine y al teatro con sus amigos y disfrutaba de una activa vida

social. Se ha dicho que Frida Kahlo vivió y trabajó con una pasión por la vida experimentada sólo por aquellos que sienten cercana la muerte. La salud de Kahlo se deterioró durante los dos últimos años de su vida, y una mañana de julio de 1954 fue hallada muerta en su habitación.

Kahlo canalizó en su obra sus conflictos internos y su energía emocional. Durante su breve vida produjo 148 cuadros, la mayoría de ellos autorretratos. Casa Azul, la casa grande y hermosa en la cual se crió y en la que vivió en ocasiones con Rivera, es hoy el Museo Frida Kahlo.

Raíces o *El pedregal* de Frida Kahlo.

ACTIVIDADES DE CIERRE

1. Escoge uno de los cuadros de Frida Kahlo que aparecen en estas páginas e investiga el contexto de la obra. Averigua qué momento de su vida atravesaba Kahlo cuando pintó el cuadro y qué la inspiró a crear dicha obra.

2. Infórmate sobre la vida y la obra de Diego Rivera. Busca fotografías de sus cuadros y murales en

libros y revistas. Comparte lo que averigües con tus compañeros de clase.

3. Repasa tus notas de ACTIVIDADES PARA EMPEZAR y crea tu propio retrato. Explica tu trabajo a un grupo de compañeros de clase.

de Versos sencillos

José Martí

XLIV

Tiene el leopardo un abrigo
En su monte seco y pardo:
Yo tengo más que el leopardo,
Porque tengo un buen amigo.

5 Duerme, como en un juguete,
La mushma en su cojinete
De arce del Japón: yo digo:
«No hay cojín como un amigo.»

10 Tiene el conde su abolengo:
Tiene la aurora el mendigo:
Tiene ala el ave: ¡yo tengo
Allá en México un amigo!

Tiene el señor presidente
Un jardín con una fuente,
15 Y un tesoro en oro y trigo:
Tengo más, tengo un amigo.

CONOCE AL ESCRITOR

José Martí (1853–1895) era un joven muchacho en La Habana cuando comenzó a apoyar la rebelión de Cuba contra España. Cuando sus artículos que fomentaban la independencia comenzaron a aparecer en periódicos clandestinos, apenas tenía dieciséis años. Martí fue encarcelado por sus ideas políticas y sentenciado a dos años de trabajos forzados. A los dieciocho años fue deportado a España.

En 1880 se trasladó a Nueva York donde vivió durante quince años y se ganó la vida escribiendo crónicas y artículos de periódicos. En Nueva York también fundó el Partido Revolucionario Cubano. Sus elocuentes discursos y artículos ayudaron a fomentar un sentimiento de orgullo por Cuba.

Durante los años que estuvo en Nueva York, Martí produjo mucha de su mejor prosa y poesía. Escribió centenares de crónicas sobre los acontecimientos y la gente estadounidenses, y los envió a diferentes diarios y revistas de América Latina.

También dirigió *La Edad de Oro*, una revista mensual para niños y escribió tres volúmenes de poesía: *Ismaelillo* (1882), *Versos sencillos* (1891) y *Versos libres* (1913).

En 1895, a los cuarenta y dos años, Martí regresó a Cuba para luchar en la guerra de la independencia contra España. Al mes, Martí murió en el combate. Siete años después, Cuba logró independizarse de España. Hoy, a más de cien años de su muerte, José Martí es considerado todavía el más grande patriota cubano.

VERDE LUZ

Antonio Cabán Vale

Verde luz de monte y mar,
isla virgen del coral,
si me ausento de tus playas
rumorosas,
5   si me alejo de tus palmas
silenciosas,
quiero volver, quiero volver...
a sentir la tibia arena
y perderme en tus riberas,
10   isla mía, flor cautiva,
para tí quiero tener:
libre tu suelo,
sola tu estrella,
isla doncella,
15   quiero tener.
Verde luz de monte y mar.

CONOCE AL ESCRITOR

Luis Antonio Cabán Vale, «El Topo» (1942–   ), nació en Moca, Puerto Rico. En 1961, cuando inició sus estudios en la Universidad de Puerto Rico, un compañero poeta lo bautizó con el apodo de «El Topo», mote con el cual se dio a conocer a partir de entonces. Durante sus años universitarios, publicó algunos poemas en la revista *Guajana*, que presentaba los poemas de los mejores poetas jóvenes del momento. Después de obtener el grado de Bachiller en Artes, trabajó de maestro y se dio cuenta de que la poesía sólo llegaba a un grupo reducido de personas. Resuelto a que más gente conozca su poesía, El Topo empezó a ponerle música a sus poemas, y así fue como inició su carrera musical. Además de grabar doce discos y colaborar con el Grupo Taoné, ha publicado dos libros de poesía: *Un lugar fuera del tiempo,* que nos lleva al barrio de la Caraima de Moca y a las experiencias de su infancia, y *Penúltima salida,* en el que predomina un tono de angustia y el deseo de encontrar un camino entre la confusión de la vida. «Verde luz», canción que para muchos es como el himno nacional de Puerto Rico, es una de sus obras más queridas.

A lo largo de su carrera, El Topo se ha dedicado a renovar los géneros folclóricos y populares de Puerto Rico y su obra ha cruzado las fronteras de su país. Al Topo se le conoce por la variedad de instrumentos musicales que emplea y por la riqueza de su repertorio, que incluye la décima, la plena y la bomba. Pero su éxito no le ha impedido mantener la sencillez y humildad que le permiten identificarse con su público, y sobre lo cual ha comentado: «La raíz del arte está en el pueblo y a él lo debemos devolver convertido en mensajes musicales».

Taller del escritor

Tarea
Escribe una evaluación.

LA PERSUASIÓN

EVALUACIÓN

Es posible que alguien te haya hecho alguna vez preguntas como éstas: «¿te gustó ese libro?» o «¿qué te pareció esa película?». Cuando respondes a una de estas preguntas, tu respuesta es una forma de **evaluación** porque das tu opinión sobre la calidad de una obra.

Una forma de evaluar o criticar una obra literaria o de arte es compararla con otra, es decir, explicar en qué se parece a la otra obra y en qué se diferencia de ella. Cualquiera que sea tu forma de evaluar una obra, tu opinión debe apoyarse en información fidedigna y razones convincentes.

Antes de escribir

1. Cuaderno del escritor

Repasa las notas que has tomado en tu CUADERNO DEL ESCRITOR. ¿Cuáles fueron tus criterios de evaluación? Trata de encontrar un par de obras a las que puedas aplicar alguno de estos criterios. Ten en cuenta que las obras que escojas deben guardar ciertas semejanzas, tanto en forma como en contenido, pero también deben diferenciarse de alguna manera importante.

2. Prepara un cuadro

Una forma de encontrar obras para una evaluación es hacer un cuadro como el que sigue.

Compara		Semejanzas
Fragmento de *Cuando era puertorriqueña* con Fragmento de *Barrio Boy*		Ambos son episodios autobiográficos.
«La guerra de los yacarés» con «Rikki-tikki-tavi»		En estos cuentos los personajes principales son animales.

The history
of the written
word is rich and

Page 1

Había una vez

3. Establece normas para realizar un juicio

Para formular un juicio convincente sobre la calidad de una obra
o un par de obras, necesitas utilizar **criterios** o principios
razonables. Al principio de una página de tu CUADERNO DEL
ESCRITOR, escribe la siguiente pregunta: *¿Qué cualidades debe
tener un buen/una buena _____?* (Llena el espacio en blanco
con el tipo de obra que vayas a evaluar.) Luego escribe tus ideas.
Al preparar tu lista de criterios de evaluación, acuérdate de
considerar los elementos literarios importantes de la obra que
has escogido.

Si vas a evaluar obras de dos géneros diferentes, tales como
un poema y un ensayo, hazte preguntas como éstas:

- ¿Qué cualidades debe tener un buen poema?

- ¿Qué cualidades debe tener un buen ensayo?

- ¿Qué cualidades deben tener ambos?

Tu lista de criterios te ayudará a identificar los puntos fuertes y
débiles de las obras que has escogido. Recuerda que puedes
añadir nuevos criterios mientras escribes tu ensayo.

4. Recopila datos

En un cuadro como el que aparece a la derecha, haz una lista de
datos sobre las dos obras que has escogido. Los datos que
recopiles deben incluir semejanzas, diferencias, puntos fuertes y
puntos débiles. Utiliza la lista de criterios que has seleccionado
para separar en las dos obras lo que te gusta de lo que no te
gusta.

5. Formula la idea principal

¿Cómo resumirías tu evaluación de las obras que has escogido?
¿Es una mejor que la otra, o tienen más o menos la misma
calidad? La **idea principal** de una evaluación es la opinión que
quieres que acepte tu público. Trata de formular esta opinión en
una o dos oraciones.

Cuadro de datos

Trabajo 1	Trabajo 2
Semejanzas	
_____	_____
_____	_____
Diferencias	
_____	_____
_____	_____
Puntos fuertes	
_____	_____
_____	_____
Puntos débiles	
_____	_____
_____	_____

Idea principal
Tanto Esmeralda Santiago
como Ernesto Galarza
narran con gran realismo en
sus relatos autobiográficos
los recuerdos de la escuela.
Sin embargo, Santiago
describe de una forma más
dramática cómo el éxito o
el fracaso escolar la marca-
ron para el resto de su vida.

Palabras de enlace

Comparación	Contraste
también	aunque
y	pero
otro	a pesar de
asimismo	sin embargo
además	en lugar de
de igual manera	no obstante
igualmente	por el contrario

El borrador

1. Ordena tus ideas

En un borrador preliminar, tu objetivo inmediato es poner tus pensamientos por escrito. Al hacer un borrador de tus ideas, usa un **esquema** como el que aparece a la izquierda.

Trata de captar la atención de tus lectores en la **introducción**, empezando con una cita importante de una de las obras que vas a evaluar. Procura identificar las obras y sus autores en el primer párrafo de tu trabajo. Formula también la idea principal.

En el **cuerpo** de tu ensayo, céntrate en las semejanzas y diferencias entre las obras. Para esta parte del trabajo, puedes organizar los datos mediante el **método de bloque** o el **método punto por punto**. El esquema que aparece en la página siguiente ilustra el uso de estos métodos.

El cuerpo de tu ensayo debe contener también tu evaluación o juicio de las dos obras. Recuerda que este juicio es una opinión. Para convencer a tus lectores, tu evaluación debe basarse en criterios razonables. Debes justificar tus afirmaciones, es decir, aportar pruebas o razones que las respalden. Puedes utilizar como pruebas experiencias personales, ejemplos de las obras en cuestión y semejanzas con otras obras que guarden relación con éstas.

En la **conclusión** de tu ensayo, acuérdate de formular de nuevo la idea principal. Luego, puedes recomendarle a tu público una de las obras, o las dos.

2. Desarrolla tu propio estilo

Las palabras tienen significados literales, como los que aparecen en los diccionarios, que se llaman **denotaciones**. Las palabras y las frases tienen también **connotaciones**, que son significados que dichas palabras y frases adquieren por asociación emocional o por influencia del contexto o situación en que se utilizan. Al escribir tu ensayo, presta atención a las connotaciones de las palabras que utilizas. Compara estos ejemplos: La señorita Hopley daba una impresión de *fortaleza y capacidad*. La señorita Hopley parecía *capaz de competir con gigantes*.

3. Relaciona ideas

Acuérdate de utilizar **palabras de enlace** para dejar claras las conexiones entre las ideas del texto. Hay a la izquierda algunas expresiones útiles que sirven para comparar y contrastar.

Evaluación y revisión

1. Intercambio entre compañeros

Intercambia tu trabajo con un(a) compañero(a). Después de leer el borrador, completa uno de los apuntes indicados en el margen.

2. Autoevaluación

Usa las pautas siguientes para revisar tu trabajo.

Pautas de evaluación

1. ¿Capto la atención del lector desde el principio?

2. ¿Formulo claramente la idea principal?

3. ¿He presentado mis datos en un orden lógico?

4. ¿He aportado pruebas para que mi evaluación sea convincente?

5. ¿Es buena mi conclusión?

Técnicas de revisión

1. Empieza con una anécdota o cita emocionante.

2. Añade una o dos oraciones que resuman tu opinión de las obras.

3. Usa el método de bloque o el método punto por punto.

4. Aplica los criterios que formulaste antes, y añade nuevas razones u otro tipo de pruebas.

5. Formula de nuevo la idea principal.

Compara las dos versiones de un párrafo de una evaluación.

MODELOS

Borrador 1

Cuando era puertorriqueña de Esmeralda Santiago y Barrio Boy de Ernesto Galarza son relatos autobiográficos. Los dos escritores han escogido episodios que tuvieron lugar durante sus años escolares. Los recuerdos de Esmeralda son del noveno curso, mientras que las historias de Ernesto se refieren a su primer curso escolar. Ernesto quería aprender, pero Esmeralda quería ser famosa.

Evaluación: Este párrafo menciona algunas semejanzas y diferencias entre las dos obras. Sin embargo, el párrafo no capta el interés del lector y no se formula claramente una idea central.

Método de bloque

Obra 1: *Cuando era puertorriqueña*
   Punto 1: Madre
   Punto 2: Maestros(as)
   Punto 3: Desafíos y objetivos

Obra 2: *Barrio Boy*
   Punto 1: Madre
   Punto 2: Maestros(as)
   Punto 3: Desafíos y objetivos

Método punto por punto

Punto 1: Madre
   Obra 1: *Cuando era puertorriqueña*
   Obra 2: *Barrio Boy*

Punto 2: Maestros(as)
   Obra 1: *Cuando era puertorriqueña*
   Obra 2: *Barrio Boy*

Punto 3: Desafíos y objetivos
   Obra 1: *Cuando era puertorriqueña*
   Obra 2: *Barrio Boy*

Apuntes para la reflexión

- La idea principal de este ensayo es...

- Me gustaría saber más sobre...

- Los criterios de evaluación del autor son...

- La evaluación del autor me convence/no me convence... porque...

Borrador 2

«Me senté tiesa...», dijo Esmeralda Santiago.
«Nosotros nos quedamos congelados de asombro»,
dijo Ernesto Galarza. Así recuerdan estos dos
escritores un momento de tensión en la escuela, en
sus respectivos relatos autobiográficos Cuando era
puertorriqueña y Barrio Boy. Estas memorias son
tan intensas que cualquier lector joven se sentirá
identificado con ellas. Sin embargo, el estilo de
Santiago, con su diálogo rápido e imágenes pintores-
cas, infunde especial emoción y realismo a sus
recuerdos de la vida doméstica, de los maestros que
tuvo y de sus desafíos personales.

Evaluación: Mejor. El autor traza claramente las
semejanzas entre las dos obras. La formulación de
la idea central indica que el autor tiene razones
concretas para preferir una obra a la otra.

Corrección de pruebas

Intercambia trabajos con un(a) compañero(a) y corrige su ensayo.
Señala cualquier error ortográfico o gramatical.

Publicación

He aquí algunas sugerencias que te ayudarán a publicar o dar a
conocer tu ensayo:

- Crea junto con tus compañeros de clase una pequeña antología
  de evaluaciones.
- Lee tu evaluación ante tus compañeros como si se tratara de una
  reseña para radio o televisión.

Reflexión

Completa una o dos de estas oraciones:

- La parte de este trabajo que representó un mayor desafío para mí
  fue...
- Estoy orgulloso de este ensayo porque...
- Al escribir este ensayo aprendí que la mejor forma de convencer
  a otras personas es...

Taller de oraciones

LA ORACIÓN ES FLEXIBLE

¿Conoces esta canción?

> Ahora que vamos despacio,
> vamos a contar mentiras:
> Por el mar corren las liebres,
> por el monte las sardinas.
> Salí de mi campamento
> con hambre de seis semanas,
> al pasar vi un ciruelo
>
> cargadito de manzanas;
> empecé a tirarle piedras
> y caían avellanas.
> Con el ruido de las nueces,
> salió el amo del peral:
> — Niño, no le tires piedras,
> que no es mío el melonar.

¿Hay alguna diferencia entre decir «Por el mar corren las liebres» y »Las liebres corren por el mar»? En grupo, intenten cambiar el orden de otras partes de la canción.

En español, la oración es flexible: sus partes se pueden ordenar de maneras distintas. El **sujeto** «las liebres» puede ponerse después del verbo «corren». Los **complementos circunstanciales**, como «por el mar», pueden ponerse en muchos sitios en la oración. Observa:

> Fui con mis amigos a un naranjal <u>ayer</u>.
> Fui con mis amigos <u>ayer</u> a un naranjal.
> Fui <u>ayer</u> con mis amigos a un naranjal.
> <u>Ayer</u> fui con mis amigos a un naranjal.

Encuentra en la canción complementos circunstanciales que van al principio de la oración, como «ayer» en el último ejemplo. ¿Los has cambiado de sitio?

Si los complementos circunstanciales que van al principio de la oración son largos, se escribe una coma después. Lee estas oraciones en voz alta. ¿Te detienes en la coma?

> Al salir de una montaña, una mosca me picó.
> Cuando la agarré de las orejas, se escapó.

¿Qué complemento circunstancial lleva una coma en la canción?

Al revisar tu trabajo:

Cuando escribes oraciones que tienen un orden distinto, tu texto adquiere variedad. Coloca algunos complementos circunstanciales al principio de la oración. ¿Te gusta cómo suenan?

Guía del lenguaje

*Ver
La oración,
pág. 338.*

*Ver
Complementos
del verbo,
pág. 347.*

Inténtalo tú

En «Mañana de sol» busca oraciones en las que el sujeto vaya después del verbo. Fíjate sobre todo en la palabra «usted». ¿Qué efecto te produce este orden? ¿Por qué hablan así los personajes? Habla con tu compañero(a) sobre lo que van a hacer hoy como si fueran los personajes.

COLECCIÓN 7

Caminos

Estación de Potrerillos de Alberto Gamino.
Procedimiento al óleo sobre madera, material
más conocido como chapadur (50 cm x 70 cm).

Punto de partida

El camino más largo

La vida es un «camino» lleno de experiencias. En el poema de Alfonso Quijada Urías, un naranjo le hace reflexionar al poeta sobre la tierra que dejó. En el poema de Pablo Neruda, se siguen los pasos de la vida de una tortuga. Al leer los siguientes poemas, piensa en los distintos «caminos» que has seguido en tu vida.

Toma nota

En una hoja de papel, dibuja una línea como en el ejemplo que sigue, y marca en ella las hazañas o los sucesos importantes que te hayan ocurrido a lo largo del «camino» de tu vida hasta ahora.

Empecé a asistir a la escuela.

Conocí a Beatriz, mi mejor amiga.

Nació mi hermanito Julio.

Nos mudamos a Salinas.

Elementos de literatura

La metáfora

La **metáfora** es una figura retórica mediante la cual se compara una cosa con otra sin usar palabras como «igual que» o «como». La metáfora que usa Neruda en «La tortuga» crea un sentido que va más allá del literal pero que no se expresa de manera directa. En este caso, la vida de la tortuga es una metáfora del camino que emprendemos todos: el «camino» de la vida.

> La **metáfora** es una figura retórica mediante la cual se describe una cosa como si fuera otra.
>
> *Para más información sobre la metáfora, ver la página 253 y el GLOSARIO DE TÉRMINOS LITERARIOS.*

Hay un naranjo ahí

Alfonso Quijada Urías

Hay un naranjo enfrente, tras de ese viejo <u>tapial</u> abandonado,
pero no es el mismo naranjo que sembramos,
y es un bello naranjo
5   tan bello que nos hace recordar
aquel naranjo que sembramos

         —en nuestra tierra—

antes de venir a esta casa
tan distante y lejana de aquélla
10   donde sembramos un naranjo
y hasta lo vimos—como éste—florecer.

ADUÉÑATE DE ESTAS PALABRAS

tapial *m.*: trozo de pared que se hace con una mezcla de tierra amasada. Se encuentra por lo general en áreas rurales.

Orange Trees and Gate (Naranjos y portón) (1885) de Winslow Homer. Acuarela. Colección privada.

CONOCE AL ESCRITOR

En 1968 un grupo de escritores publicó un libro de poesía que iba a cambiar la imagen de la literatura salvadoreña. **Alfonso Quijada Urías** (1940–   ) era uno de ellos.

Quijada Urías nació en Quetzaltepeque, El Salvador, un país que ha sufrido por muchos años los daños de la guerra. En 1981, Quijada Urías dejó El Salvador para mudarse a Nicaragua. Finalmente, se fue a vivir a México donde trabajó de periodista. En la actualidad vive en Canadá.

En gran parte de su trabajo Quijada Urías muestra los horrores de la guerra en El Salvador y, mejor que cualquiera de los poetas salvadoreños que lo precedieron, describe el mundo de la población urbana de América Central.

Quijada Urías ha publicado cuatro volúmenes de relatos y tres colecciones de poesía. Su obra ha aparecido en muchas antologías nacionales y extranjeras y se ha traducido a cinco idiomas.

La tortuga

Pablo Neruda

La tortuga que
anduvo
tanto tiempo
y tanto vio
5   con
sus
antiguos
ojos,
la tortuga
10   que comió
aceitunas
del más profundo
mar,
la tortuga que nadó
15   siete siglos
y conoció
siete
mil
primaveras,
20   la tortuga
blindada°
contra
el calor
y el frío,
25   contra
los rayos y las olas,
la tortuga
amarilla
y plateada,
30   con severos
lunares
ambarinos°

y pies de rapiña,°
la tortuga
35   se quedó
aquí
durmiendo,
y no lo sabe.
De tan vieja
40   se fue
poniendo dura,
dejó
de amar las olas
y fue rígida
45   como una plancha de planchar.
Cerró
los ojos que
tanto
mar, cielo, tiempo y tierra
50   desafiaron,
y se durmió
entre las otras
piedras.

33. rapiña: ave que tiene las garras agudas y fuertes para aprehender a sus víctimas y llevarlas por el aire.

ADUÉÑATE DE ESTAS PALABRAS

rígida, -do *adj.:* sin movimiento, inflexible.
desafiaron, de **desafiar** *v.:* resistir con tenacidad.

---

21. blindada: protegida con una cubierta muy resistente. **32. ambarinos:** del color del ámbar. Hay ámbar amarillo, gris, café y negro.

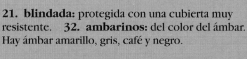

CONOCE AL ESCRITOR

Pablo Neruda (1904–1973), cuyo nombre verdadero fue Neftalí Reyes, nació en Parral, Chile, y es considerado uno de los poetas latinoamericanos más importantes del siglo veinte. Cuando tenía tres años se fue con su familia a Temuco, un pueblito fronterizo en el sur. Las duras condiciones de la región y el persistente sonido de la lluvia más tarde tendrían una gran influencia en su poesía.

A los trece años Neruda publicó un artículo en un periódico local donde, poco después, lo pusieron a cargo de la página literaria. Antes de acabar sus estudios secundarios ya publicaba poemas en diferentes periódicos y revistas y había ganado varios concursos literarios.

En 1920 se fue a Santiago a estudiar en la Universidad de Chile. A finales de ese año adoptó el seudónimo de Pablo Neruda. Cuando uno de sus poemas ganó el primer premio en un concurso literario, los patrocinadores le publicaron su primera colección de versos, *La canción de la fiesta* (1921). Ese volumen y el próximo, *Crepusculario* (1923), son de tema romántico y de estructura tradicional.

A mediados de los años veinte, Neruda abandonó el estilo y las técnicas tradicionales. La publicación de *Veinte poemas de amor y una canción desesperada* (1924) lo consagró como un importante poeta nacional.

Neruda entró en el te-

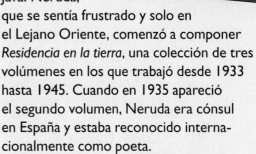

rreno político cuando lo nombraron cónsul honorario en Rangún, Birmania, y poco después en Ceilán y Java. Neruda, que se sentía frustrado y solo en el Lejano Oriente, comenzó a componer *Residencia en la tierra*, una colección de tres volúmenes en los que trabajó desde 1933 hasta 1945. Cuando en 1935 apareció el segundo volumen, Neruda era cónsul en España y estaba reconocido internacionalmente como poeta.

La vida y la obra de Neruda se vieron profundamente afectadas por la Guerra Civil Española que estalló en 1936. Neruda empezó a escribir poesía y prosa a favor de un cambio social. Uno de sus mayores logros literarios, *Canto general de Chile* (1946), es una obra épica sobre la historia cultural y política de Chile, al mismo tiempo que una exploración de la lucha por la justicia en las Américas.

Neruda huyó de Chile en 1949 tras haber criticado severamente al presidente de la nación. En 1953 se le permitió su regreso. Durante los veinte años siguientes escribió con un estilo simple y claro y volvió a temas más introspectivos y personales. En su poesía sobre el amor y la naturaleza, Neruda examina las cosas cotidianas con cuidado y atención. Hay quienes consideran este periodo el mejor de Neruda. En 1971 ganó el Premio Nobel de Literatura.

CREA SIGNIFICADOS

Primeras impresiones

1. ¿Qué imagen de «La tortuga» recuerdas con más claridad?

Interpretaciones del texto

2. Neruda escribe lo siguiente acerca de la tortuga: «...y se durmió/entre las otras/piedras». ¿Qué le ha ocurrido a la tortuga al final del poema?

3. ¿Por qué piensas que Neruda elige escribir este poema en versos tan cortos?

4. ¿Por qué ha colocado el autor de «Hay un naranjo ahí» el séptimo verso tan alejado de los demás?

5. ¿Qué crees que siente el narrador de «Hay un naranjo ahí» acerca de su antigua tierra? ¿Y acerca de su nueva vida?

Conexiones con el texto

6. ¿Te has mudado alguna vez? ¿Qué fue lo que tuviste que dejar atrás al trasladarte y qué personas o cosas en tu nueva vida te sirvieron de consuelo?

Más allá del texto

7. ¿Cuáles son las ventajas de pertenecer a dos culturas y hablar más de un idioma? Si piensas que también hay desventajas, descríbelas.

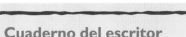

OPCIONES: Prepara tu portafolio

Cuaderno del escritor

1. Compilación de datos para un ensayo de problemas y soluciones

Cada año cientos de miles de personas vienen a los Estados Unidos y dejan atrás a sus familiares, amigos y el ritmo de vida que llevaban en su tierra. En tu opinión, ¿qué es lo que les resulta más difícil de superar cuando llegan a este país? ¿Por qué? ¿Qué problemas existen y cuáles son las posibles soluciones? Toma notas de tus ideas sobre este tema.

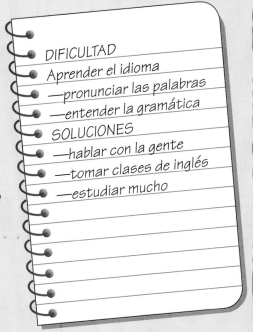

DIFICULTAD
Aprender el idioma
—pronunciar las palabras
—entender la gramática
SOLUCIONES
—hablar con la gente
—tomar clases de inglés
—estudiar mucho

Hablar y escuchar

2. Experiencias inolvidables

Escoge un recuerdo que tengas de un acontecimiento concreto. Reúnete con un(a) compañero(a) para explicarle lo que significa para ti este recuerdo. Después, que él o ella haga lo mismo.

Investigación/ Redacción creativa

3. Cuando nací...

Cuando las tortuguitas marinas nacen, su madre ya se ha vuelto al mar. El primer viaje que emprenden a través de la arena rumbo al mar es el más peligroso, pues han de defenderse de predadores que a menudo las atacan. Haz una investigación sobre los peligros a los que se enfrentan las tortuguitas marinas. Vuelve a escribir el poema desde el punto de vista de una tortuguita que comienza el «camino» de la vida.

Investigación

4. Explica la metáfora

Al hacerse mayor, Neruda simplificó el estilo de su poesía para alcanzar un público más amplio. *Odas elementales* (1954) contiene poemas con títulos como «Oda al tomate» y «Oda a la alcachofa» que celebran lo cotidiano de la vida. Busca un poema dentro de esa colección que también use una metáfora y explícala en dos o tres oraciones.

LENGUA Y LITERATURA **MINI LECCIÓN**

Sentidos poéticos

En unos pocos versos un poema puede evocar sensaciones, crear una imagen sorprendente e incluso conmover al lector. Para lograrlo el(la) poeta precisa escoger sus palabras con cuidado.

Neruda crea una imagen poética de una tortuga con palabras que tienen varios sentidos, como la palabra «ámbar». Investiga en una enciclopedia lo que es el ámbar. ¿Qué cosas indica el poeta cuando dice que la tortuga tiene «lunares ambarinos»?

Busca todos los significados de la palabra «severo» en un diccionario. ¿Por qué crees que la tortuga tiene lunares «severos»? Hay otras palabras que tienen más de un sentido. Explica el sentido de las palabras «dura», «rígida» y «durmió».

La poesía de Neruda tiene muchas referencias a la Tierra y sus elementos. Las palabras del poema están muy bien escogidas para sugerir que la tortuga es un ser tan primitivo que es parte de la Tierra. ¿Qué palabras tienen que ver con minerales y metales en el poema? Describe la imagen que ves cuando lees que la tortuga es amarilla y plateada.

Inténtalo tú

Continúa esta poesía popular a tu manera; juega con el doble sentido de la palabra al final de cada verso:

Nada, el que nada no se ahoga,
el que no se ahoga, flota,
flota es una escuadra,
la escuadra tiene un ángulo
   recto,
recto...

VOCABULARIO **LAS PALABRAS SON TUYAS**

Cualidades terrestres

Piensa en las cualidades de otro animal que parezca primitivo como la tortuga. Completa un diagrama como éste, usando las palabras que se te hayan ocurrido. A continuación, con las palabras que has escrito en el diagrama, crea un poema como el de «La tortuga».

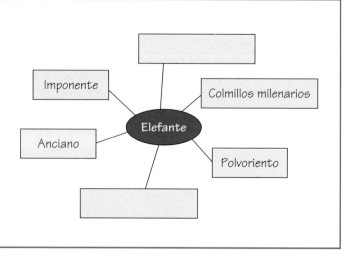

Elementos de literatura

POESÍA II: Figuras retóricas y de estilo

El componer un poema requiere habilidad para combinar la inspiración con los recursos más técnicos. Ya has aprendido algunos de los recursos que emplean los poetas, como la rima, el ritmo, la repetición, el paralelismo y las imágenes. Dentro de la poesía, también son importantes las **figuras retóricas** tales como el símil, la metáfora, la personificación, el símbolo y la hipérbole.

Símil, metáfora y personificación

Con las figuras retóricas se crea un sentido más allá del literal. Son palabras o frases en una obra literaria que no deben ser interpretadas literalmente. Esto se logra al hacer comparaciones directas o indirectas entre dos cosas, a la vez que se embellece el mensaje del poema. Las figuras retóricas no pertenecen únicamente al género de la poesía sino que también se pueden emplear en los cuentos, los ensayos y las obras dramáticas. Por lo tanto, son especialmente importantes por la manera en que captan nuestra imaginación y nos permiten ver a las personas, los lugares y las cosas de una manera distinta.

Una de las figuras retóricas que aparece con frecuencia dentro de la literatura es el **símil**. El símil compara dos cosas aparentemente distintas; usa expresiones de comparación como «igual que» y «como». Pablo Neruda usa un símil en «La tortuga»:

dejó
de amar las olas
y fue rígida
como una plancha de planchar

En cambio, la **metáfora** compara dos cosas distintas sin necesidad de usar palabras que hagan comparaciones directamente. Un símil, como por ejemplo, «Su cabello relucía bajo el sol como el oro», se puede convertir fácilmente en una metáfora: «Su cabello de oro relucía bajo el sol». Juan Ramón Jiménez emplea una metáfora en *Platero y yo*: «aquella nube fugaz que veló el campo verde con sus hilos de oro y plata» (página 120).

A veces el escritor no expresa la comparación de manera directa, sino que deja que el lector capte la idea por sí mismo. Neruda en ningún momento escribe que la tortuga representa el curso de la vida. Sin embargo este significado es evidente.

Otra figura retórica es la **personificación**, con la cual se atribuyen cualidades humanas a cosas inanimadas.

Busca dos ejemplos de personificación en el siguiente verso de Langston Hughes (página 182):

Oí el cantar del Mississippi cuando Abe Lincoln bajó a Nueva Orleans, y he visto su seno de lodo tornarse de oro al sol poniente.

Busca un ejemplo de personificación en la letra de la canción «Verde luz» de Antonio Cabán Vale (página 237).

Símbolo e hipérbole

Un **símbolo** representa una persona, lugar, objeto o evento distinto del que se refiere. Algunos símbolos son bien conocidos: por ejemplo, la bandera blanca simboliza el fin de la hostilidad y un león a menudo representa la realeza. En cambio, otros símbolos adquieren su significado dentro del contexto específico en el que se encuentran.

Recuerda que los símbolos pueden representar distintas cosas para cada individuo. ¿Qué piensas que simboliza el naranjo en el poema de Alfonso Quijada Urías? ¿Y los ríos en el poema de Langston Hughes?

La **hipérbole** es la exageración de una cosa. Para crear ese efecto, se puede aumentar o disminuir excesivamente lo que se describe. En «La tortuga», Neruda usa la hipérbole en los versos que aparecen a continuación:

la tortuga que nadó
siete siglos
y conoció
siete
mil
primaveras...

¿De qué manera afecta el uso de las figuras retóricas el tema de este poema?

ANTES DE LEER
El forastero gentil

Punto de partida

Encuentros inesperados

A veces nuestros caminos se cruzan de manera inesperada. «El forastero gentil» narra la historia de una familia que hospeda a un forastero por sólo una semana. Este huésped afecta a la familia de una manera profunda, incluso a un miembro de la próxima generación.

Toma nota

Los caminos siempre nos llevan hacia nuevas experiencias. En el caso de la amistad, por medio de un(a) amigo(a) podemos conocer a otros amigos. En una hoja de papel, dibuja un «camino» de las amistades que has tenido hasta ahora, usando como modelo el diagrama que aparece a continuación.

Elementos de literatura

La caracterización

Un elemento importante en el relato siguiente es la **caracterización**: la manera en la cual el escritor crea un personaje. Al caracterizar a un personaje, el escritor describe no sólo el aspecto físico del personaje, sino también el habla, lo que hace y la manera en que los demás personajes lo tratan. Cuando leas la historia, pon atención a los datos que nos da el escritor acerca del forastero, e intenta formar en tu mente una imagen del personaje.

> Por medio de la **caracterización** el escritor nos revela la personalidad de un personaje.
>
> *Para más información sobre la caracterización, ver la página 65 y el GLOSARIO DE TÉRMINOS LITERARIOS.*

Irma, hermana de Patricia

Raquel, su vecina

mi hermana Carla

me presentó a su amiga Patricia

Concha, Laura y Sofía, que están en su equipo de fútbol

EL FORASTERO GENTIL

Sabine R. Ulibarrí

Man on Path in Country (Hombre en un camino en el campo) de Thomas Duckworth.

alió del sol. Salió del pinar. Era un hombre grande. Llevaba una carga grande. Alguien lo vio. Pronto lo supieron todos. Ese hombre fue el foco de todas las miradas. Todos especulando: ¿quién será? ¿a qué vendrá?

Conforme se iba acercando por el camino caluroso y polvoriento se iba revelando. Vieron que era un tipo vaquero como en las películas. Sombrero alto y blanco, terciado hacia un lado, por el sol, por el calor. Cotón y pantalón de lona azul, blanquizca por el tiempo y el abuso. Botas de tacón alto. Espuelas chapadas de plata. Las rodajas[1] dejaban sus huellecillas y su tintineo en la capa de polvo del camino. En su lado derecho, en el sitio adecuado, llevaba un pistolón de miedo. Era un americano.

A veces tropezaba. Se le torcía el tobillo. Esas botas de tacones altos no se hicieron para andar. Los hombres de a caballo no nacieron para andar. Se enderezaba y seguía tercamente su camino.

Ya de lejos don Prudencio había analizado la situación. Les dijo a sus hijos que este americano tenía que ser un ladrón o matón, o ambos. Un hombre desesperado y peligroso. Hay que darle todo lo que pida. Si no se lo damos, él se lo va a robar, acaso va a herir o a matar a alguien. «Además», les dijo, «tendremos un enemigo para toda la vida».

Al fin llegó el extranjero hasta el portal de la casa. Allí estaban don Prudencio y sus hijos esperándolo. Alrededor, los peones[2] mirando y esperando. Las mujeres detrás de las cortinas. Todos llenos de curiosidad.

Dejó caer su carga. Era su montura. Dijo que se llamaba Dan Kraven, que se le había roto

1. **rodajas:** estrellas de las espuelas.
2. **peones:** trabajadores de campo o de rancho.

ADUÉÑATE DE ESTAS PALABRAS
especulando, de **especular** *v.:* reflexionar, desarrollar opiniones e ideas acerca de algo.

una pierna a su caballo y había tenido que matarlo. Tenía sed y hambre. Don Prudencio no hablaba inglés pero sus hijos sí.

Tenía unos ojos azules como el hielo. Tenía una mirada como un rayo azul helado que penetraba y quemaba los ojos de los demás. Una mirada que retaba, amenazaba y desconfiaba a la misma vez.

Venía molido. En todo se le notaba. El cansancio, el hambre y la sed hablan a gritos. Sus gritos silenciosos subían al cielo y aturdían a todos.

Mi tío Victoriano llevó al extranjero al zaguán. Allí en el fresco había una tina llena de agua con un bloque de hielo. Le dio un jumate de calabaza[3] lleno de agua helada. Esa agua debió ser agua bendita, el agua de la salvación para ese señor en ese momento. Primero tomó pequeños sorbos. Los detuvo un momento en la boca. Luego se los tragó. Lento y solemne como si aquello fuera algún rito misterioso, casi como si estuviera tomando una extraña comunión. Después tomó largos y hondos sorbos. De inmediato pareció restituido. Parecía milagro. Todos tenían la extraña sensación de que habían presenciado un acto un tanto religioso.

No se le llevó al fuerte donde vivían los peones. Se le dio una habitación de la casa. Le llevaron agua para que se bañara y ropa limpia.

Quién sabe por qué no se le invitó a comer con la familia. Se le llevaba de comer a su cuarto tres veces al día. Quizás sería porque mi abuelo decidió que el comer juntos resultaría demasiado bochornoso para la familia y para él. La verdad es que Dan Kraven estuvo perfectamente satisfecho con el arreglo.

Claro que esta visita dio mucho que hablar a todos. En un lugar donde nunca pasa nada extraordinario esto fue un verdadero acontecimiento. ¿Quién sería? ¿De dónde vendría? ¿Qué anda haciendo aquí? No había gringos por allí. Todos los ranchos del Río de Las Nutrias pertenecían a la familia. Los gringos más cercanos estaban muy

3. **jumate de calabaza:** cáscara dura de una calabaza.

lejos, más allá de Las Tapiecitas, por allá por La Laguna Hedionda. A lo mejor viene perseguido por la ley o por enemigos.

No hubo contestación a las interrogaciones. Dan Kraven no decía nada. No es que no hablara español. Parecía que no hablaba inglés. Hablaba solamente lo indispensable, y cuando era posible, en monosílabos.

Era silencioso y solitario. O no salía de su cuarto, o se paseaba solo por los campos. A veces se lo veía revisando los corrales y las caballerizas. Cuando no podía evitarlo, y se encontraba con alguien, siempre saludaba con seria y serena cortesía. Se tocaba el ala del sombrero y decía «Howdy» a los hombres y «Ma'am» a las mujeres sin detener el paso. Sólo con mi abuela se detenía, se quitaba el sombrero, hacía una pequeña reverencia y le decía, «Miss Filomena, Ma'am». Se puede ver que de hablador no le iba a acusar nadie.

A mi tío Victoriano le decía «Víctor», a mi tío Juan, «Johnny». A mi padre, que se llamaba Sabiniano, lo llamó «Sabine». De esto último se dedujo que Dan venía de Texas donde hay un río que se llama Sabine. El nombre se le pegó a mi padre, y cuando yo nací me lo dio a mí.

Mi padre tendría entonces unos ocho años. Era el más joven de sus hermanos. Él fue el que más se le acercó a Dan Kraven. Quién sabe por qué. Tal vez porque en su inocencia los niños son más atrevidos. Quizás porque todos quieren a los niños, hasta los matones. O, aquí está el misterio, acaso Dan Kraven se acordaba

---

ADUÉÑATE DE ESTAS PALABRAS

retaba, de **retar** *v.*: desafiar.

molido, -da *adj.*: cansado.

aturdían, de **aturdir** *v.*: turbar, molestar la quietud y calma de alguien.

zaguán *m.*: entrada de una casa.

rito *m.*: ceremonia, costumbre.

restituido, -da *adj.*: repuesto, restablecido.

indispensable *adj.*: necesario, algo de lo que no se puede prescindir.

dedujo, de **deducir** *v.*: inferir, sacar conclusiones.

de un hermanito, o un hijo. Nadie sabe. La verdad es que el misterioso forastero tomaba al niño de la mano y se iban los dos solos en largos paseos por el bosque o por los campos. Paseos silenciosos o de muy pocas palabras. El niño no hablaba porque no sabía qué decir, estando perfectamente satisfecho al lado del alto y misterioso *cowboy*. Él no decía nada porque no quería. La conversación no hacía falta.

Dan Kraven se estuvo en la casa de don Prudencio como una semana. Descansó bien. Se repuso bien. Pero... había en él un extraño cansancio del que no descansaría nunca, del que no se repondría jamás. Era como una desilusión intensa y profunda. Era como si la vida fuera una carga larga y pesada. Era como si no le importara si vivía o no. Creo que allí se encontraba el peligro y el terror que emanaba de este hombre. El que ha perdido las ilusiones y las esperanzas, que no tiene ganas de vivir y no le tiene miedo a la muerte, es el hombre más peligroso. ¿Qué tiene que perder? ¿Qué tiene que ganar?

Hubo momentos en que casi habló. Hubo momentos en que casi se sonrió. Hasta llegaron los de la casa a ver por un instante el hielo de sus ojos deshelarse, el rayo azul de su mirada helada deshacerse. Pero estas fueron chispas fugaces que se apagaban en cuanto nacían. Pronto volvía el americano a su postura insulada y solitaria. Es posible que si se hubiera quedado más, los de la casa lo hubieran visto reír algún día.

Un día fue a buscar a don Prudencio. Por medio de mi tío Victoriano le agradeció todas sus cortesías y le pidió un caballo. Mi abuelo hizo reunir la caballada en el corral. Le dijo a Dan que escogiera. Dan escogió un precioso caballo prieto con las patas blancas. Mi tío Victoriano quiso protestar. Era el suyo. Se llamaba Moro. Mi abuelo lo silenció con una mirada.

Dan Kraven montó en su caballo prieto. Toda la familia y los peones salieron a decirle adiós. Había nacido un extraño cariño por este hombre de la profunda tristeza y de la tremenda pistola. Dijeron algunos que había lágrimas en los ojos de Dan aunque nadie estaba seguro. Todos le agitaban la mano y le decían «Vaya con Dios», «Adiós», «Vuelva». Él alzó la mano y les dio un saludo casi militar. Y sin decir palabra se fue.

Se fue por donde vino. Por el mismo polvoriento camino. Entró en el pinar. Entró en el sol y desapareció para siempre. Nadie lo volvería a ver. Todos preguntaban en todas partes. Nadie tuvo nunca noticias de un hombre con el nombre de Dan Kraven.

Pasó el tiempo como siempre pasa. No sé cuánto y no me importa. Todos guardaban sus memorias del hombre que un día salió del sol y otro día volvió al sol de donde vino. Era ya todo como si fuera un cuento, una fantasía o un invento. Se hablaba en la casa de él con frecuencia y con cariño, y se preguntaban si algún día volvería.

Una mañana, bien temprano, antes de que la familia se levantara, vino Juan Maés, el caporal,[4] a dar golpes a la puerta. «¡Don Prudencio, don Prudencio, venga al corral ahora mismo!»

Todos, mayores, niños, peones, van corriendo al corral. Allí estaba el caballo palomino más hermoso que nadie había visto, con una buena silla nueva, con un freno[5] chapado de plata y una pechera con conchas de plata.

Mi abuelo se acercó. De la teja de la silla colgaba una correa con estas palabras grabadas, «Para don Prudencio, con eterno agradecimiento». En el mantón[6] de Manila

4. **caporal:** capataz, persona que tiene a su disposición muchos peones.
5. **freno:** instrumento de hierro que se mete en la boca del caballo para dirigirlo.
6. **mantón:** pañuelo grande que sirve de adorno y que se echa generalmente sobre los hombros.

ADUÉÑATE DE ESTAS PALABRAS

emanaba, de emanar v.: emitir.
fugaz adj.: que desaparece en seguida, de muy poca duración.

había una etiqueta que decía, «Para doña Filomena, con todo respeto». En las espuelas decía, «Para Sabine cuando sea hombre y para que no me olvide». En ninguna parte aparecía el nombre de Dan Kraven. No hacía falta. A él no lo vio nadie. Ni lo volvieron a ver.

Otra vez pasó el tiempo. Nací yo, y nacieron mis primos. Todos oímos una y otra vez la historia de Dan Kraven. Todos vimos que el caballo favorito de mi tío Víctor era un hermoso palomino que se llamaba Moro. Todos vimos que en la sala de mi abuela Filomena, donde no entraba nadie, había un colorido mantón de Manila sobre el sofá. Mi padre en días de trabajo llevaba botas viejas con espuelas chapadas de plata. En días de feria y de fiesta llevaba las mismas espuelas con botas nuevas.

Una visita accidental de un hombre raro y fenomenal enriqueció y afectó la vida sentimental de una familia fronteriza y colonial.

Vivió ese hombre en los recuerdos de todos los que lo conocieron hasta que todos murieron.

Aquí estoy yo, que no lo conocí, con el nombre que él me dio con todo orgullo. Aquí estoy yo, que no lo conocí, escribiendo su historia, la historia de un hombre que acaso no tuvo nombre, y que por cierto no tiene cuerpo, para que el mundo, o por lo menos mi gente, conozca su gentileza quieta, callada y silenciosa. Escribo tus memorias, que son las de mi familia y también las mías, Dan Kraven, para que todo el mundo sepa. Quiero que todos sepan que allá en un tiempo hispánico, en un rincón hispánico en un Nuevo México de habla española hubo un gringo gentil, agradecido y generoso. Mi silencioso y misterioso caballero andante,[7] no digas nada. Yo lo digo por ti.

7. **caballero andante:** personaje de las novelas de caballería medievales. El caballero andante cabalgaba por el mundo en busca de aventuras.

CREA SIGNIFICADOS

- ## Primeras impresiones

  1. ¿De qué manera hubieras reaccionado a la llegada de Dan Kraven? ¿Hubieras consentido en hospedarlo? Explica tu respuesta.

  ## Interpretaciones del texto

  2. ¿Qué clase de hombre es Dan Kraven? Describe su carácter en una o dos oraciones.

  3. ¿Por qué causa tanto alboroto la llegada de Dan Kraven al rancho?

  4. ¿Qué razones crees que tiene el forastero para guardar silencio?

  5. Después de narrar la partida de Dan Kraven, el narrador comenta: «Era ya todo como si fuera un cuento, una fantasía o un invento». Cita los datos concretos del relato que crean todo un mito en torno al forastero.

  ## Preguntas al texto

  6. ¿Crees que Dan Kraven merece el título de «caballero andante»? ¿Por qué?

  ## Más allá del texto

  7. Al final del cuento, el narrador le habla al forastero y dice: «...no digas nada. Yo lo digo por ti». ¿Qué es lo que implica esta historia acerca de las relaciones entre personas que provienen de culturas distintas?

Repaso del texto

a. ¿Por qué les dice don Prudencio a sus hijos que hay que darle al forastero todo lo que éste les pida?

b. ¿Cuál de los hijos de don Prudencio es el que está más unido a Dan Kraven?

c. ¿Qué le regala el forastero a la familia de don Prudencio como muestra de su agradecimiento?

d. ¿De dónde proviene el nombre del narrador?

Cuaderno del escritor

1. Compilación de datos para un ensayo de problemas y soluciones

Piensa en un personaje histórico que se enfrentó a un problema y tuvo éxito. ¿Qué recursos empleó para superar su problema y qué cambios logró en la sociedad? ¿Qué tipo de carácter poseía? Toma notas y guárdalas para usarlas más adelante.

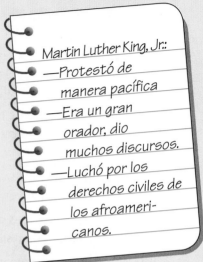

Martin Luther King, Jr.:
—Protestó de manera pacífica
—Era un gran orador, dio muchos discursos.
—Luchó por los derechos civiles de los afroameri-canos.

Redacción creativa

2. He decidido romper mi silencio...

Aunque Dan Kraven no habla mucho, en este ejercicio podrás darle voz. Desde el punto de vista del forastero, escribe una carta a Sabiniano en la que le explicas la manera en que lo afectó la estancia con su familia. Inventa los acontecimientos que lo llevaron a parar al rancho del Río de Las Nutrias y narra los eventos que imaginas le han sucedido desde entonces. Después, lee tu carta ante la clase.

Dibujo

3. ¿Adónde lo llevaría el camino polvoriento?

En el relato que nos cuenta Ulibarrí, nunca llegamos a conocer a Dan Kraven en su propio ambiente. ¿Adónde habrá llegado a parar después de marcharse de la casa de don Prudencio? Repasa el texto detenidamente; fíjate en los datos que tengan que ver con su origen. Después, dibuja al estilo de tarjeta postal el pueblo de origen del forastero. Imagina que esta postal va dirigida a don Prudencio y a su familia.

ESTRATEGIAS PARA LEER

Haz una evaluación

En la vida diaria evaluamos cosas constantemente. Por ejemplo, después de ir al cine con un(a) amigo(a), quizá le preguntes: «¿Qué te pareció la película?» Al responder a esta pregunta y dar razones en las que se basa su opinión, tu amigo(a) **evalúa** la película, es decir, forma un juicio sobre su calidad. Asimismo, cuando evalúas una obra literaria, desarrollas ciertos **criterios** que te ayudan a establecer su calidad.

Para establecer estos criterios es importante que te preguntes: «¿Qué hace que un poema, una historia o una película sean buenos?» Al evaluar un cuento o una novela, hay ciertos elementos que debes considerar y ciertas preguntas que debes hacerte:

Personajes
¿Son creíbles los personajes?
¿Logran las acciones caracterizar a un personaje tanto como lo hace el diálogo?

Argumento
¿Se desarrolla claramente el conflicto?
¿Tiene el relato una conclusión satisfactoria?

Ambiente
¿Puedes imaginar cómo es el ambiente?
¿Guarda alguna relación con el argumento o podría haberse situado la historia en cualquier lugar?

Punto de vista
¿De qué manera el punto de vista que ha escogido el autor enriquece la historia?
¿Cómo afecta este punto de vista al tono de la obra?
¿Tendría más efecto la historia si nos la contaran desde otro punto de vista?

Tema
¿Ofrece el tema una perspectiva nueva acerca de la vida?
¿Presenta una moraleja?
¿Comprendes mejor el asunto después de haber leído la historia?

En cambio, si evalúas un poema, te importará más fijarte en los siguientes elementos:

> **Ritmo**
>
> ¿Es musical el ritmo?
> ¿Es lento? ¿rápido? ¿subraya ciertos versos?
>
> **Imágenes**
>
> ¿Qué imágenes te resultan sorprendentes?
> ¿Qué sentidos estimulan?
>
> **Figuras retóricas**
>
> ¿Usa el poeta figuras retóricas tales como el símil, la metáfora y la hipérbole?
> ¿Cómo se relacionan éstas con el tema del poema?

Otro método que puedes usar al preparar tu evaluación es **comparar y contrastar** la obra con otra dentro del mismo género (ver la página 22). Al analizar en qué se parecen y en qué se diferencian dos obras, a menudo se destacan los méritos y las deficiencias de cada una.

Recuerda que lo más importante al evaluar una obra literaria es que te preguntes si ésta logra su objetivo. Un cuento que pretende ser humorístico, ¿te hace reír? ¿Te conmueve un poema triste?

> **Inténtalo tú**
>
> En una hoja de papel, anota el título de la lectura que más te haya gustado en este libro. Piensa en los distintos criterios que se aplican al género de la obra que hayas escogido y después haz una lista de las razones por las cuales te parece que la obra es buena. Reúnete con un(a) compañero(a) e intercambien sus notas. ¿Estás de acuerdo con la evaluación de tu compañero(a)?

Niña

Margarita M. Engle

A mi madre le preocupaba que aquella fuera la última vez que pudiéramos ir a Cuba a ver a su familia. Ya habían pasado dos años desde la revolución[1] y se decía que una crisis era inminente.

En el aeropuerto de Miami, mi madre nos hizo tres advertencias:

—No presuman de ser como muchachos —comenzó.

—Pero, ¿por qué?

—Porque no entenderán lo que quieren decir. Además, no deben decirle nada a los otros niños de sus ahorros. El dinero que tienen ustedes ahorrado es más de lo que ganan sus padres en un año.

—Y, ¿qué?

—Que los harán sentirse mal.

—Ah.

—Y lo más importante es que no metan ningún tipo de insecto en casa de Abuela.

—Pero, mamá...

—De animales, nada. No le gusta que haya animales en la casa. ¿Oyeron?

En en el aeropuerto de La Habana, no nos quedó más remedio que poner en libertad a los gusanitos que traíamos escondidos en la maleta.

—Por si acaso allá no hubiera mariposas —nos habíamos dicho mi hermana y yo al meterlos.

No teníamos la menor idea de cómo iba a ser Cuba, pero lo que vimos no nos decepcionó. La casa de Abuelita quedaba en las afueras de La Habana y estaba rodeada de animales. Llegamos a meter lagartijas en las camas y hasta arañas y alacranes en la sala. Una vez, el pescador que vivía en la casa de enfrente nos dio el serrucho fresco de un pez espada para que jugáramos. Cuando empezó a apestar, mi madre lo sacó a la azotea[2] donde pronto se secó al sol.

La hija del pescador me preguntó si tenía dinero para comprar un helado.

—Sí —le contesté orgullosa—. Tengo ochenta dólares en el banco que he ahorrado de mi propio dinero.

—¿Dólares? ¿De verdad?

Sabía que no me creía. Me sentí incómoda al acordarme de las advertencias de mi madre.

---

1. **revolución:** Fidel Castro y su ejército revolucionario asumieron el poder de Cuba en 1959 con la toma de La Habana, la capital del país.

2. **azotea:** techo plano. A menudo, en Cuba, las casas tienen una azotea y un tejado.

—Bueno —dijo la muchacha, y agregó— yo tengo algo mejor. Tengo cangrejos. Cuando Papá llegue a casa, te dará uno para cenar.

Tenía razón, por supuesto. Tener un cangrejo siempre es mejor que tener dinero. Su padre llegó con la camioneta llena de cangrejos de color naranja intenso y del tamaño de un gato. Decidimos ponerle una correa al nuestro y pasearlo por la calle hasta que se murió.

A mi hermana, en cambio, le gustaban más los perros que los crustáceos. Le pidió mil veces a mi madre que le comprara una lata de comida para alimentar al flaco sabueso de mi bisabuela. Tuvimos que ir hasta el Woolworth's del centro para encontrar comida de perro enlatada. Costó más la lata que toda la comida de un mes, más que la harina de maíz, las habichuelas y el arroz juntos.

Por fin, para asegurarme de que había ido en contra de todas las advertencias de mi madre, crucé la calle y le dije a la hija del pescador que yo era igual que un muchacho.

—¡Oh, no! —dijo horrorizada—. No te preocupes, no pareces un muchacho. Cuando seas mayor, serás bonita.

Se ahuecó las enaguas y se rizó un bucle con el dedo.

Mi colección de balas de la revolución iba aumentando a gran velocidad. Había balas por todas partes: en el jardín de la casa de mi abuela y entre las malezas donde íbamos a buscar arañas peludas que atrapábamos con un chicle colgado de un cordel. Encontraba balas en los campos de más allá de la ciudad y entre las enredaderas de la pasionaria[3] que trepaban por las paredes de las casas.

En una de mis expediciones solitarias, dejé atrás las casas y los campos de las afueras. Llegué a una chocita con el piso de barro donde me recibieron como si tuviera todo el derecho a llegar sin avisar. Los niños salieron corriendo a enseñarme su mula y las gallinas y la mimosa que tenía unas hojas tan sensibles que se cerraban con rozarlas.

3. **pasionaria:** planta trepadora originaria del Brasil.

Una de las muchachas se llamaba Niña, sin más. Quizá a sus padres ya no les quedaban nombres cuando nació. Su aspecto físico no era menos extraño que su nombre. Niña era tan menuda que parecía no existir, toda huesos y ojos y unos pelitos descoloridos por la mala nutrición.

En cuanto llegué a casa, le pregunté a mi madre si no le daban de comer.

—Dicen que tiene un agujero en el estómago —me explicó.

Un día, parada en el sol en el portal de la casa, vi cómo un nubarrón gris cruzaba con rapidez el cielo. Los relámpagos y los rayos, que caían en una zona pequeña a lo lejos, se acercaban más y más a donde me encontraba yo. Debajo de la nube, una bandada de auras[4] negras volaban suspendidas en un círculo como sin moverse. Apenas les temblaban las alas con el viento.

—¡Entra! —me gritó mi madre—. ¡Acuérdate que a Tío lo mató un rayo estando en la cocina!

No le hice caso. Si le pasó eso en la cocina, ¿qué más daba estar afuera que adentro?

Niña subió con dificultad al portal con su sonrisa de niña muerta. Tenía la cabeza igual que las calaveras con los dos huesos cruzados que hay en los frascos de veneno.

—Toma —me dijo ofreciéndome la mitad del anón[5] que se estaba comiendo.

Le acepté la fruta y nos la comimos juntas mirándonos a la cara, sonriendo, sin saber qué decir. Las dos sabíamos que el anón jugoso y lleno de pepitas se transformaba dentro de mí

4. **auras:** aves que se alimentan de animales muertos. En Cuba también se le llama aura tiñosa.
5. **anón:** fruta de cáscara rugosa y verde, de pulpa blanca y de semillas negras.

Vita Cola de Rafael Tufiño.   Colección Museo de Arte de Ponce, Fundación Luis A. Ferre, Inc. Ponce, Puerto Rico.

en lustrosa carne mientras que a ella se le escapaba por el agujero invisible.

Me estremecí.

—Alguien acaba de pisar tu tumba —dijo Niña soltando una risita.

—¿Qué?

—Dicen que cuando te da un escalofrío es porque alguien acaba de pisar el sitio donde te van a enterrar.

La miré a los ojos grandes y profundos. No podía creer que alguien hubiera sido lo bastante cruel como para decirle que iba acabar en la tumba.

Niña se nos unía siempre que bajábamos

por la calle en grupo para ir a casa de mi bisabuela a jugar al bingo. Allí, nos poníamos a contemplar el desfile de tíos y de primos, algunos presumiendo de sus uniformes y barbas de revolucionarios y los demás vestidos con el traje del domingo de los guajiros.[6] Tenían las manos curtidas por el sol y llenas de callos.

Niña se quedaba callada. Se fijaba en todo mientras se atiborraba de pastillas de dulce de leche como queriendo llenar su agujero. El tamaño de sus ojos daba la sensación de que miraba sin disimulo, pero nadie parecía darse cuenta. Los niños como Niña nunca provocan asombro.

El día del aniversario de la revolución, las calles se llenaron de camionetas llenas de hombres barbudos de camino a las fiestas de las montañas. Un hombre con altoparlante venía por nuestra calle denunciando la traición de los yanquis.[7] Desde el interior de la casa, yo lo escuchaba cuando, de repente, cambió el tono de la voz.

—Permítanme aclarar —dijo—. No es que nos opongamos al pueblo de los Estados Unidos sino al gobierno que los rige...

Dejé de prestar atención. Niña había aparecido en el umbral de la puerta con su flaca sonrisa.

—Fui yo quien se lo dijo —y añadió con una voz muy bajita—: le dije que eras de los Estados Unidos. No quería que te hiciera sentir mal.

Cuando íbamos a la playa, mi hermana y yo nunca nadábamos más allá de las cercas de los tiburones. Nos imaginábamos a los tiburones con sus aletas dorsales merodeando al otro lado. Luego, mi madre tenía que sacarnos las espinas de los erizos que se nos clavaban en los pies.

Aquellas vacaciones también fuimos a ver unas cavernas inmensas llenas de estalactitas. «¡Qué bien vivían los indios de Cuba!» pensé, «con una cueva por casa, comiendo sólo fruta y mariscos y sin nada que hacer más que nadar y cantar.» Me volví a mi hermana:

—Desde luego, hemos nacido con mil años de retraso.

Con una cuadrada y antigua cámara, me dedicaba a sacarle fotos a los cerdos, los perros, los pavos, los caballos y las mulas. En ningún momento se me ocurrió sacarle una foto a mis amigos o a mis parientes. Yo era de Los Ángeles y, al fin y al cabo, allí lo que había era demasiada gente y pocos animales.

Cuando mi tío cortaba caña de azúcar, yo no me fijaba en él sino en la caña, firme y pringosa, y en las mosquitas que se le posaban en los ojos. Sus brazos fuertes y su cara arrugada formaban para mí parte del paisaje de fondo. Cuando mis primos cogían mamoncillos,[8] a mí me llamaba la atención el árbol y no los muchachos que presumían de sus acrobacias al trepar.

Me deleitaba en el olor húmedo de la tierra verde recién mojada y en los tesoros que encontraba hormigueando sobre el barro rojo y colgados de los matorrales y las hiedras.[9] Cazaba lagartijas y atrapaba mariposas con mi red y, una vez, mi hermana y yo atrapamos un aura tiñosa con una trampa manual que nos habíamos ingeniado. Nuestros parientes se quedaron horrorizados: «¿Qué vamos a hacer con ese animal?»

Para mí, su reacción representaba todo lo que ellos percibían al revés que yo. Si el

8. **mamoncillos:** frutas tropicales del tamaño de uvas, de sabor agridulce, que crecen en un árbol muy grande.
9. **hiedras:** plantas trepadoras que se emplean mucho para cubrir muros.

6. **guajiros:** se les dice así a los campesinos de Cuba.
7. **yanquis:** palabra que usan principalmente las personas de otros países para referirse a las personas de los Estados Unidos.

ADUÉÑATE DE ESTAS PALABRAS
rige, de **regir** v.: gobernar; controlar.
merodeando, de **merodear** v.: rondar; acechar.
deleitaba, de **deleitar** v.: producir una sensación agradable.

objetivo de la revolución era desarraigar a la gente de sus hogares de techos de guano[10] para meterlos en cajas de hormigón, ¿por qué apoyar la causa? Los bohíos con sus hojas de palma eran algo natural, primordial, salvaje. Eran como ir de acampada. Cuando mi madre me explicó que la gente estaba harta de vivir en bohíos,[11] puse una cara larga. Sólo un adulto sería lo suficientemente tonto para preferir el confort a la naturaleza, las rosas a los matorrales, la radio a los cantos de las ranas en la noche.

Yo era consciente de que el agujero del estómago de Niña se hacía cada vez mayor. Niña estaba esfumándose ante mis propios ojos. Sus padres parecían haberse resignado a su desaparición y la gente hablaba de ella como si nunca hubiese existido. Niña no tenía consistencia. Realmente, no existía.

10. **guano:** hoja seca de la palma.
11. **bohíos:** viviendas rústicas de cañas y techos de hojas.

El día que murió, se me ocurrió preguntar:

—¿Por qué no la llevaron al doctor?

—No tenían dinero —me contestó mi madre.

Dejé la araña a la que estaba dando de comer y salí al portal. A medida que recorría los campos con la mirada hasta el bohío de Niña, su muerte iba impregnando el aire húmedo de la tarde. Repasé mentalmente todas las fotos que había sacado de potros y patos, orugas y auras. En el inmenso montón, me hubiera gustado encontrar una imagen de Niña.

—Traducción de Belén Ayestarán

ADUÉÑATE DE ESTAS PALABRAS

desarraigar *v.:* remover de sus raíces o lugar nativo, desplazar.
esfumándose, de **esfumarse** *v.:* desaparecer.
impregnando, de **impregnar** *v.:* saturar, llenar con una sustancia otra cosa.

CONOCE A LA ESCRITORA

Al igual que la narradora de «Niña», **Margarita M. Engle** es hija de una cubana y pasó parte de su infancia en Cuba. Engle tiene una doble carrera nada frecuente: es escritora profesional y botanista. Colabora en varias revistas científicas nacionales con artículos sobre plantas y suelos y, desde 1982, sus columnas de opinión sobre temas diversos han sido regularmente distribuidas en más de doscientos periódicos. Sus cuentos han aparecido en varias publicaciones. Gran parte de la obra de ficción de Engle se refiere a temas cubanos y cubanoamericanos.

Acerca de «Niña», Engle ha declarado:

«Niña» fue uno de mis primeros relatos y, aunque se publicó como cuento, casi todo en él es autobiográfico. Lo escribí después de darme cuenta de que todas las fotografías que había tomado en Cuba durante mis visitas de la niñez eran de animales, en vez de parientes o amigos...

...En Cuba, lo que más me impresionaba eran los seres de la naturaleza. No comprendía el sufrimiento de la gente durante los años inmediatamente posteriores a la revolución, una época de conmoción, hambre, desilusión y miedo.

El relato muestra a la narradora en el momento en que se hace mayor de edad y cae en la cuenta de que no puede portarse simplemente como un muchacho travieso y despreocupado, sino que debe interesarse por aquellos que han tenido menos suerte.

Taller del escritor

Tarea

Escribe un ensayo sobre problemas y soluciones.

Objetivos de un ensayo sobre problemas y soluciones

1. Describir un problema importante.
2. Explorar posibles soluciones.
3. Proponer y defender la mejor solución.

LA PERSUASIÓN

ENSAYO SOBRE PROBLEMAS Y SOLUCIONES

En un **ensayo sobre problemas y soluciones**, un escritor analiza un problema importante y propone lo que considera la mejor solución. La nota dominante de este tipo de ensayo es la persuasión, pues en la mayoría de los casos el escritor trata de convencer a sus lectores de que la solución propuesta es de hecho la mejor. A este género pertenecen los artículos de opinión que aparecen en periódicos y revistas. Ahora tú tienes la oportunidad de hablar de un tema que te parezca importante: vas a escribir tu propio ensayo sobre problemas y soluciones.

Antes de escribir

1. Cuaderno del escritor

Repasa las notas que has tomado a lo largo de esta colección por si te interesa explorar más a fondo alguno de los problemas sobre los cuales escribiste. A continuación aparecen algunas sugerencias que pueden ayudarte a pensar en posibles temas para un ensayo:

- ¿Me afecta el problema solamente a mí, o afecta también a muchas otras personas?
- ¿Tiene importancia el problema para las personas a quienes afecta?
- ¿Tiene solución el problema?

2. Examina los medios de comunicación

También es posible encontrar buenos temas para este tipo de ensayo cuando examinas los medios de comunicación. Hojea periódicos y revistas y pon atención a programas de radio y televisión hasta dar con un problema que te interese: por ejemplo, una carretera peligrosa que pasa cerca de tu casa, las personas desamparadas, la violencia en la televisión.

The history
of the written
word is rich and

Había una vez

Page 1

3. Explora un problema y su solución

Cuando hayas encontrado un problema que te interese, explóralo más a fondo; toma notas sobre los siguientes aspectos del problema: historia, alcance, relación con otros problemas, causas, efectos.

Cuando no te quepa duda de que comprendes bien el problema, empieza a tomar notas sobre posibles soluciones. Hazte preguntas como las que aparecen a la derecha. Al analizar las soluciones, piensa en las ventajas e inconvenientes de cada una y en la posibilidad de llevarlas a la práctica.

Toma notas en un cuadro como el que sigue sobre las ventajas e inconvenientes de cada solución. Este ejemplo ilustra cómo evaluó un escritor algunas soluciones posibles al problema de la falta de espacio en los vertederos de basura.

Preguntas para encontrar soluciones

- ¿Qué soluciones se han intentado antes?
- ¿Hasta qué punto fueron eficaces?
- ¿Sería mejor una única solución? ¿Por qué?
- ¿Qué solución aportaría el mayor beneficio al mayor número de personas?

Problema: El vertedero municipal de basura está casi lleno.		
Posibles soluciones	**Ventajas**	**Inconvenientes**
1. construir un nuevo vertedero	solución rápida y a corto plazo	costoso; no ataca la raíz del problema; injusto para los habitantes de la zona
2. transportar la basura en camión a una planta a cincuenta millas de distancia	da un respiro al vertedero local	caro; no es una solución permanente
3. rediseñar el vertedero existente y lanzar una campaña de reciclaje	ataca la raíz del problema; genera ingresos para la ciudad	llevará tiempo cambiar las costumbres de la gente

4. Descubre y respalda la mejor solución

Después de comparar las ventajas e inconvenientes de las posibles soluciones del cuadro, elige la mejor solución. Ésta es normalmente la alternativa más práctica y justa, la que ofrece el mayor beneficio al mayor número de personas. Pero la mejor solución a un problema rara vez es la solución perfecta: normalmente, hay que hacer concesiones.

En un ensayo sobre problemas y soluciones se propone no sólo una solución al problema, sino también razones convincentes que la justifiquen. Para defender tu propuesta, enumera los datos que puedes aportar como pruebas. Entre esos datos se encuentran los siguientes: hechos, razones, anécdotas, ejemplos, estadísticas y opiniones de expertos. Ten en cuenta, al presentar tus pruebas, la diferencia entre **hecho** y **opinión**.

El borrador

1. Escribe tu primer borrador

Para captar la atención del lector desde la **introducción**, comienza tu ensayo con un hecho sorprendente, una anécdota o una cita. En el **cuerpo** de tu ensayo, trata de explicar la importancia y el alcance del problema. Luego analiza los pros y los contras de las posibles soluciones. Por último, presenta la mejor solución y defiéndela con pruebas concretas. En la **conclusión**, presenta de nuevo la mejor solución al problema, o sea, la más práctica. En la oración final, puedes incluso animar a tus lectores a entrar en acción. Tal vez te resulte útil seguir un esquema como el que aparece a la izquierda.

2. Desarrolla tu propio estilo

Al analizar las posibles soluciones a un problema, es posible que tengas que referirte a acontecimientos probables más que a hechos ya conocidos. Di tus opiniones a favor y en contra de las soluciones propuestas. En estos casos, seguramente tendrás que usar las formas verbales del **condicional** y del **subjuntivo**.

3. Relaciona ideas

Utiliza **palabras de enlace** para que tus lectores comprendan cómo se relacionan tus ideas. Hay una lista de palabras de enlace en el MANUAL DE COMUNICACIÓN (ver página 323).

Evaluación y revisión

1. Intercambio entre compañeros

Intercambia borradores con un(a) compañero(a). Luego completa una o más de las oraciones a la derecha.

2. Autoevaluación

Emplea las pautas siguientes para revisar tu escritura. Añade, elimina o reorganiza datos de tu ensayo, y corrige lo que sea necesario en la expresión y la estructura.

Pautas de evaluación	Técnicas de revisión
1. ¿Capto la atención del lector desde el principio?	1. Empieza con una breve anécdota, cita o hecho sorprendente.
2. ¿Planteo claramente el problema y su alcance?	2. Aporta pruebas y razones que demuestren la gravedad del problema.
3. ¿He analizado los pros y los contras de las posibles soluciones?	3. Aporta datos sobre posibles soluciones y evalúalos.
4. ¿He explicado y justificado con claridad la mejor solución?	4. Presenta la solución propuesta y justifícala con pruebas concretas.
5. ¿Termino con una conclusión fuerte?	5. Reformula la mejor solución y anima a tu público a apoyarla con acciones pertinentes.

Compara las dos versiones siguientes de un párrafo inicial de un ensayo sobre problemas y soluciones.

MODELOS

Borrador 1

El vertedero municipal de basura está casi lleno. La cantidad de basura que generamos aumenta cada año. En poco tiempo ya no habrá sitio para más. Las autoridades municipales encargadas del problema tienen distintas opiniones sobre la mejor forma de resolverlo.

Evaluación: Este párrafo plantea el problema pero no consigue captar la atención del lector desde el principio. El estilo del escritor es monótono y repetitivo.

Estímulos para la evaluación

- El primer párrafo no me llamó la atención porque...

- El problema que se discute es importante porque...

- Me gustaría saber más sobre...

- Las razones que respaldan la mejor solución son...

- Por último, estoy/no estoy de acuerdo con la propuesta del escritor porque...

Borrador 2

«¿Invertir en basura?» «¿Ganar dinero en el sector de materiales reciclables?» Aunque esto parezca una broma, el rápido aumento en fechas recientes del valor de los productos reciclados ha atraído la atención de los expertos financieros. El precio de las botellas de plástico usadas, por ejemplo, se ha duplicado en menos de cinco años. Dentro de dos años, cuando el vertedero municipal llegue al límite de su capacidad, nuestras autoridades tendrán que buscar una salida al problema del vertido de basura. El reciclaje se perfila como la mejor solución.

Evaluación: Mejor. Este párrafo empieza con preguntas sorprendentes. A continuación, el autor plantea el problema y ofrece la mejor solución.

Corrección de pruebas

Intercambia trabajos con un(a) compañero(a) de clase y corrige detenidamente su texto. Señala cualquier error gramatical, de ortografía y puntuación.

Publicación

He aquí algunas sugerencias que pueden ayudarte a publicar o dar a conocer tu ensayo:

- Utiliza el ensayo como base para un discurso ante la clase, la escuela o un grupo de la comunidad.

- Presenta tu ensayo al periódico escolar o local como artículo de opinión.

- Utiliza tu ensayo como «propuesta» para una mesa redonda en la que participen otros estudiantes interesados en resolver el problema.

Reflexión

Escribe una breve respuesta a una de estas preguntas:

- ¿Qué has aprendido en este trabajo sobre la resolución de problemas en la vida real?

- ¿Qué has aprendido sobre la mejor manera de convencer a otras personas para que acepten tu punto de vista?

Apuntes para la reflexión
Gracias a esta tarea he aprendido que los problemas más importantes no tienen fácil solución. Lo mejor que se puede esperar es encontrar una solución que sea justa y razonable, y que se pueda llevar a la práctica.

Taller de oraciones

EL SUJETO Y EL VERBO SE ESCONDEN

En esta adivinanza, se esconde el sujeto. ¿Quién es?

> En mi cresta verás sangre;
> en mi figura, prestancia;
> en mi plumaje, colores;
> en mi talante, arrogancia;
> en mi pisada, firmeza
> y, a veces, hasta descendencia.

Cuando el sujeto se esconde, es **elíptico**. En español, no hace falta poner el sujeto porque la terminación del verbo lo aclara. ¿Cuál es el sujeto que se esconde en estas oraciones?

> (...) soy amigo de Pepe.
> (...) somos de Santo Domingo.
> (...) están en casa.

El verbo también se esconde. ¿Cuál es el verbo que se esconde en los versos de la adivinanza? Di qué verbos se esconden en estas oraciones:

> – Camarero, una limonada.
> – Ya sé a qué sabe. A quemado.
> – Yo traigo el pan; ellos, el postre.

Cuando hablamos o escribimos, escondemos el sujeto y el verbo para no repetir siempre las mismas palabras. Cuando varias oraciones tienen el mismo sujeto, sólo se usa en la primera oración. Si dos oraciones seguidas tienen el mismo verbo, sólo se usa en la primera. Di qué palabras se deben quitar:

> Estrella se fue al campo a investigar los insectos. Allí, Estrella sacó su lupa y empezó a examinar unos arbustos. Entonces, Estrella observó unos insectos que se camuflan. Unas orugas verdes se confundían con las hojas; unas polillas se confundían con los troncos.

Al revisar tu trabajo:

1. Tacha los sujetos que se repiten.

2. Escribe una oración con un verbo que se esconde.

Guía del lenguaje

Ver Elipsis, pág. 339.

Inténtalo tú

Di qué verbos se omiten en estos refranes.

En casa de herrero, cuchillo de palo.
De tal palo, tal astilla.
A mal tiempo, buena cara.
Mal de muchos, consuelo de tontos.
Perro ladrador, poco mordedor.

¿Se te ocurren otros refranes en los que se omita el verbo?

Diego Rivera 1956

Primero de una serie llamada *Puestas del sol* (1956)
de Diego Rivera. Óleo y templa sobre lienzo.

Tierra, sol y mar

Cortesía del Museo Dolores Olmedo.

ANTES DE LEER
de Valle del Fuego

Punto de partida

Un lugar inolvidable

El valle andino descrito en este ensayo «dejó su marca incandescente y su vorágine de vida» en la memoria de unos expedicionarios. ¿Hay algún lugar que se haya grabado en tu memoria, ya sea por su belleza o por el significado que tiene para ti?

Toma nota

Escribe sin detenerte durante dos o tres minutos acerca de un lugar que haya captado tu interés. Describe cómo es el lugar y explica por qué te resulta atractivo. Después, reúnete con un(a) compañero(a) y comparen sus notas. ¿Qué semejanzas y qué diferencias encuentras?

Elementos de literatura

Alusión

Cuando Balaguer dice que «una fuerza ciclópea empujó hacia arriba», hace referencia a los cíclopes, unas criaturas del poema épico *La Odisea*. Esta famosa obra fue escrita entre 900 y 700 aC y se cree que su autor fue el poeta griego Homero. Los cíclopes, quienes pertenecían a la raza de gigantes de un solo ojo, eran conocidos por su fuerza extraordinaria. Balaguer compara la fuerza que creó las montañas de los Andes con la fuerza bruta de los cíclopes. Una referencia como ésta a una obra literaria, una persona, un lugar o un suceso conocido se llama **alusión**. La literatura está llena de alusiones a los antiguos mitos griegos y romanos.

> Una **alusión** es una referencia a una obra literaria, una persona, un lugar o un suceso conocido.
>
> *Para más información sobre la alusión, ver el GLOSARIO DE TÉRMINOS LITERARIOS.*

de VALLE DEL FUEGO

Alejandro Balaguer

A principios del mes de marzo varios expedicionarios fuimos a realizar un documental al corazón de los Andes arequipeños,[1] a una región volcánica que llamamos «El Valle del Fuego».

1. arequipeños: de Arequipa, segunda ciudad más grande de Perú, localizada al suroeste de ese país.

Durante un mes nos internamos en lugares increíbles del cañón del Colca, donde afloran volcanes humeantes, géiseres y aguas termales[2] que nos hablaron de un pasado prehistórico hecho presente.

Anduvimos por el «reinado de la vicuña»,[3] cazando imágenes de la fauna que habita las frías lagunas de las alturas, y luego descendimos al cañón, coronado por los gigantes nevados.

Es tan profundo, que parece como si un gigante lo hubiera desgarrado. El cañón del Colca es una extensa rajadura donde corre el río Colca, entre paredes verticales de 3,400 metros, que son como un libro abierto que cuenta la historia del planeta.

En sus entrañas, perseguimos al cóndor, «señor de los cielos», en su peregrinar vertiginoso por el valle.

Sobre su vuelo, antiguas civilizaciones tejieron historias fantásticas y reivindicaron su dominio en las nubes.

Así, entramos al universo de los collaguas y los cabanas,[4] que basaron sus costumbres en el culto a la tierra y su trabajo.

Compartimos sus ritos paganos y sus creencias religiosas, adoptadas con la dominación española.

El «Valle del Fuego» dejó su marca incandescente y su vorágine[5] de vida en nuestras memorias.

Un manto blanco cubre las faldas del volcán Hualca-Hualca.

Se abren las nubes cargadas de helada en la «cordillera del fuego», y abajo, el valle se divide a tajo[6] por el temperamental río Colca.

Nuestras manos se petrifican como garras sobre las riendas, y el ascenso por la quebrada es cada vez más lento.

A lo lejos, una columna de vapores emerge de un abismo parecido a las fauces abiertas de un ser mitológico, custodiado por el «Apu» Hualca-Hualca. Es el géiser, exhalando aliento de las profundidades del planeta, que nos anuncia la entrada a un mundo prehistórico, con pozas en ebullición[7] y riachuelos humeantes.

Rumbo a la cumbre, nuestros caballos resoplan por la falta de aire, y el «señor de los cielos» se hace presente. Es el cóndor, el ave voladora más grande, que se eleva sobre nosotros en su santuario volcánico.

Vemos a los adultos, vestidos de negro y blanco con casi 3 metros de tamaño volando junto a los más jóvenes, de color grisáceo. Van haciendo acrobacias, aprovechando las corrientes de aire, sobre una manada de venados que corren entre milenarias yaretas.

La yareta es una planta alucinante, de formas redondas que a primera impresión parece una piedra cubierta de musgo, y sólo crece sobre los 4,500 m. Forma un corredor verde de entrada a la cima del Hualca-Hualca.

La vuelta al «Valle del Fuego» se nos hace tensa y cuidadosa. Una fina capa de nieve va borrando nuestro camino de retorno. Sobre los 5,000 m somos una diminuta caravana perdida en el techo de los Andes.

No cabe duda que el cóndor es el amo y señor de los cielos del valle. Pero, casi tocando las nubes, hay otro dominio de pampas extensas, cubiertas de un pasto recio, el ichu, y de

7. **ebullición:** agitación de un líquido por efecto del calor.

----

2. **aguas termales:** fuentes naturales de agua caliente.
3. **vicuña:** mamífero rumiante similar a la llama. Vive en los Andes y su lana es muy apreciada.
4. **los collaguas y los cabanas:** grupos indígenas del sur del Perú.
5. **vorágine:** intensidad, fuerza o vigor.
6. **tajo:** división o corte abrupto y profundo.

ADUÉÑATE DE ESTAS PALABRAS

géiser *m.*: corriente de agua caliente o de vapor que sale de la tierra como una fuente.

fauna *f.*: el reino animal.

entraña *f.*: la parte más interna.

vertiginoso, -sa *adj.*: muy rápido, muy veloz.

petrifican, de **petrificarse** *v.*: convertirse en piedra o roca; hacerse rígido.

fauces *f. pl.*: parte trasera en la boca de un mamífero.

diminuta, -to *adj.*: extremadamente pequeña.

----

lagunas gélidas, que es donde reina la vicuña. Allí es el techo del mundo, y cuatro colosos nevados demarcan su frontera con la tierra de los hombres: Arequipa. Son los volcanes Misti, el Chachani, el Ubinas y el Pichupichu, que custodian extensas pampas pulidas por el viento.

Es un ambiente bello, rudo y de horizontes abiertos, donde pastan libres las vicuñas en grupos familiares formados por un macho y hasta seis hembras. A veces suelen verse machos solteros vagando errantes en grupos de 40 o 50.

Las vicuñas son camélidos[8] que poseen el más delicado y fino pelo. En todo su dominio hay calmos espejos de agua, lagunas visitadas por pequeñas aves migratorias y también por articulados flamencos,[9] gaviotas andinas de cara negra, y aves acuáticas como la ajoya y la huallata.

Pero este frío mundo, que puede bajar hasta 20°C bajo cero, no ha sido liberado de la mano

8. **camélidos:** mamíferos como el camello, el dromedario, la alpaca y la vicuña.
9. **flamencos:** aves zancudas de cuello largo y patas largas y delgadas.

destructora del hombre. Camiones cargados de tola, un arbusto enano usado para combustible, bajan repletos hacia las panaderías de Arequipa sin temer a las heladas en los colosos tutelares,[10] desertizando el reinado de la vicuña.

Hubo un tiempo, hace millones de años, en el corazón de los Andes arequipeños, cuando los volcanes aún lanzaban fuego y lava, en que un cataclismo[11] increíble abrió una herida profunda de 100 km sobre la joven piel del planeta.

Como si las manos de un gigante hubieran quebrado la tierra de cuajo,[12] se formó el cañón del Colca y comenzaron a bajar las aguas por sus entrañas, cuando precipitaron los cielos cargados de nubes. Millones de años después, parte del río se hundió aún más. Sus laderas se elevaron muy alto, y una fuerza ciclópea[13] empujó hacia arriba, naciendo la cordillera de los Andes. Subieron los cerros y los volcanes hasta los 3,400 m y dejaron muy abajo al río Colca.

También sus lagunas se impulsaron hacia arriba, junto a una ola titánica[14] de lodo y de piedras. Luego, sus fondos lacustres[15] se secaron, convirtiéndose en terrazas sumamente onduladas que después el hombre convirtió en andenes. Así, el cañón del Colca fue tallado con amor por la mano del hombre collagua, artífice de canales y andenes inmejorables, a través del tiempo.

10. **tutelares:** que protegen o amparan. Aquí se refiere a los volcanes que parecen vigilar la naturaleza que está a sus pies.
11. **cataclismo:** catástrofe o desastre de proporciones inmensas.
12. **de cuajo:** completamente, de raíz, radicalmente.
13. **ciclópea:** monstruosa. Los cíclopes eran gigantes de un ojo según la mitología griega.
14. **titánica:** inmensa, gigantesca.
15. **lacustres:** relativos a un lago.

ADUÉÑATE DE ESTAS PALABRAS

gélida, -do *adj.*: muy fría, helada.
custodian, de **custodiar** *v.*: cuidar, guardar, vigilar, observar desde una altura.
acuática, -co *adj.*: relacionado con el agua.
desertizando, de **desertizar** *v.*: transformar o convertir en un desierto.

CONOCE AL ESCRITOR

Alejandro Balaguer (1959–   ) nació en Buenos Aires, Argentina, aunque vive en Lima, Perú, desde 1984. Ha cubierto eventos noticiarios en Sudamérica y en el Caribe por nueve años como corresponsal de fotografía para la agencia Associated Press. Su obra fotográfica, que capta las costumbres y el ambiente natural de Latinoamérica, aparece en las páginas de prestigiosas publicaciones alrededor del mundo. Balaguer pertenece al equipo fotográfico de la agencia francesa Sygma, y en Perú es director de una agencia fotográfica llamada Biosfera. Además, es autor del libro *Rostros de la guerra,* considerado por muchos como un testimonio fotográfico muy importante sobre Perú.

Actualmente, Balaguer trabaja con un equipo de la compañía Panamericana Televisión, que se dedica a realizar una colección de libros y exposiciones sobre las maravillas naturales de Perú.

CREA SIGNIFICADOS

Primeras impresiones

1. ¿Te gustaría hacer un viaje al «Valle del Fuego»? ¿Por qué?

Interpretaciones del texto

2. ¿Qué sentían los expedicionarios por el valle que estaban explorando? Cita fragmentos del texto para respaldar tu respuesta.

3. Balaguer usa la **personificación** cuando describe al río Colca como «temperamental». ¿Qué otros ejemplos de personificación puedes encontrar?

4. En la mitología griega, los Titanes eran una familia de gigantes. Explica la **alusión** que hay en la frase «una ola titánica de lodo y piedras».

Conexiones con el texto

5. Los expedicionarios respetaban a las criaturas de la región, especialmente al cóndor y a la vicuña. ¿Te ha llamado alguna vez la atención algún pájaro o animal? Explica tu respuesta.

OPCIONES: Prepara tu portafolio

Cuaderno del escritor	Redacción creativa	Investigación
1. Compilación de ideas para un artículo informativo	**2. «Cazando imágenes»**	**3. Planea una expedición**

Cuaderno del escritor

1. Compilación de ideas para un artículo informativo

Como muchos artículos sobre lugares poco comunes, en el «Valle del Fuego» se sugieren muchos temas para investigar: fotografía, alpinismo, la vida salvaje y los fenómenos naturales de la región. Escribe tres o cuatro cosas que te gustaría saber sobre cada uno de estos temas.

Redacción creativa

2. «Cazando imágenes»

Los expedicionarios «cazaron imágenes» para ilustrar su ensayo acerca de una parte poco conocida del mundo. Reúne algunas fotografías sobre un tema que te interese y prepara tu propio ensayo fotográfico. Si lo deseas, puedes tomar fotografías de tu vecindario o de un parque cercano y usar esas imágenes como punto de partida para tu informe.

Investigación

3. Planea una expedición

Reúnete con un grupo de compañeros de clase y planeen una expedición a un lugar que les interese. Para comenzar, piensen qué es lo que necesitan saber de la región antes de viajar. Por ejemplo, ¿el clima de la región es frío como en los Andes arequipeños? ¿Qué clase de plantas y animales van a encontrar? ¿Cómo es el terreno? Para planear su expedición hagan primero una investigación sobre el lugar que van a visitar.

ESTRATEGIAS PARA LEER

Utiliza el resumen

Cuando le comentas a alguien un libro que leíste, un programa de televisión o una película que viste o algo que te ocurrió, a menudo haces un resumen. Al hacer un resumen, recuentas en breve los sucesos y las ideas más importantes.

Cuando resumes un relato, hablas de los sucesos y los personajes más importantes; destacas las causas de los sucesos y cómo éstos se relacionan. Date cuenta de que cuando vuelves a contar una historia o a recordar un incidente varias veces, lo entiendes mejor y se vuelve «más tuyo». Entonces, tienes un sentido más claro del orden de los acontecimientos y sabes cuáles son los sucesos más importantes de la narración.

De la misma manera, resumir un artículo o un ensayo te ayuda a entender y recordar mejor lo que leíste. Cuando resumes un artículo o un ensayo, concentras tu atención en el tema del texto y en los puntos más importantes que destaca el escritor. Los únicos hechos y detalles que necesitas citar son aquellos que ilustran los puntos más importantes del texto.

Cuando resumas una narración —un cuento, una novela, un drama o un episodio de la vida real— hazte estas preguntas.

> **Inténtalo tú**
>
> Después de leer los capítulos tomados de *Aydin* (página 287), escribe un resumen para alguien que no conozca el texto. Ten en cuenta que esta persona no está familiarizada con el contenido; asegúrate de explicarle claramente los acontecimientos de la historia, y las acciones y los sentimientos de los personajes.

> **Argumento:** ¿Cuáles son los acontecimientos más importantes para el desarrollo de la historia?
> **Personajes:** ¿Qué personajes son más importantes? ¿Qué información sobre los personajes es importante para entender la historia? ¿Por qué sienten o actúan los personajes de la manera en que lo hacen?
> **Tema:** ¿Cuál es el asunto central de la historia?

Cuando resumas un artículo o un ensayo, hazte estas preguntas.

> **Asunto:** ¿De qué trata el texto?
> **Tema:** ¿Cuáles son los principales asuntos que destaca el escritor? ¿Cuál es el propósito del artículo o del ensayo?
> **Detalles:** ¿En qué datos se basan los asuntos que el escritor destaca?

ANTES DE LEER
de **Aydin**

Punto de partida

Los derechos de los animales

¿Deben usarse animales para hacer experimentos? ¿Debe encerrarse a los animales en zoológicos? La cuestión de los derechos de los animales ha sido fuente de acalorado debate y controversia. Entre compañeros, analicen lo que saben acerca de los derechos de los animales. Compartan sus opiniones.

Toma nota

Escribe tres o cuatro oraciones que resuman las opiniones de tus compañeros.

Telón de fondo

¿Qué sucedió?

Los capítulos que vas a leer son parte de una novela basada en lo que realmente le pasó a una ballena beluga que se escapó de un laboratorio ucraniano en el mar Negro. Jordi Sierra i Fabra tomó los hechos básicos de un suceso y los convirtió en una historia emocionante y alentadora.

En los primeros seis capítulos del libro se cuenta cómo la ballena beluga llega a un pequeño puerto pesquero en Turquía, y cómo la descubre un niño muy cariñoso llamado Godar. Los pescadores del puerto nombran a la ballena «Aydin», que significa «claridad» en turco.

Estrategias para leer

Encuentra el tema

El **tema** es el mensaje que encierra el relato sobre la vida o sobre la naturaleza humana. Por lo general, un escritor no presenta el tema directamente; el lector debe identificarlo a partir de las pruebas que aparecen en el relato. Identificar el tema te ayuda a entender y a valorar mejor la literatura.

Para identificar el tema de un relato piensa cómo el escritor, por medio de los personajes, destaca algún aspecto de la naturaleza humana. Cuando leas los capítulos tomados de *Aydin*, considera las siguientes preguntas:

- ¿Quiénes son los personajes centrales?

- ¿Por qué son importantes esos personajes para el relato?

- ¿Qué conflictos enfrentan?

- ¿Qué piensan y sienten los personajes sobre las cuestiones más importantes del relato?

«Aydin»
LA BALLENA DE LA DISCORDIA

Los pescadores que la encontraron le pusieron de nombre «Aydin», que en turco significa «claridad». La ballena beluga macho de 500 kilos que escapó el pasado mes de febrero de un laboratorio ucraniano del mar Negro, buscó refugio en el puerto turco de Gerze, donde fue alimentada por los pescadores locales. Aydin había sido utilizada para experimentos desconocidos en ese laboratorio y pudo escapar a causa de una tormenta que rompió las redes que la encerraban. Pronto pasó a las primeras páginas de los periódicos porque se la disputaban tres países: Ucrania, Turquía y el Reino Unido, donde varios grupos conservacionistas decidieron hacer algo para protegerla. Estos últimos pretendían que Aydin fuera puesta en libertad en el mar de Siberia, a más de 3.000 kilómetros de Gerze, donde las aguas están menos contaminadas, y con ese fin recaudaron en pocos días cerca de medio millón de pesetas,° que sirvieron de momento para que a Aydin no le faltase pescado para comer. Los pescadores turcos que la han adoptado dicen que Aydin ha utilizado su libertad de elección y prefiere quedarse en Gerze. Los trámites legales están en curso y mientras tanto el destino de la ballena blanca, acostumbrada al trato humano, sigue siendo incierto.

—El País, abril 1992

°**pesetas:** moneda española.

CAPÍTULO 7

Con el primer sol balanceándose por encima de la línea del horizonte, las barcas entraron en el puerto cabeceando perezosas, apagados los motores, plegadas las velas o quietos los remos. Bajo el silencio amable de aquella primera hora en la mañana, las miradas de los hombres buscaron algo en las tranquilas aguas atrapadas frente a sus ojos, escrutando arriba y abajo, contenida la respiración, con las sonrisas prestas a dibujarse en unos rostros que ya las tenían preparadas y cinceladas en su ánimo. Superada la bocana,[1] el balanceo casi desapareció, se hizo placidez, y el conjunto de embarcaciones de todos los tamaños, calados y clases se esparció por el espejo azul como si, en lugar de navegar por él, flotaran por encima suyo.

1. **bocana:** estrecha entrada a una bahía.

Alguien levantó una mano.

Y en esa mano un pez hizo <u>centellear</u> sus escamas bajo los todavía tibios rayos del sol.

Esperaron.

De pronto, inesperadamente, lo mismo que un volcán marino en erupción, expulsada de su interior a toda velocidad, Aydin salió verticalmente debajo de la mano. Se elevó los tres metros que la separaban de su presa, y con una delicadeza asombrosa, sin siquiera tocar los dedos, atrapó el pez con su boca y cayó de nuevo al agua con una flexible maniobra llena de plasticidad[2] en su gesto.

Sólo entonces los pescadores de Gerze rom-

2. **plasticidad:** elasticidad, flexibilidad.

- -
ADUÉÑATE DE ESTAS PALABRAS
centellear v.: brillar; despedir rayos de luz.
- -

pieron su silencio. Estallaron en gritos, rieron y aplaudieron, comentaron lo que ya era habitual en los últimos días y se abrazaron ante el espectáculo que todavía les[3] llenaba de maravilloso <u>pasmo</u>.

Tras ello, una docena de manos, sosteniendo una docena de peces, repitió el gesto del primer pescador que, aquel día, había tenido el honor y el orgullo de ofrecer la primera comida a su ballena.

La ballena de los pescadores de Gerze.

Godar no se lanzó al agua. No le importaba el frío de la mañana, su cuerpo estaba habituado. Tampoco lo hizo ninguno de los otros jóvenes repartidos en los distintos barcos de la pequeña flota pesquera. Habían decidido seguir unas normas. No mezclar el momento de la alimentación con el de los juegos, y no jugar con Aydin todas las horas del día. La ballena, tanto como ellos, necesitaba descansar. Además, quedaba una rutina por mantener y seguir: llevar las barcas al puerto, descargar sus capturas, preparar la venta..., el ritual de la vida que ni siquiera la presencia excitante de su nueva vecina podía alterar.

Aydin esperaba su pez. Le miraba desde el agua haciendo sus sonidos característicos. Parecía reñirle, parecía apremiarle, parecía quererle.

Godar se puso la presa entre los dientes y asomó la cabeza fuera de la borda. Hubo murmullos de admiración. Aydin subió despacio, lentamente, impulsada por sus aletas, y retiró el pez de los labios de Godar sin apenas rozarle.

Se produjo otra ovación cuando se dejó caer al agua, <u>engullendo</u> el pescado al mismo tiempo.

—¡Bien! —gritó Godar levantando sus dos manos al aire.

¿Tenía que ir a tierra? ¡Oh!, ¿de veras tenía que ir a tierra?

—Mira —le dijo su primo dándole unos golpecitos en el hombro.

Siguió la dirección de su brazo, apuntando a la playa. En ella vio a su abuelo, y a otras personas, agitando las manos. Era extraño. Nunca lo hacían, a menos que estuvieran llamándole.

Y eso era precisamente lo que estaban haciendo.

—¡Godar! —escuchó sus distantes voces batidas por la algarabía[4] de su alrededor.

Su abuelo sostenía algo entre las manos. Agudizó la vista y descubrió que se trataba de un periódico. Primero sonrió. Aydin se estaba haciendo famosa desde que aquel periodista había hablado de ella. Ahora, aquella página con su fotografía presidía la cabecera de su cama, claveteada a la pared. Aydin y él, juntos en el agua. Era una estupenda imagen.

Sin embargo...

No, no podía tratarse de algo habitual, otro reportaje, otra fotografía. No le llamarían desde la playa. No agitarían sus brazos dando urgencia a su reclamo. Sucedía algo.

Una señal de alarma se disparó en su mente.

Se sentó a los remos y su primo le secundó[5] sin necesidad de hablar. Los dos se apartaron del grueso de barcas situado ahora casi en el centro del puerto, e iniciaron la maniobra de aproximación a la playa. Otros pescadores los imitaron, por inercia y porque el grupo que daba voces aumentaba, se hacía más y más denso, con mujeres y niños alertando las barcas de los suyos, abuelos, padres, hermanos, maridos, hijos...

Godar fue el primero en llegar. Saltó a la orilla cuando todavía la barca se hallaba en plena carrera, antes de que su quilla[6] rozara contra la arena del fondo. Su abuelo le esperaba con el periódico entre las manos.

No le gustó lo que vio en sus ojos.

---

4. **algarabía:** confusión de voces.
5. **lo secundó:** lo hizo también; lo siguió.
6. **quilla:** casco inferior de un barco.

- -
ADUÉÑATE DE ESTAS PALABRAS
pasmo *m*.: asombro.
engullendo, de **engullir** *v*.: tragar la comida deprisa.
- -

3. **les:** En estos capítulos, el autor usa le(s) como pronombre del objeto directo en vez de lo(s) y la(s).

—¿Qué sucede? ¿Qué pasa? —quiso saber alarmado al detenerse frente a él.

Empezaron a hablar casi todos al mismo tiempo, y algunas mujeres, niños y niñas se apartaron para recibir a las otras barcas que se aproximaban y darles la noticia. Godar fue incapaz de escucharles. Miraba a su abuelo, que era el único que no hablaba. Las palabras le envolvían, zumbaban por su cerebro como avispas enloquecidas. Eran palabras que no comprendía, pero que le alertaban más y más.

Badur le puso el periódico en las manos.

Le costó centrarse en él, leer los titulares. Uno se refería a la próxima Olimpíada de Barcelona y hacía referencia a los atletas turcos ya preparados para competir en ella; otro debatía el habitual problema del Kurdistán; un tercero comentaba la guerra de los Balcanes.

Aydin era el tema del cuarto, el más pequeño de los artículos. El titular rezaba expresivamente: «Guerra por Aydin, la ballena de Gerze».

Levantó los ojos, incapaz de seguir leyendo.

—Abuelo...

Se encontró con su hermetismo, sus ojos profundos, su reflexiva serenidad, y entonces volvió al artículo, y reunió las suficientes fuerzas para leerlo, primero de forma rápida y convulsiva, después más sosegadamente, para permitir que las palabras penetraran en su razón.

«Aydin, la ballena beluga macho de 500 kilos que vive tranquilamente desde hace unos días en Gerze, al cuidado de los pescadores locales, se ha convertido en un inesperado problema internacional en las últimas horas.

Acaba de saberse, porque los responsables así lo han anunciado, que Aydin se escapó el pasado mes de febrero de un laboratorio ucraniano del mar Negro, donde era sometida a diversos experimentos científicos que no han sido revelados. Aydin logró escapar de su encierro al romperse las redes que la retenían a causa de una tormenta. La República de Ucrania ha reclamado de forma oficial al gobierno turco la devolución de su ballena a instancias del citado laboratorio, dueño legal de Aydin.

Pero paralelamente, grupos ecologistas del Reino Unido han iniciado una campaña en Londres para evitar que la ballena vuelva a su lugar de origen. Reclaman de las autoridades ucranianas la divulgación y la naturaleza de los experimentos científicos a que era sometida en ese laboratorio, algo que los responsables del mismo se han negado a manifestar. En Londres, estos grupos ecologistas están reuniendo dinero para ayudar a que Aydin sea liberada, dinero que, momentáneamente, servirá para la alimentación de la ballena mientras se estudia su petición de que sea liberada en el mar de Siberia, a 3.000 kilómetros de Gerze, donde las aguas no están contaminadas.

A todo ello, por supuesto, hay que añadir que las autoridades turcas han defendido la libre elección de Aydin para vivir en el lugar que ella misma ha escogido, Gerze, donde los pescadores se han unido en torno a su mascota.

La historia, pues, promete ser tan apasionante como internacional. Tres países, Turquía, el Reino Unido y Ucrania, luchan ahora mismo por Aydin, y cada uno representa una parte legal del caso: la propiedad ucraniana, el deseo de los ecologistas británicos y la razón turca atendiendo a lo que parece ser la voluntad de Aydin de quedarse en sus aguas.

El contencioso está siendo recogido por los medios informativos del mundo entero, que han puesto a Gerze en el mapa de la actualidad. La batalla no ha hecho más que empezar, y en ella se juega el destino de

ADUÉÑATE DE ESTAS PALABRAS

hermetismo *m.*: cualidad de ser impenetrable, de no dejarse conocer.

divulgación *f.*: acción de dar a conocer algo al público.

contencioso, -sa *m. y f.*: algo que se discute en la corte.

Aydin, que se ha convertido también en el símbolo de una nueva clase de libertad. ¿O es la misma de siempre, la única libertad que todos conocemos?»

—Abuelo... —volvió a decir Godar levantando la vista del periódico, intentando bajar el nudo que acababa de albergarse en su garganta.

Se escucharon gritos, voces airadas, el clamor de los pescadores de Gerze con la noticia esparciéndose entre ellos como una lluvia repentina y amarga.

No encontró ninguna respuesta en Badur, pero...

¿Acaso no lo era ya aquel muro de protesta levantado a su alrededor?

¿Acaso la decisión de Aydin, que era la más importante, no había sido ya tomada?

CAPÍTULO 8

La plaza de la mezquita ya no era un lugar agradable y tranquilo, sino un hervidero de personas caminando de un lado a otro, esparciendo su presencia por todos los confines de Gerze. El pequeño bar de la esquina, donde se reunían casi envueltos en la discreción los hombres para tomar té caliente, estaba ahora colapsado por una muchedumbre que pedía bebidas y agitaba sus cuerpos tanto como su dinero a la espera de un turno que tardaba en llegar, dada la aglomeración. Las calles estrechas que convergían en la playa se habían convertido en ríos humanos de doble sentido, en el ir y venir casi incesante desde que se levantaba el Sol hasta su puesta.

En apenas dos semanas, los habitantes del pueblo se habían visto obligados a darle la espalda al mar, para atender el exceso de visitantes, albergarlos y saciar su interés acerca de Aydin.

Un interés por el que estaban dispuestos a pagar.

Especialmente los periodistas, los hombres de la radiodifusión y aún más los de la televisión, y no sólo turcos. Los había preferentemente estadounidenses, y también ingleses, franceses, alemanes y hasta japoneses. A cada paso se escuchaban los «clics» de las cámaras, o las voces en lenguas extranjeras que tal vez jamás habían sonado en Gerze, hablando y destacando cómo tomar un mejor plano o narrando una historia más en torno a la ballena de la discordia.

Así la llamaban: *la ballena de la discordia*.

Y todo porque tres países se la disputaban en la distancia y a través de los medios informativos tanto como de los habituales foros internacionales.

Llegó casi a la playa, y se asustó una vez más del número de personas reunido en ella. Diyan había instalado un tenderete en la misma entrada, apoyado en la pared de su casa. Ofrecía *productos marinos* a los curiosos, a los visitantes que buscaban un recuerdo. Los *productos* no eran otra cosa que los habituales objetos, conchas o especies extraídas del fondo del mar Negro. Los precios, en cambio...

—¡Ah, Godar, qué buena cosa es el turismo! —le dijo la mujer de Diyan al verle pasar por delante de su mostrador.

No era como en la hermosa Capadocia, a la que un día su padre, siendo niño, le había llevado casi en peregrinación, pero se aproximaba. Recordaba aquel viaje por ser el primero que había realizado en su vida, y por el número ingente[1] de personas que vio en aquella tierra labrada por la naturaleza. Pero de la misma forma que entonces, ahora sentía miedo, de la gente, de su presencia, de su invasora indiferencia, de su arrogancia y su superioridad llena de conmiserativa amabilidad. Aydin era una

1. ingente: muy grande.

ADUÉÑATE DE ESTAS PALABRAS
mezquita *f.*: templo en el que los musulmanes oran.
aglomeración *f.*: agrupamiento de gente.
conmiserativo, -va *adj.*: que siente compasión.

----

celebridad; y Gerze, el punto focal de ese destello.

Su abuelo le había dicho:

—No temas, todo pasará, como pasan las nubes por el cielo. Cuando hay muchas y su aspecto es plomizo, estallan y dan paso a la lluvia que lava la tierra. Tras ella, las nubes se van y desaparecen.

¿Cuándo desaparecerían los invasores?

¿Cuándo dejarían a Aydin en paz? Quizá, si no se hablase tanto de ella, los ucranianos no la reclamarían y los ingleses se olvidarían de su peregrina idea de «salvarla» y «liberarla», tan lejos, en las aguas del mar de Siberia. Había mirado en el libro dónde estaba eso, y se había sentido muy abrumado.[2]

Un grupo de hombres rana arrastraba una pequeña embarcación de goma negra con motor fuera borda por la arena de la playa abandonando el agua, ante la expectación y la curiosidad de la gente. Eran médicos, oceanógrafos, veterinarios, biólogos; lo mismo que antes o después serían expertos en otras materias. Cámaras submarinas, productores y realizadores de documentales filmando las escenas de la nueva vida de Aydin. En unos días, millones de personas en el mundo entero, cómodamente sentadas en las butacas y las sillas de sus casas, verían por televisión «la extraordinaria película de la no menos extraordinaria ballena beluga que había escapado de su cárcel de cristal para refugiarse entre los pescadores de Gerze».

—Los hombres consumen historias cuando las suyas no les reportan demasiado —había seguido hablando su abuelo—. Necesitan evadirse, y necesitan reír y llorar, recordar de vez en cuando que ellos también quieren huir y no pueden. Aydin es un símbolo y un sueño. Por eso ahora la aman y se muestran interesados en su historia. Cuando ese cariño se convierta en envidia, y en indiferencia, y en olvido, todo volverá a la calma, nosotros y ella.

2. **abrumado:** molesto, preocupado.

Los hombres devoraban la vida que los devoraba a sí mismos.

—¡Godar!

Alguien le cogió por un brazo, le retuvo, y al girar primero la cabeza y después el cuerpo, se encontró frente a una cámara de televisión, junto a una mujer de exquisita belleza que sonreía de forma equitativa,[3] primero a él y luego al ojo circular de la cámara. Con su mano libre sostenía un micrófono en el que podían leerse las siglas[4] de su emisora. No sabía si aquello era una grabación o una emisión en directo, así que no se atrevió a moverse.

—Ante nosotros, uno de los protagonistas de esta maravillosa aventura, sin duda uno de los personajes más buscados y deseados a lo largo de estos días en Gerze, además de la propia Aydin. Se trata de Godar, el muchacho de quince años que fue el primero en ver a la ballena y que hoy es uno de sus mejores amigos. Dime, Godar, ¿qué sentiste la primera vez ante algo tan insólito como ver aparecer una ballena aquí, en este rincón tan apartado del mundo?

¿Rincón apartado? A veces no entendía las expresiones ni los matices[5] de los periodistas. ¿Apartado para quién? Para él, Gerze era el centro del mundo, del universo.

Trató de ser amable, respondió a las preguntas. Tampoco era difícil. En unos días las había respondido un centenar de veces, siempre las mismas. Al comienzo se sintió importante. Pero de eso hacía mucho. Ahora estaba cansado, tan cansado como aturdido.

—¿Qué opinas de esas dos mil quinientas libras reunidas por los ecologistas de Gran Bretaña y que van a servir para alimentar a Aydin?

—Nosotros ya la alimentábamos —respondió con gravedad—. No pasaba hambre.

—Sin embargo, es una ayuda extraordinaria, prueba del interés que este caso ha despertado. ¿No lo crees así?

—Sí, tal vez.

Quería irse, pero la mano de la mujer le retenía. Olía bien. Era lo único agradable de la situación.

—¿Qué harás cuando se lleven a Aydin?

Se olvidó de la cámara y la miró directamente, a los ojos. Algo debió de ver ella en los suyos, porque dejó de sujetarle y parpadeó ligeramente perpleja. Iba a repetir la pregunta ante la tardanza de Godar en responder.

—No se la llevarán —dijo de pronto el muchacho—. Y no porque sea nuestra, sino porque se pertenece a sí misma, es libre. ¿Por qué no la dejan en paz para que decida su futuro?

Ella arqueó las cejas. Sólo eso. Ya no le respondió. Bajó el micrófono y, dirigiéndose al hombre que sujetaba la cámara, le dijo:

—Está bien, corta. ¿Crees que servirá si la montamos de alguna forma y suprimimos el final? —agregó en un tono hastiado.[6]

Godar se alejó de allí, tratando de pasar desapercibido hasta llegar a su casa.

CAPÍTULO 9

Godar vio salir el Sol por la línea del horizonte marino y, apoyado en su barca, con la cabeza entre las manos, permaneció unos segundos en silencio, viendo el nacimiento de un nuevo día, mientras a su alrededor el veloz <u>desplazamiento</u> de Aydin mecía la embarcación con un suave oleaje.

Otra jornada envuelta en el suspenso y la incertidumbre.

Dejó de mirar el Sol barriendo las sombras de la noche que aún se extendían a su espalda, más allá del pueblo. La razón fue que la ballena sacó la cabeza fuera del agua y se interpuso en su visión. Le lanzó una serie de sus habituales sonidos.

6. **hastiado:** disgustado.

- -
ADUÉÑATE DE ESTAS PALABRAS
desplazamiento *m.*: movimiento.
- -

3. **equitativa:** en igual proporción.
4. **siglas:** letras iniciales que se usan como abreviatura.
5. **matices:** sentidos de las palabras.

—Sólo me quedan tres —le dijo Godar tras echar una ojeada al cubo del pescado—. ¿Es que siempre tienes hambre?

Aydin pareció responderle. Ni siquiera se movió.

—¿Cómo lo haces? —le preguntó el muchacho.

No esperó a que volviera a sumergirse. Alargó una mano, cogió un pescado y lo pasó al otro lado de la borda. Aydin agitó la cabeza y abrió la boca. Godar se lo llevó hasta ella.

Cuando la ballena lo hubo aprisionado entre sus fauces, desapareció suavemente, sin siquiera levantar una salpicadura.

—Eres increíble —la despidió momentáneamente Godar.

No tardaría en volver. No se iría hasta que le enseñase el cubo vacío. Era el animal más inteligente que jamás había conocido. Más aún que Jaili, el perro de Isai. Se preguntaba si todo aquello era natural, producto de su instinto, o si se lo habrían enseñado los hombres del laboratorio, al otro lado del mar Negro. Y si era así, ¿cómo?

Los hombres del laboratorio.

La ley decía que Aydin les pertenecía, que era de ellos.

Ni siquiera sabía qué ley era ésa.

No esperó a que el animal se lo pidiera.

En esta ocasión, agarró el penúltimo pez y sacó la mano más allá de la amura,[1] sin moverse, con la cabeza apoyada en el otro brazo. Mentalmente contó hasta diez.

Al llegar a siete, Aydin apareció ante él, sin hacer ruido, y le cogió el pez de los dedos.

—¿Cómo lo ves? —le preguntó—. ¿Acaso puedes olerlo desde ahí abajo?

Desde que los medios informativos habían perdido interés en el caso, la paz y la calma retornaban de forma gradual a Gerze, pero incluso así, siempre aparecía alguien: un fotógrafo, un curioso, un representante de aquí

o un uniformado hombre de allá. Hablaban y hablaban. Y a ellos les tocaba esperar. Se decía que el fin estaba próximo. La ley. Sólo la reticencia de los pescadores de Gerze y la cada día más débil del gobierno mantenían las cosas como estaban.

—Aydin —llamó Godar.

El último pescado.

Cada día al amanecer, se levantaba en silencio, cogía la barca y salía para estar un tiempo a solas con la ballena. Ahora sus amaneceres eran así, aunque muy pronto volverían a salir a pescar, todas las barcas, igual que antes de la conmoción. La vida recuperaba lentamente su pulso en Gerze. Para ellos, el animal era ya tan familiar como el minarete[2] de la mezquita. Uno estaba en tierra y el otro, en el mar.

Sacó la mano con el pez, pero no alargó el brazo.

De nuevo contó hasta diez, y en esta ocasión Aydin surgió frente a él al llegar a nueve. Esperó. Sus ojillos parecían mirar su comida, pero también a Godar. El muchacho apartó su otro brazo de la borda y lo llevó hasta la cabeza de la ballena.

La acarició.

—Tú quieres quedarte aquí, ¿verdad?

Le respondió. Fueron una suerte de sonidos llenos de cadencia, leves chasquidos, tonos agudos.

Decían que estaba habituada al trato humano, y que por esa razón era tan pacífica, tan cordial, tan alegre. Decían que ya había nacido prisionera, y que por la misma razón era tan amigablemente feliz con las personas.

Pero él sabía que era mucho más que eso, y que la ballena blanca era la suma de todos los prodigios de la madre naturaleza.

2. **minarete:** torre desde la cual se llama a los musulmanes a rezar.

ADUÉÑATE DE ESTAS PALABRAS

reticencia f.: reserva, desconfianza.
cadencia f.: sonidos que se repiten con regularidad.

1. **amura:** lado de un barco donde éste se empieza a estrechar para formar la proa.

Le dio el último pescado.

Y en el momento en que Aydin se hundía una vez más en las aguas del puerto, tan silenciosamente como las otras ocasiones, Godar escuchó su nombre, marcado por la urgencia y batido por un nervioso tono de desesperación. Su nombre repetido una y otra vez.

Miró hacia la orilla. Reconoció a su primo Takshir, dando saltos, agitando los brazos, reclamando su atención. Eran tan fuertes sus gritos y el imperioso corte de su voz, que por las puertas de las casas empezaron a salir sus habitantes, probablemente ya despiertos o a punto de hacerlo como cada día al alba. Pero Takshir sólo le hablaba a él.

—¡Vienen por ella! ¡Lo han dicho por la radio! ¡Se llevan a Aydin, Godar! ¡Se la llevan hoy!

Se puso en pie, mientras las palabras iban penetrando despacio, una a una, por los vericuetos[3] colapsados de su cerebro, reclamando una atención que se desvanecía al mismo tiempo que su fuerza y su valor. Takshir continuó hablándole a gritos desde la orilla, pero él ya no le escuchó. Sostenido por sus piernas firmemente sujetas al fondo de la bamboleante barca, miró el agua y, como si su mente ya fuese una con la de Aydin, la ballena emergió de nuevo frente a él.

La verdad se hizo presencia en la razón de Godar.

—Vete..., ¡vete! —le dijo al animal—. Se acabó, ¿entiendes? ¡Has de irte! ¡Si quieres ser libre, has de irte! ¡Vete, Aydin!

La ballena blanca volvió a responderle.

—¡No hay más pescado! ¿Lo ves? —se agachó, cogió el cubo vacío y se lo enseñó—. ¡Ya no lo habrá más! ¡Vete!

Jamás creyó que pudiera hacerlo, pero le arrojó el cubo. La ballena lo esquivó fácilmente. Tras ello dio un salto.

—¡No es un juego! —se sintió desesperado.

La tensión emocional, mantenida casi en

3. **vericuetos:** caminos por los que es difícil andar.

estado larvado a lo largo de los últimos días, estallaba finalmente, y le arrastraba con ella.

—¡No es un juego! ¿Es que no lo ves? Escapa, Aydin, mira ese mar..., ¡míralo! ¡Es tuyo! Por favor...

La ballena se sumergió. Apenas si permaneció cinco segundos fuera de su vista. Salió majestuosa, como una flecha blanca apuntando al cielo antes de doblarse ligeramente y volver a caer al agua. La desesperación se agolpó en los ojos de Godar en forma de lágrimas. Cogió uno de los remos y lo separó de la argolla que lo mantenía junto a la barca. Después lo levantó con todas sus fuerzas intentando golpear al animal.

Aydin saltó una vez más, lanzó un agudo sonido, provocó una inmensa ola al caer al agua. Godar ya no pudo levantar por segunda vez el remo.

—No es un juego... —repitió muy débilmente—. Maldita testaruda... No es un juego... Vete, Aydin. Vete y sé libre...

Le cayó una súbita lluvia encima cuando la cola de la ballena azotó el agua igual que una mano.

Y aunque con pesar, tuvo que sonreír.

Después de todo, aquél era uno de sus mejores trucos.

AYDIN SE ESCAPA OTRA VEZ Y VUELVE A TURQUÍA

Gerze. —Aydin, una ballena beluga que el año pasado se escapó de un laboratorio ucraniano en el mar Negro y llegó a las costas de Turquía, se ha vuelto a escapar. Y Aydin, recordando el buen trato que le dispensaron los pescadores de Gerze, ha regresado con sus amigos.

—El Periódico, abril 1993

CONOCE AL ESCRITOR

Jordi Sierra i Fabra nació en Barcelona, España. Aunque comenzó estudios de arquitectura, se ha dedicado principalmente a la música y a la literatura. A lo largo de su carrera, ha dirigido programas de radio y ha escrito numerosos artículos para revistas de música. Entre sus obras de tema musical se incluyen la enciclopedia *Historia de la música Rock* y el *Diccionario de los Beatles*.

Desde 1971, fecha en la que empezó a dedicarse a la literatura infantil y juvenil, Sierra i Fabra ha ganado varios premios literarios, entre ellos el Premio Gran Angular de Literatura Juvenil (1980) por su libro *El cazador*. Se le volvió a conceder este premio en 1982 por su obra *En un lugar llamado Tierra*. *Aydin*, novela a la que pertenecen los capítulos que acabas de leer, ganó el Premio Edebé de Literatura Infantil y Juvenil (1994). Si te gustó *Aydin*, quizá también te guste leer *Los tigres del valle*, libro de la misma serie.

CREA SIGNIFICADOS

- ## Primeras impresiones

  1. ¿Qué sentiste cuando Godar recibió la noticia de que se iban a llevar a Aydin?

  ## Interpretaciones del texto

  2. El autor usa la **personificación** cuando dice que «las barcas entraron en el puerto cabeceando perezosas». El autor atribuye a las barcas la cualidad humana de la pereza. ¿Qué otros ejemplos de personificación puedes encontrar?

  3. ¿Por qué se enojan los pescadores cuando se enteran de que hay gente que quiere llevarse a Aydin lejos de ellos?

  4. ¿Por qué se le llama a Aydin «la ballena de la discordia»? Explica la disputa internacional que se genera por Aydin.

  5. El abuelo de Godar explica el extraordinario interés en Aydin con la siguiente oración: «Los hombres consumen historias cuando las suyas no les reportan demasiado». ¿Qué significado tiene esta afirmación?

  6. ¿Qué simboliza Aydin para la gente de Gerze?

  ## Conexiones con el texto

  7. ¿Crees que los animales pueden comunicarse con la gente de la manera en que Aydin se comunica con Godar? ¿Qué ejemplos conoces?

  ## Más allá del texto

  8. ¿Sabes de otros animales, reales o ficticios, cuyo derecho a la libertad haya sido fuente de controversia? Explica tu respuesta.

Repaso del texto

a. ¿Por qué los pescadores siguen ciertas reglas para alimentar a la ballena y jugar con ella?

b. ¿Por qué los ecologistas británicos quieren mandar a Aydin al mar de Siberia?

c. ¿Cómo se beneficia la gente de Gerze con la atención que se le presta a Aydin?

d. ¿Cuáles son los «productos marinos» que vende Diyan?

OPCIONES: Prepara tu portafolio

Cuaderno del escritor

1. Compilación de ideas para un artículo informativo

Los textos seleccionados de *Aydin* nos dan cierta información acerca de las ballenas beluga. ¿Qué otra información te gustaría obtener sobre estos animales? Escribe en tu cuaderno de notas una lista de datos que te gustaría investigar.

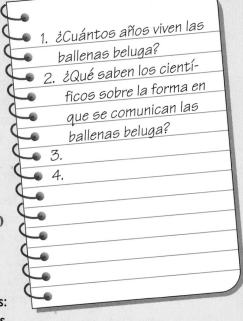

1. ¿Cuántos años viven las ballenas beluga?
2. ¿Qué saben los científicos sobre la forma en que se comunican las ballenas beluga?
3.
4.

Redacción creativa

2. Una carta al editor

Imagina que eres un(a) habitante de Gerze. ¿Qué crees que se debería hacer con Aydin? Escribe una carta al editor de la *Gaceta de Gerze* en la que expliques tu punto de vista. Presenta argumentos para apoyar tu opinión.

Hablar y escuchar

3. Dramatización

Reúnete con un(a) compañero(a) y lean en voz alta la escena en la cual Godar es entrevistado por una reportera. Uno de ustedes debe hacer el papel de entrevistador y el otro el de Godar. Lean expresivamente; hagan que los personajes cobren vida. Después, representen la escena para sus compañeros de clase.

Dibujo

4. Un mapa literario

En los capítulos tomados de *Aydin* se mencionan varias localidades geográficas: Kurdistán, los Balcanes, Ucrania, el Reino Unido, el mar de Siberia y el puerto turco de Gerze. Dibuja un mapa de las diferentes localidades y escribe breves acotaciones sobre cada una que expliquen su importancia en *Aydin*.

Presentación

5. El resto de la historia

Busca un ejemplar de *Aydin* en una librería o en la biblioteca local. (Si no puedes encontrar el libro pídele ayuda a tu profesor.) Lee la novela completa y presenta un resumen a tus compañeros de clase.

LENGUA Y LITERATURA MINI LECCIÓN

- ## Palabras clave para hablar del medio ambiente

Imagina que a Godar lo invitan a hablar ante un congreso ecológico para defender la libre elección de Aydin. Haz una lista de los argumentos que presentaría.

Para luchar por una causa, hace falta conocer las **palabras clave** de ese tema. Investiga el tema de las ballenas en el artículo de periódico del texto y en revistas y libros de ciencia. Entonces, ayuda a Godar a hacer un campo de palabras clave.

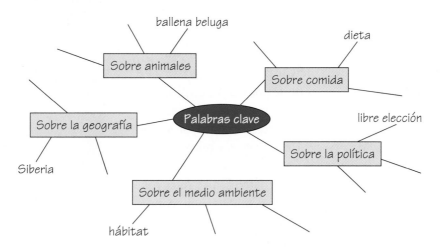

Vuelve a escribir los argumentos sustituyendo palabras vagas con palabras clave.

VOCABULARIO LAS PALABRAS SON TUYAS

ALCANCÍA DE PALABRAS

engullir
aglomeración
desplazarse
discordia

- ## ¿Qué preferirías tú?

Haz una encuesta en tu clase con estas preguntas. Si fueras una ballena, ¿preferirías...

1. ... engullir los pescados de los pescadores o comer una dieta sana de laboratorio?
2. ... la aglomeración de un puerto o las aguas del océano?
3. ... desplazarte libremente o ser objeto de una discordia internacional?

Elementos de literatura

LA NOVELA

La **novela** es una obra narrativa extensa, escrita en prosa. Su extensión suele ser mayor de 100 páginas. Generalmente se considera a *Don Quijote* (1615), obra del escritor español Miguel de Cervantes, como la primera novela moderna europea. Las novelas son la forma más popular de ficción que se escribe en nuestros días.

Los elementos principales de la novela son los mismos que los del cuento: el **argumento**, los **personajes**, el **ambiente**, el **punto de vista** y el **tema**. (Ver las páginas 64 y 114.) Sin embargo, la novela, por su mayor extensión, permite un mayor grado de complejidad en la caracterización de los personajes. Los cuentos generalmente presentan uno o dos personajes en profundidad, mientras que en una novela puede haber media docena de personajes principales. De la misma manera, mientras que en el cuento el argumento se limita a una sola serie de acciones, en la novela se presentan historias paralelas o varias series de acciones interconectadas.

Las novelas no sólo se caracterizan por tener un mayor número de personajes y de series de acciones que los cuentos, sino que presentan también una mayor variedad de lugares y temas. No es raro que un novelista incluya tres o cuatro temas relativos al comportamiento humano en una sola novela. Basándote en tu lectura de los fragmentos de *Aydin* de Jordi Sierra i Fabra, ¿cuáles son los temas principales que presenta el autor?

Las novelas pueden tener diversos temas y formas. La **novela histórica** presenta personajes y lugares relacionados con un evento o periodo histórico. Una **novela de ciencia ficción** se centra en los extraños sucesos que pueden acontecer en el futuro o en un escenario fantástico pero creíble. La **novela psicológica** se centra en las emociones y los pensamientos de los personajes. Otras formas de la novela incluyen la **novela policíaca**, la **novela de misterio** y las **novelas del viejo oeste**.

El placer de leer

Ciro Alegría
Sacha en el reino de los árboles (1986)

Este es el cuento de un niño que vive en el Amazonas con su familia. La vida es dura pero bella. Mientras Sacha crece descubre el río, el bosque con sus animales y leyendas, y la grandeza de las montañas.

José María Sánchez-Silva
Marcelino pan y vino (1952)

Marcelino es un niño huérfano de nueve años que fue criado por monjes. En esta novela corta se cuenta lo que le pasa a Marcelino cuando entra a un cuarto prohibido y se enfrenta a una figura de Cristo hecho de madera que cobra vida ante sus ojos.

Miguel Martín Fernández de Velasco
Pabluras (1984)

Un muchacho de catorce años llamado Pabluras entabla una relación con un lobo en esta novela que trata sobre el valor de la amistad. Aunque al comienzo el lobo ataca a los caballos de Pabluras, luego se hacen amigos y el lobo llega a salvarle la vida.

Carlos Murciano
El mar sigue esperando (1983)

El protagonista de esta narración es un muchacho de catorce años, Néstor, que vive en un pueblito pesquero. La muerte de su padre y la enfermedad de su madre lo obligan a marcharse de su pueblo e ir a vivir a la ciudad con sus tíos y su prima. A la tragedia de estar sin sus padres se unirá la nostalgia por el mar que estará presente en su recuerdo la mayor parte del día. Cuando su madre se cura, Néstor recupera la ternura materna al mismo tiempo que el mar con el que tanto soñó.

¡AL TRABAJO!

Rubén Darío

Cuando amanece Dios, toda la tierra
se estremece de amor, llena de vida;
dora el <u>alba</u> encendida
las cumbres de la sierra;
5   la parda golondrina
chillando hasta las nubes se avecina;
el gallo su clangor° eleva y corre,
alegre emperador de su serrallo;°
y al cántico del gallo
10   responden las campanas de la torre.

7. clangor: sonido o son de la trompeta o el clarín.
8. serrallo: se refiere a un gallinero.

- -

ADUÉÑATE DE
ESTAS PALABRAS

alba *m*.: las primeras horas de la mañana; el amanecer.

- -

El gallo de Mariano Rodríguez.
Colección del Museo Nacional de La Habana, Cuba.

Taller del escritor

Tarea
Escribe un artículo informativo.

LA EXPOSICIÓN

ARTÍCULO INFORMATIVO

En un artículo informativo comunicas hechos a tu público de una manera descriptiva e interesante. Un tipo importante de escritura informativa es aquella en la que se explica cómo hacer algo. Ahora tienes la oportunidad de escribir un trabajo de este tipo.

Antes de escribir

1. Cuaderno del escritor

Para comenzar la búsqueda de un tema de escritura mira las notas que has hecho en tu CUADERNO DEL ESCRITOR. ¿Encuentras algún tema que te gustaría investigar?

TRABAJO EN CURSO

2. Preguntas

Para encontrar un buen tema para tu trabajo puedes hacerte las siguientes preguntas:

- ¿Qué sé hacer bien?
- ¿Cuáles son mis pasatiempos?
- ¿Cómo funciona un(a) _____?
- ¿Qué proceso natural me llama la atención?

3. Piensa en tu público y en la idea principal

Después que hayas escrito algunas notas sobre dos o tres posibles temas, escoge el que te guste más. Considera los intereses de tu público. ¿Por qué podrían interesarse los lectores en la información que les presentas? Trata de resumir en una sola oración la idea principal de tu informe. Por ejemplo, si estuvieras escribiendo sobre cómo se hace un teatro de títeres, la idea principal podría resumirse de la siguiente manera: «Para crear su propia compañía de teatro de títeres, todo lo que usted necesita es su imaginación y unos pocos materiales baratos».

Instrucciones para escoger un tema
Para escoger un tema para tu informe, utiliza las siguientes instrucciones:

- Escoge algo que sepas hacer bien o que te interese.
- Escoge algo que tenga valor o le interese a otras personas.

4. Enumera los pasos y los materiales

Cuando explicas cómo hacer algo, presentas los pasos o las etapas del proceso y los materiales que se requieren, y defines los términos que no son conocidos para tus lectores.

Imagina que recorres, paso a paso, el proceso que quieres explicar. Luego, haz un cuadro como éste.

Tema: Cómo construir un teatro de títeres.		
Pasos	**Materiales**	**Términos**
1. Construir el escenario y el telón	Cajas grandes de cartón, papel para construcción, pedazo grande de tela	Papel para construcción, telón
2. Dibujar un boceto de cada títere	Papel, lápiz	
3. Cortar dos piezas de tela	Tela gruesa (lana o fieltro)	
4. Poner alfileres y coser las piezas	Aguja, hilo y alfileres	
5. Decorar cada títere	Botones, cintas lentejuelas	

5. Análisis de los detalles

En un artículo informativo sobre cómo hacer algo, necesitas proporcionar a tus lectores una lista completa y ordenada de los pasos a seguir. Cuando termines tu cuadro, analiza los detalles y hazte preguntas como las que se presentan en la lista a la derecha.

Evaluación de los detalles de un informe

1. Sin estos detalles, ¿pueden los lectores cometer un error?

2. ¿Está completa la lista de pasos?

3. ¿Están los pasos en el orden correcto?

TALLER DEL ESCRITOR 307

Palabras de enlace

a continuación
antes
cuando
después
en primer lugar
en segundo lugar
en tercer lugar
entonces
finalmente

Estímulos para la evaluación

- El tema me interesa porque...

- Quiero saber más acerca de...

- Un término que no entendí fue...

- La idea principal de este trabajo es...

El borrador

1. Organización

Escribir el primer borrador te da la oportunidad de anotar tus ideas sin preocuparte demasiado de la ortografía y la gramática. Sin embargo, si organizas cuidadosamente tu material, deberás tener claro lo que quieres escribir.

Para formar el **cuerpo** de tu informe, usa el cuadro que hiciste antes de ponerte a escribir. Para las otras partes de tu trabajo sigue un **esquema** como el que se presenta a la izquierda.

2. Relaciona ideas

Ordena los pasos en la secuencia adecuada. Relaciona tus ideas con algunas palabras de enlace.

3. Desarrolla tu propio estilo

Para mejorar tu estilo mientras escribes el primer borrador, elimina las palabras innecesarias y utiliza un lenguaje directo y simple.

Compara estos ejemplos:

Utilizando tu voz creativa y hábilmente, puedes darle a cada títere una personalidad única e individual.	Utiliza tu voz creativamente para darle a cada títere su propia personalidad.
Construye tu escenario utilizando cajas grandes de cartón. Después, crea la decoración del escenario utilizando fotografías o diseños tomados de telas.	Construye tu escenario con cajas grandes de cartón. Después, usa fotografías o diseños tomados de telas para hacer los decorados.

Evaluación y revisión

1. Intercambio entre compañeros

Reúnete con un pequeño grupo de compañeros y, por turno, lean en voz alta sus borradores. Después de cada lectura, cada miembro del grupo debe completar una o varias de las oraciones que aparecen a la izquierda.

2. Autoevaluación

Para revisar tu texto, usa las siguientes pautas.

Pautas de evaluación

1. ¿Logro captar el interés de los lectores desde el principio?

2. ¿Identifico con claridad los procedimientos y preciso la idea central?

3. ¿Especifico cuáles son los materiales que se necesitan?

4. ¿Están todos los pasos en el orden adecuado?

5. ¿Defino los términos poco familiares?

6. ¿Termino con una conclusión convincente?

Técnicas de revisión

1. Comienza con un detalle poco común, un hecho sorprendente o una cita.

2. Explica el asunto y la idea principal del proceso en una o dos oraciones.

3. Añade una lista de los materiales necesarios antes de explicar el proceso.

4. Añade los detalles indispensables y elimina los innecesarios. Presenta los pasos y etapas en orden.

5. Define los términos que tu público pueda desconocer.

6. Resume la idea principal.

Compara las siguientes versiones de un párrafo inicial.

MODELOS

Borrador 1

El asunto de este artículo informativo es cómo hacer tus propios títeres y también cómo hacer un escenario para el espectáculo de los títeres. Éste puede parecer un proyecto complicado. ¡De hecho no existe tal dificultad! Mi hermano Roberto no me creyó cuando le dije que nosotros podíamos tener éxito en este proyecto. Yo quería presentar un espectáculo de títeres como un regalo para el aniversario de bodas de mis padres.

Evaluación: Este párrafo no logra atraer la atención del lector. El párrafo también incluye algunas repeticiones innecesarias y el autor no precisa la idea principal.

Borrador 2

«¡Imposible!» Eso fue lo que mi hermano dijo cuando le conté la sorpresa que les quería dar a nuestros padres en su aniversario de bodas. «¿Cómo podemos preparar un espectáculo con títeres en una semana?», dijo Roberto. Explicándole mi plan poco a poco, me las arreglé para convencerlo. Para crear tu propia compañía de títeres todo lo que necesitas son algunos materiales baratos y un poco de imaginación.

Evaluación: Mejor. El autor empieza con un diálogo que presenta la escena y luego destaca el asunto y la idea principal.

Corrección de pruebas

Intercambia trabajos con un(a) compañero(a) y corrige cuidadosamente su artículo. Señala cualquier error de gramática, ortografía o puntuación. Recuerda que la precisión es muy importante en un artículo informativo, por lo tanto presta particular atención a la verificación de los hechos y los términos técnicos.

Publicación

Considera los siguientes medios para publicar o difundir tu artículo informativo:

- Envía tu trabajo a una revista especializada en pasatiempos (puedes encontrar las direcciones en un directorio o en la biblioteca local).

- Ilustra tu artículo con dibujos, cuadros o fotografías; después colócalo en el tablero de anuncios de tu aula.

- Con tus compañeros de clase, organiza una feria cuyo tema sea «Cómo hacer...» para los estudiantes más jóvenes.

Reflexión

Escribe una breve reflexión sobre el trabajo que has hecho al escribir este informe. Completa una o dos de las oraciones que se presentan a la izquierda.

Estímulos para la reflexión

- Elegir este tema para mi trabajo ha resultado fácil/difícil porque...

- Escribir y revisar este trabajo me ha mostrado que yo soy bueno para...

- En el curso de mi trabajo descubrí que me gustaría averiguar más sobre...

PREPARA TU PORTAFOLIO
Taller de oraciones

EN LA VARIEDAD, ESTÁ EL GUSTO

¿Qué quiere decir el refrán del título? Comparte con tus compañeros situaciones en las que es importante la variedad.

En este libro has aprendido muchas maneras de construir oraciones. Cuando usas oraciones de distintos tipos le das variedad a tu forma de expresarte. La variedad hace que tu texto sea más ameno de leer. El usar construcciones distintas te permite decir cada cosa de una manera más precisa.

- Las **oraciones cortas** son directas. En un texto con muchas oraciones largas, las cortas llaman más la atención.

- Las **oraciones largas** son fluidas y te permiten usar **palabras de enlace** para mostrar mejor la relación entre las ideas.

- El **orden** de las partes de cada oración te permite dar énfasis a lo que es más importante.

- La **puntuación** te permite jugar con el ritmo de tu texto y también relacionar ideas.

El artículo de *El País* sobre Aydin (página 288) es un buen ejemplo de un texto con distintos tipos de oraciones. En el texto...

- Encuentra una oración corta. ¿Qué dice de manera directa?

- Escoge una oración muy larga. ¿Qué palabras de enlace hay?

- Escoge una oración con la palabra de enlace «que». ¿Qué oraciones ha combinado el autor?

- Busca una oración en la que el complemento circunstancial está al principio.

- Identifica una oración en la que los dos puntos anuncien una serie.

Al revisar tu trabajo:

Dale tu trabajo a un(a) compañero(a). Cuando haya leído el texto, pregúntale si hay partes del trabajo que resultan aburridas. Entre los dos, fíjense en las oraciones. ¿Son todas la oraciones igual de largas? ¿Se repiten palabras? ¿Es siempre igual la puntuación? Editen el texto intentando variar el estilo de las oraciones.

Inténtalo tú

Edita este texto para que no sea tan monótono. Intenta variar el tipo de oraciones. Luego, comparte tus cambios con tus compañeros.

Fuimos al acuario a ver una ballena beluga. Era una ballena del Océano Ártico. Además vimos otros animales marinos. Vimos delfines. Vimos una orca. Había tiburones y manatíes. Vimos todo aquello. Nos dimos cuenta de que la ecología marina es muy delicada.

GLOSARIO DE TÉRMINOS LITERARIOS

Encontrarás más información sobre las definiciones de este GLOSARIO en las páginas que se citan al final de cada entrada. Por ejemplo, para profundizar en la definición de **Aliteración** el GLOSARIO te remite a la página 187 de este libro.

Algunas referencias que aparecen al final de ciertas entradas remiten a otras entradas del GLOSARIO que contienen información estrechamente relacionada con aquellas. Por ejemplo, al final de **Autobiografía** hay una referencia a la definición de **Biografía.**

ACOTACIONES ESCÉNICAS En un drama, las instrucciones que el autor escribe sobre la escenografía y la representación se llaman *acotaciones escénicas*. Las acotaciones escénicas pueden desempeñar un papel importante en la acción o en la atmósfera de una obra, como ocurre en algunos momentos de «Mañana de sol» de Serafín y Joaquín Álvarez Quintero (página 211).

Ver páginas 210 y 223.

ALITERACIÓN La repetición de sonidos similares en un grupo de palabras. Antonio Cabán Vale usa la aliteración de los sonidos **m** y **s** en «Verde luz» (página 237):

> Verde luz de monte y mar,
> isla virgen del coral,
> si me ausento de tus playas
> rumorosas,
> si me alejo de tus palmas
> silenciosas...

Ver página 187.

ALUSIÓN Una referencia a una obra literaria, una persona, un lugar o un suceso histórico. La alusión es una manera de relacionar una cosa con otras que ya conocemos, para entenderla mejor. Algunas alusiones hacen referencia a los mitos de la antigua Grecia y Roma, la Biblia o eventos históricos importantes. Por ejemplo, Alejandro Balaguer hace alusión a la mitología griega en su artículo «Valle del Fuego» (página 279).

Ver páginas 278 y 284.

AMBIENTE Tiempo y lugar en que se desarrolla la acción de una narración. Normalmente, el ambiente se establece al principio de una obra literaria: por ejemplo, en «Rikki-tikki-tavi» (página 43), Rudyard Kipling describe el ambiente en los primeros párrafos del cuento. El ambiente a menudo juega un papel importante en la acción de un relato, como ocurre en «La guerra de los yacarés» de Horacio Quiroga (página 101). El ambiente también contribuye a la atmósfera de un relato: por ejemplo, en «Posada de las Tres Cuerdas» de Ana María Shua (página 143), la noche oscura y el denso bosquecillo crean una atmósfera de misterio y suspenso.

Ver páginas 65, 135 y 223.

ANTICIPACIÓN Un escritor utiliza la *anticipación* para sugerir que un acontecimiento sucederá más adelante. Por ejemplo, en el cuento «Posada de las Tres Cuerdas» de Ana María Shua (página 143), los detalles de la posada que no le llaman la atención a Junchiro y la extraña apariencia y el comportamiento de la jovencita anticipan sucesos extraños que sucederán más tarde.

Ver páginas 65 y 142.

APARTE En una obra dramática, un *aparte* es el momento en el que un personaje se dirige al público sin que otros personajes lo oigan. En los momentos en que se indica el aparte en el guión, se quiere dar la impresión de que el personaje está pensando en voz alta, sin que los demás personajes se enteren de lo que dice.

Ver página 210.

ARGUMENTO Los sucesos que ocurren en un cuento, un drama o una novela. La relación de los sucesos entre sí se llama **trama**. Por lo general, la trama consiste en los siguientes elementos relacionados entre sí; exposición, conflicto, clímax y desenlace. Su estructura se puede representar gráficamente de la manera siguiente:

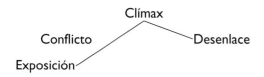

Ver páginas 12, 64, 135 y 222.
Ver también *Trama*.

ARTÍCULOS Los *artículos de noticias* cuentan **acontecimientos importantes de la vida diaria.** Normalmente, este tipo de artículo se publica en la primera sección de los periódicos. Hay un ejemplo de un artículo de noticias al comienzo del fragmento de *Aydin* (página 288). «Valle del Fuego» de Antonio Balaguer (página 278) es un artículo que se publicó en una revista. **Los *artículos de opinión* son textos breves y convincentes que presentan la postura de un periódico o una persona sobre algún tema controversial.** Aparecen normalmente en las páginas de opinión de los periódicos.

Ver página 11.

ATMÓSFERA **El carácter general de una obra literaria.** La atmósfera de una obra a menudo se puede describir con uno o dos adjetivos, como *misteriosa, melancólica* o *jovial*. El escritor crea la atmósfera por medio del lenguaje, incluyendo en el texto imágenes, sonidos y descripciones que transmiten una sensación especial. El cuento «Posada de las Tres Cuerdas» (página 143) tiene una atmósfera de horror y misterio.

Ver páginas 65 y 223.
Ver también *Tono*.

AUTOBIOGRAFÍA **Una *autobiografía* es un relato verídico en el que una persona escribe sobre su propia vida.** *Barrio Boy* de Ernesto Galarza (página 188) es una autobiografía. En un **episodio autobiográfico,** el escritor describe un incidente de su propia experiencia. Los fragmentos de *Cuando era puertorriqueña* de Esmeralda Santiago (página 79) y el fragmento de *Paula* de Isabel Allende (página 225) son episodios autobiográficos.

Ver páginas 11 y 224.
Ver también *Biografía*.

BIOGRAFÍA **La *biografía* es la historia verídica de la vida de una persona escrita por otra persona. Las biografías se basan en personajes reales. Una *semblanza* es una descripción breve de los acontecimientos de la vida de un individuo y de los rasgos de su personalidad.**

Ver página 11.

CARACTERIZACIÓN **El conjunto de técnicas que utiliza un escritor para crear los personajes de una obra literaria se llama *caracterización*.** En el caso de la **caracterización directa,** el escritor cuenta directamente a los lectores cómo es un personaje. Pero es más frecuente que el escritor revele el carácter de un personaje por medio de la **caracterización indirecta,** que incluye las técnicas siguientes:

- mostrar al personaje en acción
- utilizar las palabras del personaje en el diálogo
- describir la apariencia física del personaje
- revelar pensamientos y sentimientos del personaje
- mostrar las reacciones de otras personas al personaje

Por ejemplo, Rudyard Kipling utiliza una combinación de técnicas directas e indirectas para caracterizar a Rikk-tikki en «Rikki-tikki-tavi» (página 43).

Ver páginas 12, 42 y 65.

CLÍMAX **El *clímax* es el momento culminante de un cuento, un drama o una novela que determina su desenlace.** Por ejemplo, el momento en que Junchiro arroja su sable y lo clava en la caja del instrumento de la jovencita es el clímax de «Posada de las Tres Cuerdas» de Ana María Shua (página 143).

Ver páginas 64 y 222.
Ver también *Argumento*.

CONFLICTO El elemento central de un cuento, un drama o una novela es el *conflicto,* o la lucha entre personajes o fuerzas opuestas. En los *conflictos externos,* un personaje lucha con otra persona, un grupo o una fuerza de la naturaleza. Este tipo de conflicto es el que presenta Horacio Quiroga en «La guerra de los yacarés» (página 101). **En los *conflictos internos,*** la lucha tiene lugar dentro de la mente de un personaje. Las preocupaciones de Víctor en el cuento «Primero de secundaria» de Gary Soto (página 14) son producto de su conflicto interno.

Ver páginas 12, 64 , 135 y 222.

CUENTO Un *cuento* es una obra breve de ficción escrita en prosa, en la que normalmente se presentan uno o dos personajes principales y un solo ambiente central. Un cuento contiene normalmente los siguientes elementos: exposición, conflicto (del cual surgen las complicaciones), clímax y desenlace.

Ver páginas 64 y 114.
Ver también *Argumento.*

CUENTO POPULAR Un *cuento popular* es una historia tradicional que a menudo incluye personajes irreales como gigantes, dragones y animales que hablan. Las versiones más conocidas de algunos cuentos populares se originaron en Europa, como las historias de la Cenicienta o la Bella Durmiente, y a menudo se llaman *cuentos de hadas.*

Ver página 154.

DESENLACE En el *desenlace* se resuelven definitivamente los conflictos. En el cuento «Posada de las Tres Cuerdas» de Ana María Shua (página 143), el desenlace se produce cuando los hermanos se reúnen y descubren que la jovencita en realidad es una araña.

Ver página 65.

DIÁLOGO La conversación entre los personajes de un cuento, una novela o un drama. El diálogo es especialmente importante en el teatro, ya que por medio de éste se desarrolla la acción y el carácter de los personajes. En las novelas y los cuentos, el diálogo normalmente se indica con rayas. En las obras de teatro, el diálogo aparece sin rayas.

Ver páginas 210 y 223.

DRAMA Un *drama* es una historia que se escribe para ser representada por actores y actrices que desempeñan el papel de los personajes. Es posible apreciar un drama en su versión escrita, pero lo ideal es verlo representado en un escenario. Los elementos básicos de una obra dramática son los mismos que los de las novelas y los cuentos: exposición, conflicto, clímax y desenlace. El texto de una obra teatral contiene normalmente **acotaciones escénicas,** que son instrucciones escritas por el dramaturgo acerca de la escenografía, la forma en que los actores deben interpretar el diálogo, sus gestos y sus movimientos sobre el escenario. La acción de un drama se apoya casi completamente en el **diálogo,** o lo que dicen los personajes. La representación se completa con ciertos elementos especiales, como la escenografía, la iluminación, el vestuario, el maquillaje y la utilería.

Ver páginas 210 y 222.
Ver también *Aparte, Diálogo,
Acotaciones escénicas.*

ENSAYO Un *ensayo* es un texto breve escrito en prosa para informar, convencer o entretener al lector. Un **ensayo formal** tiene generalmente un tono serio y reflexivo. Su función es comentar un tema de interés o presentar una idea original. Un **ensayo personal** es a menudo informal, coloquial o incluso humorístico. Los ensayos personales con frecuencia reflejan los sentimientos o los gustos del autor. Un ejemplo de este tipo de ensayo es «Fiestas quinceañeras» de Rolando Hinojosa-Smith (página 24).

Ver página 11.

EXPOSICIÓN Al comienzo de un cuento, una novela o un drama, por medio de la *exposición* se presenta la situación básica al introducir al menos un personaje principal. Los párrafos iniciales de «Rikki-tikki-tavi» de Rudyard Kipling (página 43) componen la exposición del relato.

Ver páginas 64 y 222.

FÁBULA **Una *fábula* es una narración corta que ofrece una lección moral o práctica.** En la mayoría de las fábulas, los personajes son animales que hablan y actúan como las personas, como en las antiguas fábulas griegas de Esopo.

Ver página 154.

FICCIÓN **Invención o producto de la imaginación.** En la literatura, la novela y el cuento se consideran ficción. La ficción puede ser completamente imaginaria, como en «La guerra de los yacarés» de Horacio Quiroga (página 101), o puede basarse parcialmente en acontecimientos históricos, como en *Aydin* de Jordi Sierra i Fabra (página 287). Sin embargo, en este tipo de ficción realista el autor a menudo altera personajes, hechos o datos para lograr un efecto determinado.

Ver página 64.

FIGURAS RETÓRICAS **Una *figura retórica* hace una variación o una combinación especial del lenguaje común para lograr mayor expresividad.** Las figuras retóricas más frecuentes son el **símil** («El bosque es como una cortina verdosa»), la **metáfora** («El bosque es una cortina silenciosa») y la **personificación** («El bosque duerme con tranquilidad»).

Ver páginas 12, 246 y 253.

FLASHBACK **Un escritor utiliza un *flashback*, o narración retrospectiva, cuando interrumpe la acción principal para volver atrás y contar lo que ocurrió en el pasado o en una escena anterior.**

Ver página 65.

HIPÉRBOLE **La *hipérbole* es una exageración para lograr un efecto especial.** Pablo Neruda utiliza la hipérbole en su poema «La tortuga» (página 248).

Ver página 254.

IMÁGENES **Representaciones de cosas o ideas que estimulan cualquiera de los cinco sentidos (vista, oído, tacto, gusto y olfato) por medio del lenguaje.** La mayoría de las imágenes son visuales: se basan en el sentido de la vista para crear cuadros en la mente del lector. En su artículo «Valle del Fuego» (página 279), Alejandro Balaguer crea una imagen de la nieve que cubre el volcán, describiéndolo de un modo pintoresco: «Un manto blanco cubre las faldas del volcán Hualca-Hualca».

Ver páginas 12, 136, 181 y 187.

INTRODUCCIÓN

Ver *Exposición.*

IRONÍA **La *ironía* es un contraste entre la apariencia y la realidad.** La ironía se da en cuentos, novelas, obras dramáticas, ensayos y poemas. Sus efectos van de lo levemente humorístico a lo inquietante, incluso trágico. Hay tres tipos principales de ironía:

1. **Mediante la *ironía verbal*, un escritor o hablante dice una cosa con un sentido muy diferente a lo que aparenta.** Por ejemplo, en «Mañana de sol» (página 211) de Serafín y Joaquín Álvarez Quintero, la ironía verbal es evidente en el momento en que hablan doña Laura y don Gonzalo:

> DON GONZALO: Mira, Juanito, dame el libro; que no tengo ganas de oír más tonterías.
> DOÑA LAURA: Es usted muy amable.

2. **La *ironía de sucesos* se produce cuando lo que ocurre es muy diferente de lo que esperamos que suceda.** En «La guerra de los yacarés» (página 101), es irónico que los yacarés combatan a los oficiales de la marina con torpedos y que el ejército naval sea atacado con sus propias armas.

3. **La *ironía dramática* se produce cuando el lector sabe algo que un personaje no sabe.** En «Mañana de sol» (página 211), por ejemplo, doña Laura y don Gonzalo mantienen

en secreto sus verdaderas identidades, aunque nosotros sabemos la verdad.

Ver páginas 114 y 220.

LENGUAJE FIGURADO **El *lenguaje figurado* es el uso de palabras o frases en una obra literaria que crean un significado diferente del literal.**

Ver páginas 12, 94 y 204.
Ver también *Figuras retóricas.*

LEYENDA **Las *leyendas* son historias heredadas del pasado sobre hechos o sucesos extraordinarios.** Las leyendas parten de un hecho real, es decir, están basadas en algo que ocurrió en el pasado. Sin embargo, lo característico de las leyendas es que los hechos que cuentan han sido alterados o exagerados con el paso del tiempo. Las leyendas antiguas, como las historias sobre la guerra de Troya en la Grecia clásica y las historias sobre la conquista de México y Perú, se transmitieron oralmente a través de generaciones antes de ser relatadas por escrito.

Ver página 154.

METÁFORA **La *metáfora* es una figura retórica que describe algo como si fuera otra.** Las metáforas aparecen en todos los géneros literarios, pero son especialmente importantes en la poesía. Las metáforas se diferencian de los símiles, que emplean palabras de comparación como, por ejemplo, *como o igual que.* Pablo Neruda emplea metáforas en estos versos de «La tortuga» (página 248):

> Cerró
> los ojos que
> tanto
> mar, cielo, tiempo y tierra
> desafiaron,
> y se durmió
> entre las otras piedras.

Ver páginas 204, 246 y 253.

MITO **Un *mito* es una historia antigua en la que generalmente participan seres sobrenaturales, y** que sirve para explicar un fenómeno natural. La mayoría de los mitos se transmitieron oralmente antes de ser relatados por escrito. Así, es posible encontrar el mismo mito en varias versiones diferentes. En los mitos con frecuencia también suceden cosas que no tienen una explicación lógica.

Ver página 154.

NARRADOR **El *narrador* es la persona que cuenta la historia.**

Ver *Punto de vista.*

NOVELA **Las *novelas* son narraciones largas escritas en prosa que normalmente tienen más de 100 páginas.** Las novelas utilizan todos los elementos de los cuentos, como caracterización, ambiente, punto de vista y tema. Puesto que las novelas son más largas que los cuentos, pueden presentar un mayor número de personajes principales y más de un ambiente central. Además, las novelas a menudo tienen argumentos paralelos o cruzados. *Aydin* de Jordi Sierra i Fabra (página 287) es un ejemplo de novela.

Ver página 302.

ONOMATOPEYA **Se llama *onomatopeya* al uso de palabras cuyos sonidos imitan o sugieren su significado.** Ejemplos de palabras onomatopéyicas son *susurrar, borbotón,* y *tintineo.*

Ver página 187.

PARALELISMO **La repetición de palabras o de ideas que son similares en la forma, el significado o el sonido.** Antonio Cabán Vale usa el paralelismo en estos versos de «Verde luz» (página 237):

> si me ausento de tus playas
> rumorosas,
> si me alejo de tus palmas
> silenciosas...

Ver páginas 174 y 187.

PERSONIFICACIÓN **Por medio de la** *personificación* **se le dan características y sentimientos humanos a un animal o a un objeto.** Así por ejemplo, Rudyard Kipling personifica los animales para usarlos como personajes en su cuento «Rikki-tikki-tavi» (página 43). Horacio Quiroga también lo hace en su relato «La guerra de los yacarés» (página 101).

Ver páginas 100, 204, 253, 284 y 299.

POESÍA **Un lenguaje que rompe con los sentidos y significados tradicionales y literales de las palabras por medio de imágenes y figuras retóricas.** A veces se escribe en una rima fija con un ritmo determinado y con un número específico de versos. Se usa también el **verso libre**, que no tiene una rima o un ritmo fijo, ni un número específico de versos.

Ver también *Figuras retóricas, Verso libre, Imágenes, Ritmo y Rima.*

PROSA **La forma escrita que no es poesía.** Los ensayos, los cuentos, las novelas, los artículos periodísticos y las cartas están todos escritos en prosa.

Ver *Poesía.*

PUNTO DE VISTA **El** *punto de vista* **de una historia es la posición desde la cual está narrada.** Se usan con mayor frecuencia el punto de vista en primera persona, el punto de vista omnisciente en tercera persona y el punto de vista limitado en tercera persona.

1. **En el** *punto de vista en primera persona,* **un personaje narra la historia con sus propias palabras y se incluye a sí mismo en el relato.** Juan Ramón Jiménez utiliza este punto de vista en *Platero y yo* (página 117), así como Margarita M. Engle en «Niña» (página 265).

2. **En el** *punto de vista del narrador omnisciente en tercera persona,* **el narrador no participa en el relato que narra y sabe todo lo que los personajes dicen y piensan.** La «Historia del pájaro que habla, el árbol que canta y el agua de oro» (página 67) tiene un punto de vista omnisciente en tercera persona.

3. **En el** *punto de vista limitado en tercera persona,* **el narrador no participa en la historia y se concentra en los pensamientos y sensaciones de un solo personaje (o de un grupo de personajes).** Gary Soto utiliza este punto de vista en «Primero de secundaria» (página 14), así como Horacio Quiroga en «La guerra de los yacarés» (página 101).

Ver páginas 114 y 135.
Ver también *Narrador.*

REPETICIÓN **La** *repetición* **es un recurso por medio del cual se repiten palabras, frases, ritmos o sonidos.** Cuando se usa en la poesía, la repetición crea un efecto musical y enfatiza las ideas importantes. Antonio Cabán Vale usa la repetición en la canción «Verde luz» (página 237), así como Langston Hughes en «El negro habla de ríos» (página 182).

Ver páginas 174 y 187.

RIMA Los dos tipos principales de rima son la **rima consonante** o **total** y la **rima asonante** o **parcial.** **En la** *rima consonante* **o** *total* **los sonidos de las vocales y las consonantes se repiten de manera idéntica.** Estos versos de «¡Al trabajo!» de Rubén Darío (página 304) son un ejemplo de este tipo de rima:

> alegre emperador de su se**rrallo**;
> y al cántico del g**allo**

En la *rima asonante* **o** *parcial* **sólo se repite el sonido de las vocales.**

Ver página 186.

RITMO **El** *ritmo* **es un énfasis repetitivo que se escucha en una serie de palabras o sonidos.** El ritmo es especialmente importante en la poesía, aunque no todos los poemas tienen un esquema rítmico fijo. Los siguientes elementos contribuyen a crear el ritmo de un poema: rima, sílabas acentuadas y número de sílabas de los versos. Los efectos del ritmo en un poema son la presencia de una cualidad musical, la imitación de una acción concreta o el logro de un tono o efecto general. La mejor forma de apreciar el ritmo de un poema o de un texto en prosa es leerlo en voz alta.

Ver página 186.
Ver también *Versos libres*.

SEMBLANZA

Ver *Biografía*.

SÍMBOLO Un *símbolo* es una persona, un lugar, un objeto o un suceso que representa valores, ideas o conceptos. Todos conocemos muchos símbolos convencionales de la vida diaria: por ejemplo, el corazón se usa para significar el amor. En la literatura, los símbolos adquieren significados personales y a menudo sorprendentes de acuerdo al contexto. Además de su significado literal, un símbolo puede tener más de un significado figurativo. Por ejemplo, en «Cocinas» (página 198), Aurora Levins Morales describe cómo su cocina se ha convertido en un símbolo de su herencia cultural. En *Aydin* de Jordi Sierra i Fabra (página 287), para los pescadores de Gerze la ballena es un símbolo de la libertad.

Ver página 254.

SÍMIL Un *símil* es una comparación entre dos cosas mediante el uso de las palabras *como, igual que, más que* o *parecido*. Cuando el narrador de *Aydin*, de Jordi Sierra i Fabra, dice «Las palabras la envolvían, zumbaban por su cerebro como avispas enloquecidas» (página 290), utiliza un símil.

Ver páginas 204 y 253.
Ver también *Metáfora*.

SUSPENSO El *suspenso* es la incertidumbre que siente el lector sobre lo que puede ocurrir en una historia. Rudyard Kipling crea un buen efecto de sus-

penso en «Rikki-tikki-tavi» (página 43), como también lo hace Ana María Shua en «Posada de las Tres Cuerdas» (página 143).

Ver páginas 64, 66 y 75.

TEMA La idea principal de una obra literaria se llama *tema*. Es importante distinguir entre el tema de una obra literaria, es decir, lo que expresa en un sentido general, y el asunto, es decir, de lo que trata el argumento a un nivel superficial. A veces los escritores definen el tema directamente. Pero por lo general el lector tiene que pensar en todos los elementos de la obra y preguntarse lo que quiere decir el autor sobre la vida o la conducta humana.

Ver páginas 115 y 286.

TONO El *tono* es la actitud que adopta el escritor hacia un asunto. El tono de un escritor puede ser irónico, como en «La guerra de los yacarés» de Horacio Quiroga (página 101), reflexivo, como en «La tortuga» de Pablo Neruda (página 248), o gozoso, como en «¡Al trabajo!» de Rubén Darío (página 304).

Ver página 184.

TRADICIÓN ORAL Las historias de la *tradición oral* son narraciones que se transmiten de boca en boca y de generación en generación. En muchas culturas del mundo, la tradición oral ha servido para transmitir mitos, leyendas y cuentos populares durante miles de años. «Posada de las Tres Cuerdas» (página 143) de Ana María Shua es una adaptación de un cuento popular japonés. «La puerta del infierno» (página 157) de Antonio Landauro presenta una leyenda de la comunidad izalqueña de El Salvador. El cuento «Güeso y Pellejo» (página 164) de Ciro Alegría se basa en una leyenda de la región de los Andes. En el mundo actual, la tradición oral sigue jugando un papel importante en la trasmisión de historias familiares y costumbres populares.

Ver página 154.

TRAMA Se llama *trama* la forma en que un escritor presenta, ordena y relaciona los sucesos que tienen lugar en el relato.

Ver páginas 64 y 222.

UTILERÍA La *utilería* es el conjunto de objetos que se emplean en un escenario teatral.

Ver página 223.

VERSO LIBRE Poesía sin rima o esquema rítmico fijo. El verso libre a menudo emplea formas y ritmos imaginativos y sorprendentes. Francisco Hernández Vargas utiliza el verso libre en «Yo soy lo jíbaro» (página 174), así como Luis Alberto Ambroggio en «Aprender el inglés» (página 177).

Ver página 186.

EL PROCESO DE LA REDACCIÓN

Las principales etapas de la redacción

El proceso de redactar consta de seis etapas:

- Antes de escribir
- Borrador
- Evaluación y revisión
- Corrección de pruebas
- Publicación
- Reflexión

Los escritores no siempre siguen este orden. Por ejemplo, muchos escritores hacen una corrección de pruebas antes de evaluar y revisar sus borradores. Algunos, en cambio, prefieren revisar sus borradores a medida que los escriben. Al preparar tu portafolio, te darás cuenta de qué método te conviene.

Escribir con computadora

La computadora te proporciona fácil acceso a una gran cantidad de información, a la vez que elimina muchas tareas repetitivas y aburridas. A continuación, te ofrecemos algunos consejos para que escribas tus proyectos en la computadora (recuerda guardar tu trabajo después de cada paso en el disquete de reserva).

Antes de escribir

- Usa la computadora para las lluvias de ideas y para escribir sin temor a cometer errores.

- Para trabajos de investigación, puedes encontrar información útil en los CD-ROMs de los índices computarizados de publicaciones y en las bases de datos de la red de computadoras.

Borrador

- Podrás escribir tus ideas más rápidamente en la computadora que escribiendo a mano. Puedes hacer tus borradores sin preocuparte por errores de ortografía o gramática.

Evaluación y revisión

- La computadora te permite revisar tu borrador sin tener que volver a copiar o reescribirlo; sólo tienes que añadir, cortar o mover el material, según te convenga.

- Puedes imprimir diferentes versiones de tu trabajo y evaluar su contenido, organización y estilo.

Corrección de pruebas y publicación

- Un progama de corrección ortográfica te ayudará a encontrar y corregir muchos errores de ortografía.

- Los diferentes programas para revisar textos te permitirán experimentar y probar diferentes tipos de letras y diseños; la computadora te ayudará a darle a tu trabajo escrito una apariencia profesional.

Símbolos para la revisión y la corrección de pruebas

SÍMBOLO	EJEMPLO	SIGNIFICADO DEL SÍMBOLO
≡	Estados unidos	-Hacer mayúscula una letra minúscula
/	4 de Noviembre	-Hacer minúscula una letra mayúscula
∧	papilería	-Cambiar una letra
∧	en fente	-Poner una palabra, letra o signo de puntuación que no aparece
ℓ	según es parece	-Quitar una palabra, letra o signo de puntuación
↧	deslizzante	-Quitar una letra y cerrar el espacio
(tr)	la anguila entre mis manos se deslizó.	-Cambiar de lugar el material dentro del círculo
⌗	⌗ —¡Ay!— gritó.	-Empezar otro párrafo
⊙	Se asomó desde los arbustos⊙	-Poner un punto
⌄	Ernesto⌄el hermano mayor de Alfonso⌄ apareció.	-Poner una coma

EL PÁRRAFO

La idea principal y su desarrollo

Una de las maneras más comunes de organizar el trabajo escrito es por medio de **párrafos.** Éstos se combinan para producir textos más largos y completos, como un cuento, un artículo periodístico o una carta.

Casi todos los párrafos tienen una **idea principal.** Ésta es la idea o tema alrededor de la cual se organiza el párrafo; todas las oraciones en un párrafo deben relacionarse con ella.

Identificación de la idea principal y la oración principal

La idea principal de un párrafo se puede expresar directa o indirectamente. En el primero de los casos, la encontramos en la **oración principal.** Ésta se puede colocar en cualquier parte del párrafo, pero generalmente está al principio. Cuando la oración principal se encuentra más adelante, sirve para unir ideas y mostrar al lector qué relación hay entre esas ideas. En el siguiente párrafo, observa cómo Ernesto Galarza comienza con la oración principal, que aparece en letra cursiva, y luego desarrolla la idea.

> *La parte baja de la ciudad era un conglomerado de nacionalidades en medio del cual Miss Nettie Hopley dirigía el colegio con disciplina y compasión.* Convocaba asambleas generales en el salón del segundo piso para presentar a personas célebres como el sargento de policía o el jefe de los bomberos, para explicar las regulaciones del colegio, para entregar premios a nuestros atletas campeones y para darnos avisos importantes. Uno de éstos fue que yo había sido propuesto por el colegio y aceptado como miembro de la Banda de Niños de Sacramento que recién se había formado. «¿No es algo admirable?» preguntó Miss Hopley al colegio reunido en asamblea, y todos me miraron. Y todos contestaron en coro, incluso yo, «Sí, Miss Hopley».
>
> —Ernesto Galarza, *Barrio Boy*

Los **párrafos narrativos,** aquellos que cuentan una serie de sucesos, no tienen una oración que exprese directamente la idea principal. En este tipo de párrafo, el lector va juntando detalles para entender la idea principal. En el siguiente ejemplo, los detalles expresan indirectamente que Víctor espera encontrarse con Teresa.

> El patio triangular y pequeño de la escuela bullía con estudiantes que hablaban de sus nuevas clases. Todo el mundo estaba de buen humor. Víctor se apresuró hacia la zona donde comían los alumnos que habían traído sus propios almuerzos y se sentó y abrió su libro de matemáticas. Movió los labios como si leyera, pero pensaba en otra cosa. Levantó la vista y miró a su alrededor. No estaba Teresa.
>
> —Gary Soto, «Primero de secundaria»

Desarrollo con detalles secundarios

Los **detalles secundarios** explican, prueban o amplían la idea principal de un párrafo. Pueden ser sucesos, hechos, imágenes, ejemplos, razones y citas.

Unidad y coherencia

Un buen párrafo posee **unidad y coherencia.** En un párrafo que tiene unidad, todas las oraciones están relacionadas con la idea principal. Un párrafo es coherente cuando todas las ideas están relacionadas, tienen sentido y su lectura es fácil de seguir.

Para ayudar al lector a seguir tus ideas, utiliza **palabras de enlace** que muestren la coherencia que hay entre las oraciones.

PALABRAS DE ENLACE		
De tiempo		
después	eventualmente	de pronto
ya	finalmente	entonces
al fin	primero	luego
enseguida	mientras tanto	cuando
antes	mientras	
De lugar		
encima	primero	sobre
a través de	aquí	segundo
alrededor	dentro	debajo
junto a	bajo	
fuera de	arriba	
De importancia		
porque	al menos	lo más importante
principalmente	segundo	finalmente
además	primero	entonces
por último	sobre todo	para empezar
De comparación		
también	además	y
del mismo modo	otro	asimismo
igualmente	cual	como
De contraste		
aunque	en lugar de	pero
sin embargo	a pesar de	todavía
no obstante	incluso	
De causa		
porque	dado que	debido a
puesto que	por	ya que
De efecto		
como resultado	así que	por consecuencia
entonces	así pues	por lo que

Ejemplo de entrada

① ②

i·ma·gen [imáxen] *s/f* **1.** Representación en forma de dibujo, grabado, fotografía, etc., de una cosa o una persona: *Estas imágenes fueron rodadas en el mismo lugar en que ocurrió la batalla.* ③ **2.** Escultura sagrada: *Esta imagen sale en procesión el Viernes Santo.* ④ ③ Representación mental de una persona o de una cosa: *En cuanto le viene su imagen a la mente empieza a llorar.* **4.** Figura formada por el reflejo de un objeto en superficies como un espejo, una pantalla, etc.: ⑤ *Le gusta contemplar su imagen en el agua.* **5.** Aspecto de una persona, especialmente de las que han de tratar o tener relación con grandes públicos: *Como político que es, cuida mucho su imagen.* **6.** (FIG) Descripción muy real de una cosa: *Sus crónicas son una viva imagen de la vida madrileña.* **7.** Recurso literario para hacer más bella, más expresiva una idea, y que consiste en utilizar para su formulación vocablos tomados de ideas similares: *Las imágenes en ese párrafo se suceden impetuosas como una cascada.*

⑥ (SIN) **2.** Talla. **3** y **4.** Figura. **7.** Metáfora, figura.

TÉCNICAS DE ESTUDIO

Uso del diccionario

I. Entrada. La entrada nos provee la definición y el significado de la palabra y nos muestra la ortografía correcta. A veces se incluye la pronunciación. También nos indica si lleva mayúscula o si se puede escribir de otras maneras. Los adjetivos se dan generalmente en sus dos formas: masculina y femenina.

2. **Clasificación morfológica.** Estas clasificaciones suelen estar abreviadas y nos indican cómo se usan las palabras en la oración (como nombre, verbo, adverbio, etc.); para los nombres se da el género. Algunas palabras tienen diferentes funciones y, para éstas, el diccionario ofrece la abreviatura correspondiente antes de cada definición.

3. **Ejemplos.** Palabras o frases en cursiva que nos muestran cómo se usa la palabra definida.

4. **Definiciones.** Si la palabra tiene más de un significado, las distintas definiciones van numeradas o marcadas con letras.

5. **Otros usos.** Estas especificaciones identifican las palabras que tienen significados especiales o que se usan de un modo diferente en ciertas ocasiones.

6. **Sinónimos y antónimos.** Algunas veces se enumeran sinónimos y antónimos al final de la entrada. Puedes encontrar otros sinónimos y antónimos en un **tesauro,** que es otro tipo de libro de referencia.

Interpretación de mapas, cuadros y gráficos

Tipos de mapas

- Los **mapas topográficos** muestran el paisaje natural de un área. A veces están sombreados para dar una sensación de **relieve** (formaciones tales como montañas, colinas y valles) y se usan colores distintos para mostrar **elevaciones** (la altura sobre o por debajo del nivel del mar).

- Los **mapas políticos** indican unidades políticas, como países y estados. Suelen señalar las fronteras con líneas, las ciudades importantes con puntos y las capitales con estrellas dentro de un círculo. Los mapas políticos se usan también para proporcionar información como cambios territoriales o alianzas militares.

- Los **mapas de usos especiales** presentan información específica, tales como rutas de exploradores, resultados de elecciones y el lugar de determinados cultivos, industrias o poblaciones. Los mapas literarios al principio de este libro son ejemplos de mapas de usos especiales.

Cómo interpretar un mapa

1. **Identifica cuál es el objetivo del mapa.** Su título e indicaciones te mostrarán cuál es el tema y el área geográfica que cubre.

2. **Estudia la leyenda del mapa.** La **leyenda** o **clave** explica el significado de cualquier símbolo, línea, color o sombreado que presente el mapa.

3. **Observa las direcciones y las distancias.** Los mapas incluyen a menudo una **rosa de los vientos** o **indicador direccional,** que señala dónde están el norte, el sur, el este y el oeste. Si no hay indicador direccional, asume que el norte se encuentra en la parte superior del mapa, el oeste a la derecha, etcétera. Muchos mapas

también incluyen una escala para ayudarte a comparar las distancias representadas con las reales.

4. **Ten en cuenta el área que rodea la zona cubierta por el mapa.** Los mapas dan la **latitud** (número de grados al norte o al sur del ecuador) y la **longitud** (número de grados al este o al oeste del meridiano de Greenwich en Inglaterra) de cualquier lugar en la Tierra. Algunos mapas también contienen **mapas de localización,** que muestran la situación del área representada en relación con territorios colindantes o con el mundo. (Encontrarás un mapa de localización en la página iv.)

Tipos de cuadros

- Un **flujograma** refleja una secuencia de acontecimientos o los pasos de un proceso. Estos tipos de cuadros muestran relaciones de causa y efecto.

- Un **diagrama temporal** muestra sucesos históricos en **orden cronológico** (el orden en que sucedieron). Observa también el ejemplo de la página 246.

- Un **organigrama** nos muestra la estructura de una organización: la función de cada parte, su importancia y cómo se relacionan las diferentes partes entre sí.

- Por medio de columnas, una **tabla** presenta datos, generalmente estadísticos, en categorías fáciles de entender.

Cómo interpretar un cuadro

1. **Lee el título** para identificar el propósito del cuadro.

2. **Lee los rótulos, las secciones y las indicaciones** del título para averiguar qué categorías lo forman y qué datos se ofrecen para cada una de ellas.

3. **Analiza los detalles.** Sigue las líneas y las flechas para comprender la dirección o el orden de los sucesos o los pasos. Lee los números cuidadosamente y toma nota de los datos, los intervalos de tiempo y los incrementos o disminuciones de las cantidades.

Tipos de gráficos

- Los **gráficos lineales** muestran generalmente cambios en cantidades a lo largo del tiempo. Sus componentes básicos son una línea horizontal, llamada eje horizontal, y una vertical, llamada eje vertical. Normalmente, el eje vertical indica números o porcentajes, mientras que el horizontal muestra periodos de tiempo. Los puntos muestran el número o el porcentaje de lo que se mide o se cuenta a través del tiempo. Los puntos se conectan para crear el gráfico.

- Los **gráficos de barras** suelen usarse para comparar cantidades dentro de categorías determinadas.

Gráfico lineal

Gráfico de barras

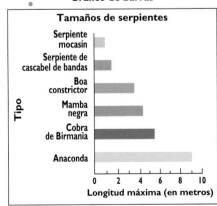

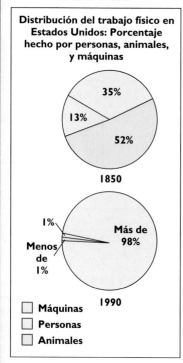

Distribución del trabajo físico en Estados Unidos: Porcentaje hecho por personas, animales, y máquinas

35%

13%

52%

1850

1%

Menos de 1%

Más de 98%

1990

☐ Máquinas
☐ Personas
☐ Animales

• Los **gráficos circulares** sirven para ilustrar proporciones; dividen un círculo en secciones de diferente tamaño, como rebanadas de un pastel. Observa también el ejemplo de la página 196.

Cómo interpretar un gráfico

1. **Lee el título** para identificar el tema y propósito del gráfico.

2. **Lee las indicaciones en cada eje, barra o sección** para ver qué tipo de información se ofrece.

3. **Analiza los datos.** Toma nota de aumentos o disminuciones en las cantidades. Busca tendencias, relaciones y variaciones en los datos.

Estrategias para tomar un examen

Antes de comenzar a responder un examen, **analízalo.** Observa los elementos que lo componen y decide cómo administrar tu tiempo. Si cada pregunta tiene la misma importancia en la calificación, deja para el final las que más tiempo te tomen.

En las **preguntas de selección múltiple** debes elegir la respuesta correcta entre una lista de respuestas posibles.

EJEMPLO   El tema de un cuento expresa su

> **A.** sujeto   **C.** conflicto
>
> **B.** mensaje   **D.** ambiente

Cómo contestar preguntas de selección múltiple

Lee la pregunta o la afirmación cuidadosamente.

• Asegúrate de que la comprendes antes de examinar las opciones.

• Busca palabras como *no* o *siempre,* que eliminarán alguna de las opciones.

Lee todas las alternativas antes de seleccionar una respuesta.

• Elimina las que sepas que son incorrectas.

• Piensa cuidadosamente en las opciones restantes y selecciona la que tiene más sentido.

En las **preguntas de verdadero/falso** debes decidir si una afirmación dada es correcta o falsa.

EJEMPLO   V___ F___ Ernesto Galarza nació en México, pero se mudó a los Estados Unidos cuando era niño.

Cómo contestar preguntas de verdadero/falso

Lee la afirmación cuidadosamente: puedes concluir que es falsa si parte de la información es falsa.

Busca palabras clave: términos como *siempre* o *nunca* pueden ayudarte a encontrar las respuestas.

Los **ejercicios de relacionar columnas** consisten en emparejar correctamente los elementos de dos listas.

EJEMPLO   Relaciona los elementos de la columna de la izquierda con su descripción en la de la derecha.

  ___ **1.** ambiente **A.** historia de la vida de una persona

  ___ **2.** biografía **B.** representación verbal de cosas o ideas

  ___ **3.** metáfora **C.** tiempo y espacio en que ocurre la acción

  ___ **4.** imágenes **D.** describe una cosa como si fuera otra

Cómo hacer ejercicios de relacionar columnas

Lee las instrucciones cuidadosamente: a veces no usarás todos los elementos de una columna, mientras que en otras ocasiones éstos tendrán más de una pareja.

Examina las columnas para identificar elementos relacionados: primero, relaciona los elementos que conoces; luego, evalúa aquéllos sobre los que estás menos seguro.

Completa el resto de las parejas: trata de encontrar las relaciones con más sentido entre los elementos que te quedan.

Los **ejercicios de analogía** te piden que reconozcas la relación que existe entre dos palabras y que identifiques otro par de palabras con una relación similar.

EJEMPLO   Selecciona las palabras que tengan la misma relación que
ORACIÓN : PÁRRAFO :: _____ : _____

  A. nombre : verbo **C.** oración : cuento

  B. párrafo : ensayo **D.** poesía : ficción

Hay diferentes tipos de analogías, pues dos conceptos se pueden relacionar de muchas maneras diferentes.

Cómo hacer ejercicios de analogía

Analiza las primeras palabras: razona cuál es la relación entre ellas (la relación entre una *oración* y un *párrafo* es la de «parte de un todo»; una *oración* es parte de un *párrafo*).

Expresa la analogía con una afirmación o pregunta: por ejemplo, en ORACIÓN : PÁRRAFO, el primer elemento es parte del segundo; ¿en qué otra alternativa sucede lo mismo?

Encuentra la mejor alternativa para completar la analogía: selecciona las palabras que tienen el mismo tipo de relación que las primeras (una *oración* es parte de un *párrafo* del mismo modo que un *párrafo* es parte de un *ensayo*).

PREGUNTAS DE ENSAYO		
Verbo clave	Tarea o actividad	Ejemplo de pregunta
Analizar	Dividir algo en partes para examinar la función de cada una.	Analiza el personaje de Parizada en «Historia del pájaro que habla, el árbol que canta y el agua de oro».
Comparar	Buscar parecidos (a veces comparar significa «comparar y contrastar»).	Compara el tema de «Mis primeros versos» con el de «Primero de secundaria»
Contrastar	Buscar diferencias.	Contrasta el tono de «Aprender el inglés» con el de «Yo soy lo jíbaro».
Definir	Dar los detalles concretos que caracterizan a algo.	Define el término onomatopeya.
Describir	Expresar una imagen en palabras.	Describe el ambiente de «Posada de las Tres Cuerdas».
Discutir	Examinar en detalle.	Discute el tema de «Aprender el inglés».
Explicar	Dar razones.	Explica por qué la anticipación ayuda a crear suspenso.
Identificar	Comentar características específicas.	Identifica las características de un personaje.
Enumerar	Poner en orden los pasos de un proceso o ciertos detalles sobre un tema.	Enumera las partes principales del argumento.
Resumir	Revisar brevemente los puntos principales.	Resume la historia «Rikki-tikki-tavi».

Cómo contestar preguntas de ensayo

Las **preguntas de ensayo** requieren que escribas respuestas en uno o más párrafos. Antes de comenzar a responder a una pregunta de ensayo, léela e identifica los **verbos clave.** Estos verbos te dicen qué tipo de respuesta se te está pidiendo. También te indican si la respuesta se compone de una o más partes.

Aprendizaje en equipo

Cuando trabajas en equipo con un grupo de compañeros, combinas tus habilidades y conocimientos con los de ellos para aprender más de lo que podrías aprender por tu cuenta. Tu grupo tendrá un propósito específico, como por ejemplo, discutir y compartir ideas o información, resolver un problema, completar un proyecto o presentar conclusiones ante un grupo mayor. Una vez que conozcan el propósito del grupo, consideren cuánto tiempo tienen para cumplir su objetivo. Decidan entonces cómo van a realizar su tarea.

Funciones y responsabilidades

Cada miembro se hace responsable de participar activamente en el trabajo del equipo, escuchando con respeto a los demás y cooperando con ellos para conseguir el objetivo propuesto.

Los miembros del grupo pueden ejercer diferentes funciones. El desempeño de algunas, como las que siguen, se puede prolongar mientras dure el trabajo del equipo:

- **Líder:** Se asegura de que el grupo no se salga del rumbo marcado, anima a cada miembro a participar y ayuda a resolver conflictos.

- **Secretario:** Toma notas de toda información relevante.

Otras funciones se pueden intercambiar entre los miembros del equipo:

- **Vocero:** comparte una idea o respuesta con el grupo.

- **Ampliador:** propone preguntas al vocero con el fin de obtener más información.

- **Animador:** alienta al vocero y al ampliador en sus intervenciones.

   Procura estar siempre listo para defender tus comentarios; recuerda que una **opinión válida** está respaldada por hechos y detalles. Por ejemplo, si afirmas que el personaje principal de la historia que tu grupo está discutiendo es un cobarde, tienes que proveer ejemplos del texto que demuestren su falta de coraje.

   A veces te sentirás incómodo al compartir tus pensamientos y sentimientos con el grupo; no te sientas presionado a la hora de expresarlos. Es importante que cada miembro del grupo respete la privacidad de los demás. Intenta discutir la tarea o el tema sin referirte a ti mismo.

Control de grupo

Después de finalizar una actividad grupal, piensa qué consiguió tu equipo y cuán bien trabajaron juntos. ¿Resolvieron los conflictos de una manera positiva? ¿Tuvo todo el mundo la oportunidad de participar? Traten de completar juntos las siguientes frases:

   Creo que hoy hicimos bien: _____ .

   Podríamos mejorar en: _____ .

ESTRATEGIAS DE LECTURA Y PENSAMIENTO CRÍTICO

Parafrasear y resumir

Parafrasear significa expresar las ideas de otros con tus propias palabras, de manera que sean más fáciles de entender. A diferencia de un resumen, una paráfrasis es generalmente tan larga como el texto original.

Cómo escribir una paráfrasis

1. Lee cuidadosamente el texto para identificar la idea principal y los detalles secundarios. Busca en un diccionario las palabras que no te sean familiares.

2. Reescribe la idea principal y los detalles secundarios con tus propias palabras. Sigue el mismo orden de las ideas del texto. Trabaja frase por frase, acorta oraciones o estrofas largas y expresa las ideas complejas de manera clara y sencilla.

3. Asegúrate de que tu paráfrasis diga lo mismo que el original, pero en tus propias palabras.

Aquí tienes un poema y su paráfrasis:

> **Hay un naranjo ahí**
> Hay un naranjo enfrente, tras de ese viejo tapial abandonado
> pero no es el mismo naranjo que sembramos,
> y es un bello naranjo
> tan bello que nos hace recordar
> aquel naranjo que sembramos
>   —en nuestra tierra—
> antes de venir a esta casa
> tan distante y lejana de aquélla
> donde sembramos un naranjo
> y hasta lo vimos—como éste—florecer.
>   —Alfonso Quijada Urías

La paráfrasis

Hay un naranjo detrás de un tapial abandonado frente a su casa. La belleza del naranjo le recuerda el naranjo que había sembrado y había visto florecer frente a la casa en que vivía antes de mudarse a esta nueva y lejana tierra.

Parafrasear es un buen ejercicio para comprobar si has comprendido lo que leíste u oíste. Si el escritor u orador está presente (por ejemplo, en una conferencia o entrevista en la que participan tus compañeros) parafrasea en voz alta cualquier afirmación que no te haya quedado clara y pregunta al escritor u orador si tu interpretación es correcta.

Resumir significa expresar las ideas de un texto en menos palabras.

Cómo escribir un resumen

1. Ojea el texto para encontrar la idea principal.

2. Vuelve a leer el texto más atentamente y toma nota de los detalles secundarios más importantes.

3. Reescribe la idea principal y los detalles importantes con tus propias palabras.

4. Asegúrate de que has cubierto los puntos más importantes de manera más breve.

Para más información sobre resúmenes, ver la página 285.

Hacer generalizaciones

Una **generalización** es una afirmación aplicable a muchos individuos o experiencias. Aquí tienes algunas afirmaciones **concretas** y una generalización basada en ellas.

AFIRMACIONES CONCRETAS:	Las chitas pueden correr a setenta millas por hora.
	Los leones pueden correr a cincuenta millas por hora.
	Los gatos pueden correr a treinta millas por hora.
GENERALIZACIÓN:	Todos los felinos son muy ligeros.

Una generalización se basa en tus propias experiencias y observaciones y abarca un conocimiento mayor, más general. Sin embargo, no todas las generalizaciones son **válidas** o ciertas. No hagas generalizaciones **apresuradas** basadas en unas cuantas observaciones concretas. Imagina que estás leyendo algunos poemas de este libro. Podrías decir:

AFIRMACIONES ESPECÍFICAS:	El poema «Hay un naranjo ahí» es corto.
	El poema «Aprender el inglés» es corto.
	El poema «¡Al trabajo!» es corto.
GENERALIZACIÓN:	Todos los poemas son cortos.

¿Es válida esta generalización sobre «todos los poemas»? Si puedes encontrar excepciones, la generalización es incorrecta.

Otras estrategias

Para una discusión de las siguientes estrategias, estudia los ejercicios de ESTRATEGIAS PARA LEER indicados.

- Uso de métodos de comparación y contraste página 22
- Sacar conclusiones página 77
- Cómo utilizar las pistas del contexto página 124
- Hacer predicciones página 163
- Distingue hechos de opiniones página 197
- Reconocer relaciones de causa y efecto página 231
- Haz una evaluación página 263

BÚSQUEDA DE INFORMACIÓN

La biblioteca y el centro de medios audiovisuales

La redacción de informes te permite encontrar más y mejor información sobre temas que te interesan para compartir esta información con otros. A veces, podrás escoger tu propio tema, mientras que otras veces, se te asignará. En ambos casos, probablemente necesitarás reunir información de diferentes fuentes.

Puedes encontrar esta información en las bibliotecas de tu escuela y tu comunidad. Muchas bibliotecas tienen ahora centros de medios audiovisuales. No dejes de consultar otros tipos de fuentes que tu comunidad te puede ofrecer: empresas, museos, oficinas de redacción de periódicos, zoológicos, hospitales, grupos cívicos o asociaciones como las sociedades históricas, e individuos bien informados a los que puedes entrevistar personalmente.

Cómo encontrar información

La organización de la biblioteca

Las bibliotecas y los centros de medios audiovisuales asignan un **número de clasificación** (un código de letras y números) a cada libro. El número de clasificación te indica dónde encontrar el libro en la biblioteca y cómo fue clasificado.

La mayoría de las bibliotecas y los centros de medios audiovisuales de las escuelas utilizan el **sistema decimal Dewey** como base para la clasificación. Este sistema clasifica y organiza los libros de acuerdo a sus temas. El número de clasificación indica la materia que corresponde al tema del libro; por ejemplo, un libro sobre motores de aviones estará en la sección de tecnología, en los números 600-699.

Las biografías están, por regla general, en una sección especial de la biblioteca. Se organizan en orden alfabético de acuerdo con el apellido de la persona en la que se basa la biografía. Los libros de ficción tienen generalmente su propia sección, y se clasifican alfabéticamente según el apellido del autor. Dos o más libros escritos por el mismo autor se organizan alfabéticamente según las primeras palabras de sus títulos.

La mayoría de las bibliotecas y los centros de medios audiovisuales tienen una sección aparte para libros de referencia. Además de enciclopedias, tienen índices biográficos, atlas, almanaques y diccionarios. Muchos están clasificados en orden alfabético; el bibliotecario te explicará la organización de esta sección para ayudarte a encontrar lo que buscas.

El catálogo de fichas

Encontrarás el número de clasificación de cualquier libro en la biblioteca/centro de medios, buscando en el catálogo de fichas. Su estructura clásica es la de un mueble con pequeños cajones que contienen las fichas. Éstas están ordenadas en orden alfabético por título, autor o tema. Sin embargo, en muchas bibliotecas la red de catálogos computarizados ha sustituido al tradicional catálogo de fichas y consiste en una estación o terminal de computadora con pantalla y teclado, y provee la misma información que el catálogo de fichas. La única diferencia es que la información se da en forma electrónica en vez de física.

Todo libro de ficción tiene en el catálogo una ficha por título y otra por autor. Si el libro no es de ficción, tendrá también una ficha por tema.

Las fichas del catálogo probablemente estarán en inglés. A la izquierda hay un ejemplo de las fichas de un libro que no es de ficción.

Title Card

305.86872	East Los Angeles: history of a barrio
ROM	**Romo, Ricardo.**

East Los Angeles: history of a barrio/by Ricardo Romo. 1st ed.

Austin: University of Texas Press [c1983]

xii, 220p.; 24 cm.

Author Card

305.86872	**Romo, Ricardo.**
ROM	East Los Angeles: history of a barrio/by Ricardo Romo.

1st ed.

Austin: University of Texas Press [c1983]

xii, 220p.; 24 cm.

Subject Card

305.86872   MEXICAN AMERICANS—CALIFORNIA
ROM   —EAST LOS ANGELES
Romo, Ricardo.
East Los Angeles: history of a barrio/by Ricardo Romo.
1st ed.
Austin: University of Texas Press
[c1983]
xii, 220p.; 24 cm.
ISBN 0-292-72040-8   ISBN 0-292-72041-6 (pbk.)
1. Mexican Americans—California—East Los Angeles—Social conditions. 2. Mexican Americans—California—East Los Angeles—History. 3. East Los Angeles (Calif.)—Social conditions. 4. East Los Angeles (Calif.)—History. I. Title.

Otras fuentes

Hoy día las bibliotecas tienen muchas otras cosas además de libros. Pregúntale al bibliotecario sobre la disponibilidad de libros en audiocasete, películas en videocasete, discos compactos y otros materiales.

Libros de referencia

La mayoría de las bibliotecas y centros de medios de información tienen una sección aparte para libros de referencia, publicaciones que contienen información ordenada para que sea fácil de encontrar. El bibliotecario te puede explicar cómo está organizada esta sección y ayudarte a encontrar el material que buscas. Generalmente, los libros de referencia no se pueden sacar de la biblioteca.

Bases de datos

Algunas bibliotecas también tienen acceso a bases de datos electrónicas y a amplias colecciones de información en computadora. Los servicios de investigación computarizados te ofrecen acceso a cientos de bases de datos. A veces hay que pagar por estos servicios; pídele a tu bibliotecario que te informe.

Esta es la información que contiene una ficha:

1.	Número de clasificación	El número asignado a un libro por los sistemas de clasificación de la biblioteca del Congreso de los Estados Unidos o el sistema decimal Dewey
2.	Autor	Nombre completo del autor, comenzando por el apellido
3.	Título	Título y subtítulos completos del libro, si los hay
4.	Editorial	Lugar y fecha de publicación
5.	Tema	Tema general del libro; la ficha del tema puede que tenga un encabezamiento más específico
6.	Descripción física	Descripción del libro: tamaño, número de páginas e ilustraciones
7.	Otras referencias	Indican encabezamientos o temas relacionados bajo los que puedes buscar otros libros en la biblioteca

LIBROS DE REFERENCIA	
Tipo y ejemplos	**Descripción**
Enciclopedias	• Múltiples volúmenes
Enciclopedia Hispánica	• Artículos organizados alfabéticamente por temas
Gran Enciclopedia Visual	• Contiene información general • Puede tener índice en volúmenes separados
Referencias biográficas generales	• Información sobre nacimiento, nacionalidad y logros más importantes de personas sobresalientes
Referencias biográficas especiales	• Información sobre gente conocida por sus logros especiales en diversos campos o por su pertenencia a determinados grupos
Atlas	• Mapas e información geográfica
Almanaques	• Datos actualizados, hechos, estadísticas e información sobre sucesos actuales
Libros de citas	• Citas famosas clasificadas por temas
Libros de sinónimos Diccionarios de sinónimos y antónimos	• Listas de palabras que ayudan a expresar ideas de manera precisa

Publicaciones periódicas

Los diarios y otras publicaciones también contienen información útil. Pídele al bibliotecario que te muestre la lista de publicaciones periódicas que tienen.

También hay disponibles índices computarizados de artículos de periódicos y revistas. InfoTrac, por ejemplo, se actualiza mensualmente y proporciona un catálogo de revistas de interés general publicadas desde 1985. Con frecuencia, la computadora provee titulares y un **sumario** (una breve exposición de las ideas principales del artículo); otras veces, el texto original del artículo de un periódico o revista se puede imprimir o leer en la computadora.

Si el artículo que quieres es de una edición anterior de un periódico o revista, lo puedes encontrar almacenado en microfilm o microficha. Lo puedes leer usando un proyector que aumenta la imagen a un tamaño legible.

Documentación de fuentes y toma de notas

Al realizar un trabajo de investigación reúnes información de muchas fuentes diferentes. Cada vez que cites directamente o parafrasees las ideas de alguien, tienes que documentar tus fuentes, es decir, indicar de qué texto obtuviste la información. Si no lo mencionas, estás cometiendo plagio. Plagiar es usar palabras e ideas de un autor sin mencionar su nombre.

Cuando comiences a investigar para tu trabajo, no pierdas de vista la información que vas encontrando y anótala en **fichas de trabajo.** Éstas son tarjetas de 3" x 5" o media cuartilla de papel de cuaderno. Cuando encuentres un libro, un artículo, una revista, un videocasete u otra fuente de información que quieras usar, dale un número. Empieza con el número uno y escríbelo en la esquina superior derecha de tu ficha. Si tienes cinco fuentes, tendrás cinco fichas, numeradas del 1 al 5. Después de numerarlas, escribe en cada una la información que necesitarás posteriormente para poder documentarla.

La siguiente guía te muestra los datos que necesitas para documentar los diferentes tipos de fuentes. Sigue el uso de mayúsculas y minúsculas, puntuación y orden de la información con exactitud. Usa la información en la ficha de trabajo para preparar una **lista de obras citadas** al final de tu trabajo.

Guía para la documentación de fuentes

Libros: autor, título, ciudad de publicación, editorial y año de edición.
Ejemplo: Fuentes, Carlos. El naranjo. México: Alfaguara Hispánica, 1993.

Revistas y periódicos: Autor, título del artículo, nombre de la revista o el periódico, fecha y números de las páginas. Si no hay autor, comienza con el título.

Ejemplo: Sierra, Robert. «Miguel Induráin... ¿hombre o máquina?»
El Especial 3–9 de agosto de 1995: 66–67.

Artículos de enciclopedia: autor, título del artículo, nombre de la enciclopedia, año y edición (ed.). Si no tiene autor, comienza con el título.

Entrevistas: Nombre del experto, las palabras «entrevista personal» o «entrevista telefónica» y fecha.
Ejemplo: Silva, Protasio. Entrevista telefónica. 19 de septiembre de 1995.

Películas y videocasetes: Título de la película o el video, nombre del director o el productor, nombre del estudio y año del estreno.
Ejemplo: Zoot suit. Dir. Luis Valdez. Universal Films, 1981.

Toma de notas

Cuando tomes notas para un trabajo de investigación, prepara un esquema informal o una lista de preguntas de investigación previas que te guiarán a la hora de recopilar información. Recuerda qué preguntas quieres contestar cuando estudies tus fuentes; añade nueva información cuando la encuentres, siempre y cuando esté relacionada con tus preguntas. Estos consejos te ayudarán a tomar buenas notas:

- Usa una ficha o una hoja de papel de 4"x 6" para cada fuente y para cada nota.

- Usa abreviaturas, frases cortas, y haz listas; no tienes que escribir oraciones completas.

- Usa tus propias palabras; si copias las palabras exactas de alguien, ponlas entre comillas.

- Incluye en cada ficha u hoja de papel una palabra o frase clave, en la esquina superior izquierda, que refleje cuál es el tema de la nota. Las palabras o frases clave pueden ser tomadas de tu esquema o lista de preguntas de investigación.

- Pon el número de la fuente en la esquina superior derecha de cada ficha.

- Escribe en la esquina inferior derecha de cada ficha el número de la(s) página(s) donde encontraste la información.

    La siguiente ficha contiene información sobre uno de los murales del pintor mexicano, Diego Rivera.

                                                         1

El trabajo de Diego Rivera titulado
   «El agua como origen de la vida»

— fue terminado en 1951
— incluye esculturas y murales
— desarrolló una idea única: pintar un mural bajo el agua.
                                   pág. 255

Recursos de la comunidad

Búsqueda y contacto con las fuentes

Después de escoger un tema, piensa en miembros de tu comunidad que te puedan ayudar a investigarlo. Estos expertos se encuentran en empresas locales u organizaciones con diversos intereses. Búscalos también en museos, sociedades históricas, periódicos, universidades y oficinas de gobierno local, estatal y federal.

EJEMPLO — Estás investigando una controversia acerca de la calidad del agua de un río local. Este río suministra el agua potable de tu ciudad y es un lugar de recreo frecuentado. Podrías seguir los siguientes pasos:

- **Telefonea** o **escribe** una carta a grupos ecologistas, a un laboratorio de análisis de aguas y a una compañía que venda agua embotellada, solicitando información sobre tu tema.
- **Entrevista,** por ejemplo, a un profesor de biología de la escuela secundaria, y a un representante de los departamentos locales que manejan el agua potable de tu ciudad.
- **Averigua** la opinión de la gente que pesca y se baña en el río, y de la gente que bebe su agua.

Entrevistas

Otro modo de recopilar información para un trabajo de investigación es por medio de entrevistas. Una entrevista es una situación especial; a la vez que reúnes información, necesitas escuchar con la mente abierta y tratar de comprender el punto de vista de la persona a quien estás entrevistando. Las entrevistas se pueden realizar en persona o por teléfono.

A la izquierda te ofrecemos algunos consejos que te ayudarán a ser un buen entrevistador.

Redacción de correspondencia comercial

A la hora de escribir una carta comercial, ten muy en cuenta su propósito. Puedes estar solicitando información, quejándote sobre un producto defectuoso o pidiéndole a una empresa que te cambie cierta mercancía. Los siguientes consejos te ayudarán a escribir cartas que logren el efecto que deseas.

Cómo escribir buena correspondencia comercial

- **Usa un tono amable, respetuoso y profesional.** Una carta cortés será efectiva.
- **Usa un lenguaje formal.** Evita el lenguaje vulgar y coloquial. El lenguaje informal que podría ser aceptable en una conversación telefónica o una carta personal no es aceptable en una carta comercial.
- **Ve directo al grano.** Plantea clara y brevemente el propósito de tu

---

Antes de la entrevista

- Decide qué información es la que más necesitas.
- Prepara una serie de preguntas para la entrevista.
- Haz una cita para un encuentro personal o telefónico. Sé puntual.

Durante la entrevista

- Sé amable y paciente. Dale a la persona entrevistada tiempo para contestar a cada pregunta.
- Después de hacer una pregunta, escucha la respuesta. Si no estás seguro de que la comprendiste, haz más preguntas.
- Si quieres citar directamente a la persona en tu trabajo, pídele permiso.
- Respeta la opinión del entrevistado. Pídele que te explique un punto de vista, y sé amable aunque no estés de acuerdo.
- Al final de la entrevista, agradécele a la persona su ayuda.

Después de la entrevista

- Revisa tus notas tan pronto como puedas, para asegurarte de que sean claras.
- Redacta un resumen de tus notas.
- Escribe una breve nota de agradecimiento a la persona entrevistada.

carta. Sé amable, pero no divagues.

- **Incluye toda la información necesaria.** Asegúrate de que se entienda por qué escribiste la carta y qué es lo que pides en ella.

La presentación de una carta comercial

Sigue estas sugerencias para escribir cartas comerciales de una forma profesional.

- Usa papel blanco, sin rayas, de 8 1/2" x 11".

- Siempre que puedas escribe la carta a máquina; si no es posible, escribe a mano muy claramente. Usa tinta azul o negra.

- Centra el texto, con márgenes iguales a los lados.

- Usa sólo una cara del papel. Si tu carta no cabe en una página, deja un margen de una pulgada al final de la primera página y escribe por lo menos otras dos líneas en la segunda.

Encabezamiento	59 Washington Avenue Brentwood, New York 11717
	3 de noviembre de 1996
Destinatario	Texas Cultural Society 521 Laredo Street San Antonio, Texas 78205
Saludo	Estimados Señores:
Cuerpo	Les escribo para solicitar ayuda en la preparación de un proyecto escolar sobre los méxicoamericanos de Texas. El tema de mi trabajo es la música popular, en particular la música tejana, que está de moda hoy en día. Por eso, les agradecería que me enviaran información, preferiblemente catálogos o material publicitario, de festivales musicales que se hayan celebrado en San Antonio. Les adjunto un sobre predirigido con sello.
Cierre	Atentamente *María Torres*
Firma	María Torres

GRAMÁTICA

LA ORACIÓN

▶ La *oración* es la unidad linguística más pequeña capaz de comunicar un mensaje. Aquí tienes algunos ejemplos de oraciones:

> Los papeles salieron volando al abrir la ventana.
> Pepa encontró la llave debajo del sofá.
> La idea de Oscar era genial.
> ¡Vete!

Sujeto y predicado

▶ Todas las oraciones hablan de algo o alguien y dicen algo acerca de esa persona, cosa o tema. El *sujeto* es la persona o cosa que realiza la acción o de quien se habla. El *predicado* es aquello que se dice del sujeto.

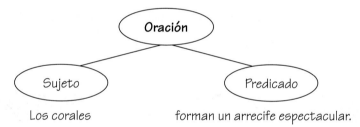

Los corales · forman un arrecife espectacular.

 Prueba rápida

Indica el sujeto y el predicado de estas oraciones haciendo un diagrama de árbol como el anterior.

> Esteban toca la guitarra.
> La fruta y la verdura son buenas para la salud.
> Pepe va al campo todos los fines de semana.
> Los árboles del jardín botánico vienen de países muy distintos.
> El director del museo organizó muy bien la exposición.

Concordancia

▶ *Concordancia* quiere decir «estar de acuerdo». Para que una oración tenga sentido, varias palabras de la oración deben concordar.

Los articulos, los nombres y los adjetivos deben concordar en género y número.

> **Singular o plural: el** muchach**o** alt**o**, **los** muchach**os** alt**os**
> **Masculino o femenino: el** muchach**o** flac**o**, **la** muchach**a** flac**a**

NOTA Hay palabras que no cambian de singular a plural o de masculino a femenino. El artículo determina lo que son:

la crisis o **las** crisis
un estudiante o **una** estudiante
un artista o **una** artista

El sujeto y el verbo también concuerdan.

Él com**e**   **Ellos** com**en**

Elipsis

▶ **En español, es posible ocultar el sujeto y el verbo, o uno de los dos. Cuando no aparecen, decimos que son *elípticos.***

El **nombre** o el **pronombre** que hace de sujeto se oculta porque:

* la terminación del verbo nos indica quién es el sujeto:

> (Yo) Corr**o** mucho.
> (Nosotros) Corr**emos** mucho.

* porque se ha mencionado antes:

> Paula ha venido del campo. (Paula) Ha traído unas flores preciosas.

El **verbo** se oculta cuando:

* se sobreentiende cuál es:

> Camarero, (traiga) unos huevos fritos, por favor.

* se ha mencionado anteriormente. En estos casos se pone una coma para indicar dónde iba el verbo:

> Pepe llegó del partido; yo, de la reunión del club.

¿Qué verbo se oculta?

PALABRAS DE ENLACE

▶ **Las *palabras de enlace* indican la relación que existe entre dos oraciones o dos partes de la oración:**

> Fui a casa de mi amigo **pero** no estaba.
> Anselmo **y** Joselyn fueron a los Andes.

Las preposiciones

▶ **Las *preposiciones* se ponen antes de un nombre para convertirlo en complemento.**

> La obra **de** Cervantes es conocida mundialmente.

La preposición «de» relaciona la palabra «Cervantes» con la palabra «obra». Es un complemento porque indica de quién es la obra.

Las palabras «de Cervantes» son un **grupo de preposición.** Observa los grupos de preposición en estas oraciones:

> El hombre **de** la chaqueta roja tenía prisa.
> Hay un paquete **sin** dirección.
> La lucha **por** los derechos humanos continúa.

NOTA Los verbos y los adverbios hacen de nombre si van después de una preposición:
sin querer
para saber
hasta hoy
para luego

Algunas de las preposiciones más comunes son **a, ante, bajo, con, contra, de, desde, en, entre, hacia, hasta, para, por, según, sin, sobre.**

> El vuelo **a** Bogotá saldrá a tiempo.
> **Hasta** ayer no supe nada de él.
> Lo hicieron **sin** pensar.

Las conjunciones coordinantes

▶ **Las** *conjunciones coordinantes* **son palabras que unen dos oraciones o partes de una oración de manera que tienen el mismo valor.**

> Pedro salió corriendo. Margarita llamó a los bomberos.
> Pedro salió corriendo **y** Margarita llamó a los bomberos.

Las conjunciones coordinantes muestran estos tipos de **relación** entre las oraciones o las partes de la oración:

• Las palabras **y, e, ni** dan idea de suma o acumulación:

> Había un perro en el tercer piso **y** dos gatos en el tejado.
> Me lo explicaron **e** insistieron en su punto de vista.

«Ni» se utiliza cuando se niegan dos o más ideas:

> No conseguí papas **ni** cebollas.
> **Ni** come **ni** deja comer.

• Las palabras **pero, sino, mas** indican que dos ideas se contraponen:

> Quería escapar **pero** no podía.
> Mi intención no era engañarlo **sino** tranquilizarlo.
> Llegué a tiempo **mas** no pude parar a comprar el regalo.

• Las palabras **o, u** dan idea de alternativa:

> Veremos una película **o** iremos de excursión.
> Escoge uno **u** otro.

Las conjunciones subordinantes

▶ **Las** *conjunciones subordinantes* **unen oraciones de forma que una oración es complemento de la otra. Observa:**

> Han cerrado las escuelas. Hay una tormenta de nieve.
> Han cerrado las escuelas **porque** hay una tormenta de nieve.

«Hay una tormenta de nieve» aporta información sobre la primera oración.

Algunas de las conjunciones subordinantes más frecuentes son **porque, cuando, donde, si, aunque, como.**

> Volví a casa **cuando** oí el aviso.
> Encontré el libro **donde** me dijiste que estaba.
> No me hubiera caído **si** el escalón fuera más visible.
> Pienso ir a Viena **aunque** cueste mucho.
> Me enseñó su proyecto **como** quien no quiere la cosa.

¡OJO!

Cuando una palabra empieza con el sonido **i**, no se usa **y:** se usa **e** para evitar que se repita el sonido. Observa:

Me gusta trabajar con Laura **e** Ignacio.
Compré agujas **e** hilo.

Si empieza por **o,** no se escribe **o** sino **u,** por la misma razón. Observa:

Creo que Paco **u** Óscar regó las plantas.
Ese escritor, ¿es francés **u** holandés?

No se debe confundir la conjunción **que** con el pronombre relativo **que**. La conjunción «que» es un simple elemento de unión y no tiene significado. El pronombre relativo «que» se refiere a una persona o a una cosa.

> Espero **que** me llames esta tarde. (conjunción)
> La gata **que** encontraste es muy extraña. (pronombre relativo)

Los pronombres relativos

▶ Los *pronombres relativos* **son palabras de enlace que van en lugar de un nombre.**

> La posada **que** está de camino tiene habitaciones.

Esta oración es el resultado de combinar dos oraciones:

> La posada tiene habitaciones.
> La posada está de camino.

Para no repetir el nombre «posada» ponemos «que» en su lugar. «Que» es un pronombre porque sustituye a un nombre. Es el sujeto de la oración subordinada «está de camino».

Además de **que,** son pronombres relativos **cual** y **quien.** Aunque «que» es más común, se puede sustituir por «cual» o «quien» en ciertas ocasiones.

> El anciano **del que** hablamos es el dueño.
> **del cual**
> **de quien**

Inténtalo tú

Revisa uno de tus trabajos. Intenta sustituir «que» por «cual» o «quien» en algunas oraciones.

EL NOMBRE

▶ El *nombre* **es una palabra que designa a personas, animales, cosas e ideas.**

Son nombres «Roberto», «lagarto», «jarrón», «amor».

• Una de las funciones del nombre es la de ser **sujeto** de la oración:

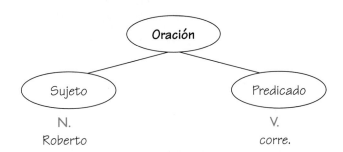

• Los nombres también tienen la función de **complemento directo** y **complemento indirecto** en la oración:

> Petra le dio <u>la **carta**</u> <u>a **Cristóbal**</u>.
>   (C.D.)   (C.I.)

NOTA Los verbos, los adjetivos y los adverbios pueden hacer de nombres en ciertas ocasiones. Observa:

El <u>comer</u> es importante.
El <u>rojo</u> es mi color favorito.
¡Hasta <u>mañana</u>!

LOS PRONOMBRES

▶ Los *pronombres* **son palabras que van en lugar del nombre:**

Pancho comió un montón. → **Él** comió un montón.

Los **pronombres personales** son las palabras con las que nombramos a las personas sin emplear un nombre.

Esta tabla te indica los pronombres personales:

	SINGULAR	PLURAL
Primera persona	Yo	Nosotros
Segunda persona	Tú	Vosotros
	Usted	Ustedes
Tercera persona	Él	Ellos
	Ella	Ellas

Los pronombres personales designan a la persona que habla (primera persona), a la persona que escucha (segunda persona) y a la persona de quien se habla (tercera persona):

Yo me llamo Esteban.
Tú necesitas pasar por su casa.
Él desea comprar un auto nuevo.

Con los pronombres designamos a:

• personas que están presentes

Tú y **yo** vamos a ir al cine.

• personas que se han mencionado antes

Pedro y María tienen una casa muy bonita. **Él** tiene mucha afición a la jardinería.

COMPLEMENTOS DEL NOMBRE

▶ Los *complementos del nombre* **son todas aquellas palabras que modifican al nombre:**

El loro **verde** se puso a hablar.

Entre los complementos del nombre, podemos mencionar los artículos, los adjetivos y los grupos de preposición.

El nombre y sus complementos forman un **grupo del nombre.**

la	paloma	blanca	la paloma blanca
Art. +	N. +	Adj. =	G.N.

NOTA Antiguamente había dos formas de la segunda persona del singular: «tú» para situaciones informales y «vos» para situaciones formales. Para formar el plural, se añadía la palabra «otros», resultando en «vosotros». «Nosotros» también contiene la palabra «otros».

Después, se introdujo otra manera formal, «vuestra merced», que dio lugar a «usted». Hoy en día «usted» y «ustedes» son los pronombres personales de segunda persona que más se utilizan en el mundo hispanohablante. Sin embargo, tanto «vos» como «vosotros» sobreviven en la literatura y en países como Argentina y España. En este libro, el pronombre «vosotros» se utiliza en «Aydin» (pág. 287)

El artículo

▶ El *artículo* es una palabra que indica la presencia de un nombre.

> **La** salamandra cambió de color.

Hay dos tipos de artículos:

- Los **artículos definidos** indican que el nombre que sigue se refiere a una cosa precisa:

> Encontré **el** libro que se te perdió.

Los artículos definidos son **el, la, los, las.**

- Los **artículos indefinidos** indican que el nombre que sigue se refiere a una cosa no precisa:

> **Un** perro callejero siempre da pena.

Los artículos indefinidos son **un, una, unos, unas.**

El adjetivo

▶ Los *adjetivos* precisan las cualidades de los nombres:

> queso **cremoso**
> señores **amables**
> idioma **desconocido**

▶ Los *adjetivos demostrativos* expresan cercanía, distancia media o lejanía del nombre del que se habla:

> **Este** auto funciona de maravilla.
> **Ese** auto tiene el color que quiero.
> **Aquel** auto es el más caro.

Esta tabla te indica los adjetivos demostrativos:

	SINGULAR	PLURAL
Cercanía	este, esta	estos, estas
Distancia media	ese, esa	esos, esas
Lejanía	aquel, aquella	aquellos, aquellas

El grupo de preposición

Un nombre puede modificar a otro con la ayuda de una preposición:

> El carro **de** Pepe

Las palabras «de Pepe» modifican al nombre «carro» porque nos dicen de quién es el carro.

▶ Un *grupo de preposición* está formado por una preposición más un grupo del nombre:

> **de**   los turistas   **de** los turistas
> Prep.   +   G.N.   =   G.P.

 NOTA **Al** es el resultado de unir la preposición **a** con el artículo **el**. **Del** es el resultado de unir la preposición **de** con el artículo **el**.

¡OJO! La palabra «el» no lleva tilde cuando es artículo. Lleva tilde cuando es pronombre.

> Encontré **el** trocito de cuarzo en **el** monte. No sabía que **él** era de Chile.

Inténtalo tú

Escribe una semblanza breve de una estrella de cine. Luego, haz una caricatura describiendo los mismos rasgos. Encuentra todos los adjetivos que has utilizado. ¿Cómo cambia la impresión que das de la persona según los adjetivos que utilizas?

NOTA La palabra **este** y sus derivados son pronombres cuando no acompañan a un nombre:

> **Éste** no lo quiero.

Cuando **este** y sus derivados son pronombres llevan tilde en la **e**.

Aquí tienes unos ejemplos de grupos de preposición que modifican a un nombre:

bizcochos **de** chocolate blanco
N. + G.P.

café **con** leche
N. + G.P.

carretera **a** Chicago
N. + G.P.

Prueba rápida

Encuentra en estas oraciones los grupos de preposición y di a qué nombre modifica cada uno.

No encontramos el camino hacia el monte.
Aquellos señores de Hollywood son actores de cine.
Encontré un fósil de una caracola.
Los peldaños de mármol de la escalera son resbaladizos.
Me encanta el pollo con mole de ese restaurante.
El bizcocho de dulce de leche para María está listo.

EL VERBO

▶ **El *verbo* indica la acción que realiza el sujeto. El verbo es el núcleo del predicado.**

Oración

Sujeto   Predicado

N.   V.
Laura   canta.

▶ **Los verbos *ser* y *estar* no indican acción. Introducen la identidad, las características o la condición del sujeto. Son verbos *copulativos.***

El hombre **es** marinero.
El hombre **es** listo.
El joven **está** soltero.

El tiempo

▶ **Las *terminaciones* del verbo indican el tiempo en el que se realiza la acción. Indican si la acción tiene lugar en el *pasado*, en el *presente* o en el *futuro*.**

Ayer me com**í** un pastel.
Ahora me com**o** toda la cena.
Mañana no com**eré** nada.

Inténtalo tú

Revisa el cuento que has escrito en la Colección 3. Sustituye verbos generales con verbos precisos. Observa:

decir → exclamar
ir → correr
mirar → observar
tirar → lanzar
dar → entregar

El pretérito

▶ **El** *pretérito* **indica que la acción ocurrió en el pasado.**

- Cuando una acción ocurre en el pasado y se termina en el pasado, el tiempo del verbo es el **pretérito simple**.

> **Acabé** el proyecto el viernes.
> **Rompieron** una ventana sin querer.

- Si una acción pasada es tan reciente que sus efectos se sienten todavía en el presente, se utiliza el **pretérito compuesto**. El pretérito compuesto siempre se construye con el **verbo auxiliar** «haber».

> **He comido** una barbaridad.
> **Hemos trabajado** mucho esta semana.

- El **pretérito imperfecto** se usa para referirse a acciones pasadas que se repiten u ocurren por un periodo de tiempo indefinido.

> Los autos **tocaban** las bocinas al pasar.
> Cuando **tenía** cinco años, me **portaba** muy mal.

El pretérito imperfecto es fácil de identificar porque acaba siempre en **-ía** o en **–aba**. Los verbos que acaban en **–aba** se escriben con **b**.

El modo

Hay distintos modos o maneras de decir las cosas. Observa:

> El perro ladra.
> Perro, ¡ladra!
> Dudo que el perro ladre.
> Si no gritaras tanto, el perro ladraría.

En la primera oración, se indica lo que ocurre. ¿En qué oración se manda? ¿En cuál se duda? ¿En cuál se indica lo que podría ocurrir?

▶ **El** *modo* **indica la** *actitud* **del hablante ante la acción que expresa el verbo. Hay cuatro modos del verbo: el** *indicativo,* **el** *subjuntivo,* **el** *condicional* **y el** *imperativo.*

- El **indicativo** se usa para presentar lo que ocurre. El hablante presenta acciones de manera objetiva sobre las cuales no tiene duda.

> Dos y dos **son** cuatro.
> Nosotros lo **pasamos** muy bien.
> Pedro **hará** la comida.

Todos los tiempos de los verbos que has estudiado hasta ahora pertenecen al modo indicativo.

- El **subjuntivo** se usa para expresar posibilidad, duda, opinión o deseo.

> Es posible que mañana **llueva.**
> Dudo que **haya llegado.**
> No creo que comer mucho **sea** bueno.
> ¡Ojalá que me **regalen** un bolso!

Inténtalo tú

Entre compañeros, escojan personajes: don Loqueocurre, don Mandón, doña Duda, doña Suposición. Don Loqueocurre empieza con una oración y los demás la transforman según su modo de ver las cosas. Pueden empezar con estas oraciones:

> Soy muy ordenada.
> Duermo mucho.
> Estudio todos los días.

TABLA DE TIEMPOS VERBALES

MODO INDICATIVO			
	CANTAR	**COMER**	**VIVIR**
Presente	Yo canto Tú cantas Él canta Nosotros cantamos Ustedes cantan Ellos cantan	Yo como Tú comes Él come Nosotros comemos Ustedes comen Ellos comen	Yo vivo Tú vives Él vive Nosotros vivimos Ustedes viven Ellos viven
Pretérito simple	Yo canté Tú cantaste Él cantó Nosotros cantamos Ustedes cantaron Ellos cantaron	Yo comí Tú comiste Él comió Nosotros comimos Ustedes comieron Ellos comieron	Yo viví Tú viviste Él vivió Nosotros vivimos Ustedes vivieron Ellos vivieron
Pretérito compuesto	Yo **he** cantado Tú **has** cantado Él **ha** cantado Nosotros **hemos** cantado Ustedes **han** cantado Ellos **han** cantado	Yo **he** comido Tú **has** comido Él **ha** comido Nosotros **hemos** comido Ustedes **han** comido Ellos **han** comido	Yo **he** vivido Tú **has** vivido Él **ha** vivido Nosotros **hemos** vivido Ustedes **han** vivido Ellos **han** vivido
Pretérito imperfecto	Yo cantaba Tú cantabas Él cantaba Nosotros cantábamos Ustedes cantaban Ellos cantaban	Yo comía Tú comías Él comía Nosotros comíamos Ustedes comían Ellos comían	Yo vivía Tú vivías Él vivía Nosotros vivíamos Ustedes vivían Ellos vivían
Futuro	Yo cantaré Tú cantarás Él cantará Nosotros cantaremos Ustedes cantarán Ellos cantarán	Yo comeré Tú comerás Él comerá Nosostros comeremos Ustedes comerán Ellos comerán	Yo viviré Tú vivirás Él vivirá Nosotros viviremos Ustedes vivirán Ellos vivirán

MODO SUBJUNTIVO			
	CANTAR	**COMER**	**VIVIR**
Presente	Yo cante Tú cantes Él cante Nosotros cantemos Ustedes canten Ellos canten	Yo coma Tú comas Él coma Nosotros comamos Ustedes coman Ellos coman	Yo viva Tú vivas Él viva Nosotros vivamos Ustedes vivan Ellos vivan

- El **condicional** se usa para indicar la intención de realizar una acción. El condicional expresa una acción futura en relación a una acción pasada:

> Dijo que **llegaría** pronto.

- El **imperativo** indica que la acción es un mandato o un ruego.

> ¡**Ve** al hospital!
> **Dame** la sal, por favor.

COMPLEMENTOS DEL VERBO

Verbos transitivos e intransitivos

▶ **Los verbos *intransitivos* no necesitan complementos:**

> Rodrigo **corre.**
> El viento **sopla.**
> La gaviota **vuela.**

▶ **Los verbos *transitivos,* en cambio, necesitan un *complemento directo* para completar su significado:**

> El pastor **ve... al lobo.**
> Mateo **trae... la escoba.**
> Paula **recibió... una carta.**

El complemento directo

▶ **El *complemento directo* completa el significado del verbo.**

> El zapatero remienda... **un bolso.**
> Ayer vi... **a mi prima.**

«Un bolso» es el complemento directo porque indica qué remienda el zapatero. « A mi prima» nos dice a quién vi.

✓ Prueba rápida

En este poema hay cinco complementos directos. ¿Los ves?

> En París está doña Alda
> la esposa de don Roldán,
> trescientas damas con ella
> para la acompañar:
> todas visten un vestido,
> todas calzan un calzar,
> todas comen a una mesa,
> todas comían de un pan,
> salvo doña Alda
> que era la mayoral.
> Las ciento hilaban oro,
> las ciento tejen cendal,
> las ciento tañen instrumentos
> para doña Alda holgar.
> — *Romance de Doña Alda*

NOTA Cuando el complemento directo es una persona o algo personificado, lleva la preposición **a:**

> Pedro besa **a** su hermanito.
> ¿Conoces **a** esa chica?
> Evelyn baña **a** su perro.

No confundas el complemento directo de persona con el complemento indirecto que también lleva la preposición **a.**

El complemento indirecto

▶ **Además de un complemento directo, hay verbos que necesitan otros complementos. El** *complemento indirecto* **indica a quién llega el complemento directo.**

> Miguel regala libros... **a sus amigos.**

«A sus amigos» es el complemento indirecto porque indica a quién regala Miguel los libros.

Pronombres para el complemento directo

El complemento directo está formado por un **grupo del nombre**.

> La leona protege a **sus cachorros.**

Ese grupo del nombre se puede sustituir por un **pronombre:**

> La leona **los** protege.

▶ *Lo, los, la, las* **son pronombres de complemento directo.**

☑ Prueba rápida

Sustituye el complemento directo en estas oraciones por un pronombre:

> Mónica esperó a José Luis.
> Josefina buscó a su hermana.
> Mi abuela me regaló esta camisa.
> Encontré aquello muy extraño.
> El arqueólogo descubrió las costillas que faltaban.
> No me des los paquetes.

Pronombres para el complemento indirecto

El complemento indirecto también está formado por un **grupo del nombre** introducido siempre por una preposición.

> Ramón explicó la tarea **a Evelyn.**

▶ *Le* y *les* **son pronombres del complemento indirecto.**

> Ramón **le** explicó la tarea.

Le se usa para el masculino y el femenino:

> Emilio escribe una carta **a su amigo.**
> Emilio **le** escribe una carta.
> Emilio escribe una carta **a su amiga.**
> Emilio **le** escribe una carta.

☑ Prueba rápida

Copia estas oraciones y subraya los complementos directos y los indirectos. Sustituye el complemento indirecto por el pronombre **le** o **les.**

> El cocinero hace una salsa para el pescado.
> El cocinero hace un adorno para la ensaladilla.
> El cocinero prepara una cena a sus amigos.
> El cocinero calienta una sopa para su hija.
> El cocinero compra verduras al granjero.

NOTA También se puede usar **le** para el complemento directo cuando se refiere a una persona masculina:

Llamé a Pedro
Le/lo llamé.

Los complementos circunstanciales

▶ **Los** *complementos circunstanciales* **nos dicen en qué** *circunstancias* **se realiza la acción.**

Contestan a las siguientes preguntas sobre una oración:

Nosotros jugamos al fútbol.

¿Dónde? En el parque.
¿Cuándo? Por las tardes.
¿Cómo? Con entusiasmo.
¿Con quién? Con otro equipo.

Por lo tanto, decimos que los complementos circunstanciales son de **lugar, tiempo, modo** y **compañía.**

▶ **Los complementos circunstanciales pueden ser** *adverbios* **o** *grupos de preposición:*

Comimos **deprisa.**
Comimos **con mucha prisa.**

Los **adverbios** son palabras que actúan de complemento circunstancial:

deprisa   siempre   ayer   cerca   bien

Muchos adverbios terminan en **–mente.** Se forman al añadir la terminación **–mente** a un adjetivo:

fácil → fácilmente   lento → lentamente

 Prueba rápida

Aquí tienes una lista de adverbios. Di si son de lugar, tiempo, modo o compañía.

ahora, lentamente, bien, cerca, después, ahí, entonces, sólo, tarde, nunca, difícilmente, siempre, deprisa, mal, pronto, antes, hábilmente, allá, felizmente, arriba, tranquilamente, hoy

PUNTUACIÓN

LOS PUNTOS SUSPENSIVOS

Los puntos suspensivos se usan en los siguientes casos:

• Cuando se quiere indicar que el hablante expresa **duda, incertidumbre** o **temor:**

Él es muy amable con los jefes, pero con los empleados**...**
Si el dinero no llega pronto**...**

• Cuando se quiere crear **supenso** o sorprender al lector con **algo inesperado:**

Llamaron a la puerta y era**...** ¡él!
Después de comer, lo que más me apetece es**...** seguir comiendo.

NOTA Los adverbios que terminan en **–mente** conservan el acento del adjetivo:

hábil → hábilmente

• Para dejar **incompleta una cita**:

> Todos conocemos la obra que comienza: «En un lugar de la Mancha...»
>
> Papá siempre me dice aquello de que: «A quien madruga...».

 Prueba rápida

Explica por qué se usan los puntos supensivos en estas oraciones:

> Era un lugar tan callado y oscuro...
>
> No negaré que gustó la película, pero...
>
> Y me volvió a contar: «Cuando yo tenía tu edad...»
>
> El día menos pensado...

LAS COMILLAS

Las comillas sirven para encerrar palabras o frases en los siguientes casos:

• En las **citas** o frases reproducidas **textualmente**:

> El presidente dijo: «Somos una nación con un gran futuro».

• En los **títulos** de cuentos, artículos, ensayos, poemas y canciones:

> En este libro se incluye el poema «La tortuga» de Pablo Neruda.
>
> Me pareció estupendo el cuento «Rikki-tikki-tavi».

• Cuando se quiere dar un sentido **irónico** o **figurado**:

> Ese muchacho es el «cerebro» de la escuela.
>
> A Pedro, le gusta «devorar» los libros.

• Cuando se trata de palabras **poco conocidas** o **extranjeras**:

> El «software» de esta «Mac» cuesta mucho dinero.
>
> El «windsurfing» requiere mucho viento.

 Prueba rápida

Copia estas oraciones y coloca las comillas que falten:

> El cuento La guerra de los yacarés es de de Horacio Quiroga.
>
> Sócrates solía decir: Sólo sé que no sé nada.
>
> El training en mi trabajo dura dos meses.
>
> Esa caída fue una metedura de pata en el sentido literal de la palabra.

LA RAYA

La **raya** se emplea en los diálogos y para intercalar aclaraciones.

• En los **diálogos,** para indicar las expresiones correspondientes a cada interlocutor:

> — ¿De dónde vienes?
>
> — Ya te dije, del médico.

NOTA Los títulos de libros se subrayan o se ponen en cursiva:

> En este libro, hay un fragmento de *Platero y yo*.

Inténtalo tú

Fíjate en cómo se utiliza la raya en el diálogo de «Rikki-tikki-tavi» (pág.43). Luego, revisa el cuento que has escrito y asegúrate de que has puesto una raya cada vez que habla un interlocutor.

- Para intercalar **aclaraciones** en medio de una oración. En estos casos su uso equivale al del **paréntesis**:

> El amor—dicen los enamorados—es lo más bello de la vida. Cuando me gradúe—creo que al año que viene—daré una gran fiesta.

LETRAS DIFÍCILES

EL USO DE LA *H*

▶ **La letra *h* no tiene sonido y se dice que es *muda*. Las palabras que se escriben con *h* se pronuncian igual que si no la llevaran.**

¿Ha encontrado **a** Miguel **a**llá en la **ha**cienda?

Escribimos **h** en los siguientes casos:

- En las palabras que comienzan con los sonidos **ia-, ie-, ue-, ui-**:

    hiato   **hie**lo   **hué**sped   **hui**da

- En las palabras que comienzan por los siguientes prefijos:

PREFIJO	SIGNIFICADO	EJEMPLOS
hemi-	mitad	**hemi**sferio
hidro-	agua	**hidró**geno
hiper-	exceso	**hiper**activo
hetero-	diferente	**hetero**géneo
homo-	igual	**homo**géneo

- Sin seguir una norma fija, hay palabras que se escriben con **h inicial**. Aquí tienes algunas:

    habichuela, hábil, hábito, hacienda, hacha, hambre, harina, hallazgo, hazaña, hebilla, hebra, hélice, hembra, hendidura, hermano, héroe, herradura, híbrido, higo, hígado, higiene, hocico, hoguera, hombre, hombro, homenaje, hondo, hoy, hoyo, hoz, huir.

- Algunas palabras llevan **h intermedia**. Aquí tienes algunas:

    adherir, ahora, ahorcar, ahorrar, alcohol, almohada, azahar, ahogar, bahía, búho, cohete, exhausto, exhibir, inherente, moho, prohibir, rehén, vaho, vehículo, zanahoria.

 **Prueba rápida**

Coloca la **h** en las palabras que deben llevarla:

_idroavión	_acción	_umor	al_aja
_iena	_uidizo	_alivio	re_enes
_abilidad	_exágono	_alago	a_orro
_orar	_ueso	_acha	_estruendo

¡OJO! Los verbos **haber** y **hacer** se escriben con h:

No **hay** leche.
Hago mucho deporte.

NOTA Existen muchas palabras que se pronuncian igual pero se diferencian al escribirlas. Busca en el diccionario las palabras que no conozcas:

ha	a
ah	a
haya	aya
hola	ola
honda	onda
herrar	errar
hay	ay
habría	abría
hasta	asta

LA *LL*, LA *Y* Y LA *I*

▶ La *ll* y la *y* se pronuncian igual antes de vocal:

Yo lloraba de pensar que **ya** no me **lla**maría.

La letra *ll*

Se escribe **ll** en los siguientes casos:

• En las terminaciones **-illo, -illa:**

chiqu**illo**   cas**illa**   cuch**illos**   marav**illas**

• En todas las formas de los verbos acabados en **-llar, -llir:**

mau**llar**   engu**llir**   ca**llar**   ha**llar**

La letra *y*

Se escribe **y** antes de una vocal en los siguientes casos:

• En los verbos cuyo infinitivo termina en **-uir:**

h**uir** → h**uy**ó   infl**uir** → infl**uy**en

• En el plural de las palabras terminadas en **y:**

bue**y** → bue**y**es   le**y** → le**y**es

La *i* y la *y*

▶ Al final de una palabra o sola, la *y* suena como una *i.*

Soy r**ey** de un lugar sin l**ey.**

Se escribe **y** al final de la palabra, si no va acentuada. Si lleva acento se escribe **i:**

esto**y**   sonre**í**   Urugua**y**   recib**í**

 **Prueba rápida**

Coloca **ll, y, i** en los espacios:

Espero que Pérez ha__a encontrado la ca__e.
Los chiqui__os dicen que hu__eron al verla __orando.
__ueve cuando __ega la primavera.
Cuando vo__ a Paragua__ visito el arro__o donde te conoc__.

EL USO DE LA *R*

▶ La *r* tiene un sonido *suave* y otro *fuerte.*

pe**r**a (suave)   pe**rr**a (fuerte)

• La **r** sencilla representa el sonido **suave** cuando va entre vocales:

ca**r**a   mi**r**ador   ca**r**icia   mé**r**ito   lade**r**a

Tiene el sonido **fuerte** cuando va al principio de la palabra o en medio, después de **b, g, l, n, r,** o **s:**

rosco   ab**r**azo   ag**r**esivo   hon**r**a   Is**r**ael

- La **rr** representa siempre el sonido fuerte y se usa entre vocales:

  ca**rro**   **m**a**rró**n   **p**a**rri**lla   **arra**sar

- La **r** inicial fuerte se duplica cuando, al formar una palabra compuesta, queda en el interior de la palabra:

  semi**rr**ecta   para**rr**ayos

 Prueba rápida

Coloca **r** o **rr** en los espacios

El bu__o de __oque no tiene __abo; __amón __amírez se lo cortó.

En la azuca__e__a hay azúca__ semi__efinada.

¡Qué __ápido co__e el ca__o de __obe__to!

LOS ACENTOS

LAS PALABRAS COMPUESTAS

Las palabras **compuestas** sólo llevan tilde en la segunda palabra y se pone tilde según las normas generales:

Palabras compuestas agudas: verdia**zul**

Palabras compuestas llanas: sordo**mu**do, porta**fo**lio

Palabras compuestas esdrújulas: hec**tó**metro, porta**lá**pices

Si la segunda palabra es un monosilábica, sigue las reglas de las palabras agudas:

veinti**dós**   alta**voz**   balom**pié**

 Prueba rápida

Coloca el acento en las palabras que deban llevarla:

abrelatas	bocacalle	tocadiscos	puertorriqueño
sacacorchos	paraguas	ciempies	patitieso
baloncesto	mediodia	anteayer	rojiblanco
tornasolado	veintitres	cumpleaños	rompecabezas

EL ACENTO DIACRÍTICO

Algunas palabras llevan tilde para distinguirlas de otras que se escriben igual.

El **té** que **te** tomaste es de la India.

Ya **sé** que **se** me quema siempre el pan.

Sí, si no vienes pronto, nos tendremos que ir sin ti.

Ten cuidado no te **dé de** esa carne tan mala.

¿Qué diferencias crees que hay entre las palabras en negrita?

▶ **A este acento escrito se le llama el** *acento diacrítico.*

Las palabras monosilábicas

Por regla general las palabras monosilábicas no llevan tilde:

dio   fue   sal   yo   sin

Algunas palabras monosilábicas, sin embargo, sí llevan tilde para diferenciarse de otra que tiene un significado distinto. Aquí tienes las principales palabras monosilábicas que pueden llevar tilde.

	SIGNIFICADO	EJEMPLO
dé de	del verbo dar preposición	Quiere que le **dé** un cuaderno. Yo vengo **de** Texas.
sé se	del verbo saber pronombre reflexivo	Yo **sé** lo que te gusta. Pedro **se** comió todo el plato.
él el	pronombre personal artículo	Ese dinero es de **él**. Esconde **el** regalo.
tú tu	pronombre personal adjetivo posesivo	Te lo doy si **tú** prometes cuidarlo. Ayer vi a **tu** abuelo en el parque.
mí mi	pronombre personal adjetivo posesivo	Esa carta es para **mí**. Te enseñaré **mi** libro.
té te	bebida pronombre personal	El **té** proviene de la India. Antonio **te** dijo la verdad.
sí si	adverbio de afirmación expresa condición	**Sí**, traeme la leche. **Si** vienes pronto, iremos al cine.
más mas	se refiere a cantidad significa «pero»	Quiero **más** ensalada, por favor. Llegué a tiempo **mas** ya se había ido.

Los demostrativos

Los demostrativos **este, ese** y **aquel,** con sus formas femeninas y plurales, no llevan tilde cuando acompañan a un nombre:

> **Esta** amiga me salvó la vida.
> **Ese** melocotón está verde.
> Quiero **aquella** sartén.

Llevan tilde cuando van solos y actúan de pronombres:

> **Éste** es el momento de viajar.
> **Ésa** es la mujer que me salvó la vida.
> **Aquél** no me gusta.

Los demostrativos **esto, eso** y **aquello** nunca llevan tilde.

> **Esos** parecen buenos chicos.
> Hablaré con **esos** policías.
> **Aquello** me gusta.
> **Aquellos** zapatos me quedaron bien.

Los interrogativos

Hay palabras que llevan tilde cuando tienen valor de **interrogación** o **exclamación**.

Estas palabras son:

	SIN TILDE	CON TILDE
que	Quiero **que** vengas.	¡**Qué** barbaridad! No sé **qué** ponerme.
cual	el museo del **cual** te hablé	¿**Cuál** compro?
quien	**Quien** lo vea, no lo cree. el muchacho de **quien** te hablé	¿**Quién** lo quiere?
cuanto	Vi unas **cuantas** luciérnagas.	¡**Cuánta** gente hay! ¿**Cuántos** desea?
donde	el pueblo **donde** nací	¿**Dónde** lo pongo? No sé de **dónde** es.
cuando	Vamos **cuando** quieras.	¿**Cuándo** es la fiesta? Dime **cuándo** viene.
como	Es **como** un caracol.	¿**Cómo** será? ¡**Cómo** brilla el sol!

 **Prueba rápida**

Pon acento en las palabras en negrita que lo lleven:

> Le dije a **el** que tomara **el** autobús que pasa por **mi** barrio.
> **Cuando** me **di** cuenta, me estaba quedando solo.
> **Este te** no me gusta tanto como **el que** haces **tu**.
> **Cuando** salga el director, **nos** iremos.
> ¿**Quien** sabe **donde** está el cine?
> A **mi** me gustan **estas** bicicletas y **aquella**.
> ¡**Que** alegría verte en **esta** fiesta! ¿**Como esta tu** hermana?
> Me **fui cuando** se le **fue** la **tos**.

GLOSARIO

Este glosario contiene las palabras de vocabulario que aparecen en el libro. De acuerdo con la Real Academia de la Lengua que ha determinado que la **ch** y la **ll** no son letras independientes, las palabras que empiezan por dichos sonidos se han ordenado bajo las letras **c** y **l**, respectivamente.

Abreviaturas que se usan en este glosario:

adj.	adjetivo
adv.	adverbio
f.	femenino
m.	masculino
pl.	plural
v.	verbo

aborigen *m.* Persona nativa u originaria de un lugar.

acuático, -ca *adj.* Relacionado con el agua.

afligirse *v.* Entristecerse, preocuparse, inquietarse.

agasajo *m.* Honor, atención y detalle que se le presta a alguien.

aglomeración *f.* Agrupamiento de gente.

aislado, -da *adj.* Solo, sin compañía.

al unísono *expresión adverbial.* A coro, al mismo tiempo, simultáneamente.

alba *m.* Las primeras horas de la mañana; el amanecer.

alborozo *m.* Alegría, felicidad, regocijo.

alentador, -dora *adj.* Que anima; que produce el deseo de hacer algo.

alhajar *v.* Decorar, ornamentar.

ambición *f.* Deseo de conseguir poder, respeto o riquezas en el mundo.

amostazado, -da *adj.* Irritado, enojado.

añejo, -ja *adj.* Antiguo, viejo, de muchos años.

angosto, -ta *adj.* Estrecho, con poco espacio.

apelativo *m.* Nombre o sobrenombre.

ápice *m.* Una cantidad mínima.

aprestarse *v.* Prepararse para algo.

aprovechar *v.* Emplear para su beneficio.

apuro *m.* Prisa, urgencia.

ardid *m.* Acto planeado con el propósito de causar mal.

arrebolado, -da *adj.* De color rojo.

astilla *f.* Fragmento, pedazo o trozo de madera.

astucia *f.* Inteligencia, destreza, habilidad para lograr algo.

atestiguar *v.* Dar testimonio.

atónito, -ta *adj.* Extremadamente sorprendido.

aturdir *v.* Turbar, molestar la quietud y calma de alguien.

avaro, -ra *m. y f.* Persona que acumula dinero y no es generosa.

azabache *m.* Piedra negra semipreciosa.

balar *v.* Dar balidos, como las cabras.

bullir *v.* Moverse, agitarse.

cacumen *m.* Inteligencia, agudeza.

cadencia *f.* Sonidos que se repiten con regularidad.

carcomido, -da *adj.* Comido o destruido parcialmente por el uso, por animales o por sustancias corrosivas.

centellear *v.* Brillar; despedir rayos de luz.

chasco *m.* Decepción que se lleva alguien.

codicia *f.* Deseo excesivo de dinero o posesiones materiales.

codicioso, -sa *adj.* Que desea dinero o posesiones excesivamente.

colmo *m.* Satisfacción completa.

confín *m.* Frontera, borde, límite.

conglomerado *m.* Unión o grupo formado de varias cosas o personas.

conmiserativo, -va *adj.* Que siente compasión.

contencioso, -sa *m. y f.* Pleito, asunto que se discute en un tribunal.

contonearse *v.* Moverse de un lado a otro, como los péndulos.

contrincante *m.* El que se opone a otro en una competición.

convención *f.* Norma o práctica que es costumbre.

convocar *v.* Reunir a un grupo de personas, citar en un lugar determinado.

costado *m.* Lado.

cumbre *f.* Parte superior, pico, cima.

custodiar *v.* Cuidar, guardar, vigilar, observar desde una altura.

dañino, -na *adj.* Peligroso, destructivo.

de improviso *expresión adverbial.* Inesperadamente, sin aviso.

declinar *v.* Caer, esconderse, ponerse (el sol).

deducir *v.* Inferir, sacar conclusiones.

deleitar *v.* Producir una sensación agradable.

derramar *v.* Echar sobre una superficie; correr, fluir.

desafiar *v.* 1. Resistir con tenacidad. 2. Retar a otra persona a pelear para mantener su honor.

desahogar *v.* Aliviar las penas que oprimen a alguien.

desarraigar *v.* Remover de sus raíces o lugar nativo, desplazar.

descabalgar *v.* Desmontarse de un caballo.

desechar *v.* Excluir, menospreciar.

desertizar *v.* Transformar o convertir en un desierto.

desistir *v.* Abandonar la idea de hacer algo.

desplazamiento *m.* Movimiento.

desprevenido, -da *adj.* Por sorpresa.

desproporcionado, -da *adj.* Exagerado, fuera de proporción.

destello *m.* Rayo de luz.

destreza *f.* Habilidad, eficiencia.

diminuto, -ta *adj.* Extremadamente pequeño.

dique *m.* Muro o pared para contener el agua.

discreción *f.* Prudencia; juicio para hablar u obrar; buen razonamiento.

discreto, -ta *adj.* Prudente, sin pretensiones.

discriminado, -da *adj.* Separado, aislado, excluido.

discurrir *v.* Pasar.

divisar *v.* Ver, notar, percibir.

divulgación *f.* Acción de dar a conocer algo al público.

dominar *v.* Controlar.

elogio *m.* Alabanza, expresión de admiración ante algo.

emanar *v.* Emitir.

embestir *v.* Atacar o golpear con la cabeza, especialmente con los cuernos.

emplumar *v.* Dar una paliza, castigar.

encapricharse *v.* Adquirir un mal hábito.

enflaquecer *v.* Languidecer, perder expresión y vida.

engullir *v.* Tragar la comida deprisa.

enroscarse *v.* Enrollarse.

entraña *f.* La parte más interna.

entremetido, -da *adj.* Persona que interviene en la vida o los asuntos de otras personas.

entrometer *v.* Intervenir, entrar a tomar parte.

envainado, -da *adj.* Guardado, protegido en su funda.

enzarzar *v.* Entrar en pelea, iniciar una discordia.

equívoco, -ca *adj.* Extraño, dudoso, ambiguo.

erguido, -da *adj.* Vertical, derecho; levantado.

erguirse *v.* Levantarse, ponerse en posición vertical.

escudriñar *v.* Examinar, mirar intensamente.

esfumar *v.* Desaparecer.

especular *v.* Reflexionar, desarrollar opiniones e ideas acerca de algo.

espesarse *v.* Juntarse; hacerse más espeso, como hacen las ramas de los árboles.

espulgar *v.* Limpiar, quitar las impurezas.

esquivar *v.* Evadir, evitar.

estallar *v.* Explotar.

estera *f.* Alfombra pequeña.

esterilla *f.* Especie de alfombra, tapete o carpeta hecha generalmente de fibras de árboles.

estorbar *v.* Impedir el paso.

fatídico, -ca *adj.* Fatal, de mala suerte.

fauces *f. pl.* Parte trasera en la boca de un mamífero.

fauna *f.* El reino animal.

fechoría *f.* Crimen.

filósofo, -fa *m. y f.* Persona con sabiduría.

fingir *v.* Disimular, aparentar o engañar.

flamear *v.* Parpadear una llama de fuego.

fogón *m.* Hoguera, el fuego para cocinar o calentarse por la noche.

formidable *adj.* Que inspira miedo o admiración.

frondoso, -sa *adj.* Que tiene una abundancia de hojas.

fugaz *adj.* Que desaparece en seguida, de muy poca duración.

garantizar *v.* Prometer, dar seguridad.

géiser *m.* Corriente de agua caliente o de vapor que sale de la tierra como una fuente.

gélido, -da *adj.* Muy frío, helado.

glotón, -na *adj.* Que come en exceso.

gruta *f.* Cueva, caverna.

hermetismo *m.* Cualidad de ser impenetrable, de no dejarse conocer.

holgar *v.* Descansar, relajarse.

humanidades *f. pl.* Estudios de lengua, literatura, historia y cultura.

impregnar *v.* Saturar, llenar con una sustancia otra cosa.

impulsivo, -va *adj.* Que actúa rápidamente y sin pensar.

inaudito, -ta *adj.* Extraordinario.

indispensable *adj.* Necesario, algo de lo que no se puede prescindir.

infame *m. y f.* Persona odiosa, vil, indecente, sin honra.

infundir *v.* Dar, inspirar.

ingrato, -ta *adj.* Que no siente o expresa agradecimiento.

inquietud *f.* Intranquilidad, nerviosismo.

insaciable *adj.* Imposible de satisfacer.

intendente *m.* Supervisor, persona a cargo.

intrépidamente *adv.* Sin miedo o temor.

intriga *f.* Manipulación, engaño.

inusitado, -da *adj.* Raro, fuera de lo común.

iracundo, -da *adj.* Furioso, que tiene mucha rabia o enojo.

jabalí *m.* Un tipo de puerco o cerdo salvaje.

jinete *m.* Persona que va a caballo.

jirón *m.* Pedazo, trozo, tira pequeña.

ladera *f.* Lado de una montaña.

legua *f.* Medida que indica gran distancia.

lema *f.* Frase característica de un grupo o de una institución.

límpido, -da *adj.* Claro, limpio, puro.

liviano, -na *adj.* De poco peso, ligero.

manantial *m.* Lugar de origen de un arroyo o fuente de agua.

mentor, -ra *m. y f.* Persona que aconseja y enseña.

merodear *v.* Rondar; acechar.

mesura *f.* Cautela, precaución, proporción.

mezquita *f.* Templo en el que los musulmanes oran.

mocedad *f.* Juventud, adolescencia.

modulado, -da *adj.* Afinado, suave.

molido, -da *adj.* Cansado.

mondar *v.* Quitar la cáscara de los vegetales o las frutas.

monólogo *m.* Discurso de una persona sin otro interlocutor.

mueca *f.* Gesto o expresión del rostro.

nuca *f.* Parte posterior del cuello.

ocaso *m.* Puesta de sol sobre el horizonte.

ostentoso, -sa *adj.* Aparatoso, lujoso, que se nota.

palique *m.* Conversación de poca importancia.

paraje *m.* Lugar, sitio.

paralelamente *adv.* El uno al lado del otro, juntos.

pasmado, -da *adj.* Asombrado.

pasmo *m.* Asombro.

peregrino, -na *n.* Persona que viaja a un lugar religioso.

perenne *adj.* Eterno, de siempre, constante.

pésimo, -ma *adj.* Muy malo.

petrificarse *v.* Convertirse en piedra o roca; hacerse rígido.

platónico, -ca *adj.* Idealista.

portento *m.* Maravilla, evento extraordinario.

preceptor *m.* Maestro, profesor, tutor.

preciar *v.* Valorar, respetar.

predilecto, -ta *adj.* Preferido, favorito.

protuberancia *f.* Abultamiento, parte más ancha, gruesa o robusta.

pulcro, -cra *adj.* Muy limpio, impecable.

pulular *v.* Abundar.

puyar *v.* Apretar, poner presión; pellizcar.

rebuzno *m.* La voz del burro.

reducir *v.* Convertir en una cosa más pequeña o de un valor menor.

refunfuñar *v.* Protestar, quejarse en voz baja.

regir *v.* Gobernar; controlar.

restituido, -da *adj.* Repuesto, restablecido.

retar *v.* Desafiar.

reticencia *f.* Reserva, desconfianza.

rezumante *adj.* Se dice de una sustancia u objeto que deja salir por sus poros pequeñas cantidades de líquido.

rígido, -da *adj.* Sin movimiento, inflexible.

rito *m.* Ceremonia, costumbre.

sabido, -da *adj.* Que sabe o entiende mucho.

sabueso *m.* Perro guardián, perro detective.

saldar *v.* Pagar o liquidar una cuenta; arreglar una situación.

savia *f.* Sustancia líquida que circula por las plantas de la cual se alimentan.

sazonar *v.* Dar buen gusto a la comida.

soberbio, -bia *adj.* Magnífico, grandioso.

sobreponerse *v.* Superar.

sofreír *v.* Freír en poco aceite.

soliloquio *m.* Reflexión que se dice en voz alta y a solas.

surtidor *m.* Fuente de agua.

susurrar *v.* Murmurar, hablar en secreto, hablar en voz muy baja.

tambaleante *adj.* Inestable, que se mueve.

tañido *m.* Sonido, toque de un instrumento musical para anunciar algo.

tapial *m.* Trozo de pared que se hace con una mezcla de tierra amasada. Se encuentra por lo general en áreas rurales.

tararear *v.* «Cantar» una melodía o canción con la boca cerrada.

testuz *f.* Frente o parte superior de la cara de un burro o caballo.

tibiamente *adv.* Cálida y suavemente, delicadamente.

trascordarse *v.* Confundirse, trastornarse, perder la memoria.

tupido, -da *adj.* Abundante, denso.

turbio, -bia *adj.* Que tiene impurezas, sucio, oscuro.

ungüento *m.* Sustancia con la que se unta el cuerpo; pomada, crema.

vaina *f.* Funda para proteger y llevar una arma cortante.

vapor *m.* Barco que se propulsa con vapor.

veleidoso, -sa *adj.* Que cambia, inconstante.

vertiginoso, -sa *adj.* Muy rápido, muy veloz.

zaguán *m.* Entrada de una casa.

zambullir *v.* Meter o introducir la cabeza en el agua.

For permission to reprint copyrighted material, grateful acknowledgment is made to the following sources:

Agencia Literaria Carmen Balcells: "La tortuga" from *Pablo Neruda–Five Decades: A Selection (Poems: 1925–1970)* by Pablo Neruda, edited and translated by Ben Belitt. Translation copyright 1933, 1935, 1937, 1939, 1947, 1950, 1954 © 1956–1958, 1959, 1961, 1962, 1967, 1968–1970 by Pablo Neruda. Published by Editorial Losada, S. A. Buenos Aires.

Agencia Literaria Latinoamericana: From "La muralla" and from "Barlovento" from *Isla de rojo coral* by Nicolás Guillén. Copyright © 1993 by Heirs of Nicolás Guillén.

Luis Alberto Ambroggio: "Aprender el inglés" by Luis Alberto Ambroggio. Copyright © 1994 by Luis Alberto Ambroggio.

Arte Público Press: "Niña" by Margarita Mondrus Engle from *Short Fiction by Hispanic Writers of the United States,* edited by Nicolás Kanellos. Translated into Spanish by Holt, Rinehart and Winston, Inc. Copyright © 1993 by Arte Público Press. Published by Arte Público Press, University of Houston, 1993.

Alejandro Balaguer: From "Valle del Fuego" by Alejandro Balaguer from *GeoMundo,* Año XIX, no. 4, April 1995. Copyright © 1995 by Alejandro Balaguer.

Bibliograf, S. A.: Dictionary entry "imagen" from *Diccionario para la enseñanza de la lengua española.* Copyright © 1995 by Universidad de Alcalá de Henares; copyright © 1995 by Bibliograf, S. A.

Bilingual Press/Editorial Bilingüe, Arizona State University, Tempe, AZ: "El forastero gentil" from *Primeros encuentros/First Encounters.* Copyright © 1982 by Arizona State University.

Cultural Panamericana, Inc.: From "Historia del pájaro que habla, el árbol que canta y el agua de oro" from *Mis momentos literarios: libro de lecturas 7,* edited by Rigoberto Pérez Vélez. Copyright © 1991, 1993 by Derecho de Propiedad Cult. Panamericana, Inc. From "Mis primeros versos" by Rubén Darío and "Yo soy lo jíbaro" by Francisco Hernández Vargas from *Mis momentos literarios: libro de lecturas 8,* edited by Rigoberto Pérez Vélez. Copyright © 1991, 1993 by Derecho de Propiedad Cult. Panamericana, Inc.

Curbstone Press: "Hay un naranjo ahí" by Alfonso Quijada Urías. Copyright © 1991 by Curbstone Press.

Carmen Álvarez Quintero Díez: "Mañana de sol" by Serafín y Joaquín Álvarez Quintero. Copyright © 1905 by Serafín y Joaquín Álvarez Quintero.

Edebé: Jacket cover and excerpts from *Aydin* by Jordi Sierra i Fabra. Copyright © 1994 by Jordi Sierra i Fabra; Ed. Cast. copyright © 1994 by Edebé.

Ediciones Alfaguara, S. A.: Jacket cover from *Sacha* by Ciro Alegría. Copyright © 1986 by Ediciones Alfaguara, S. A.; copyright © 1988 by Altea, Taurus, Alfaguara, S. A.

Ediciones Gaviota, S. A.: "Rikki-tikki-tavi" by Rudyard Kipling from *El libro de la selva,* translated by Javier Franco. Spanish translation copyright © by Ediciones Gaviota, S. A.

Ediciones Primera Plana, S. A.: "Aydin se escapa otra vez y vuelve a Turquía" from *El Periódico,* April 1993. Copyright © 1993 by Ediciones Primera Plana, S. A.

Editorial América, S. A.: "La puerta del infierno" by Antonio Landauro from *Mundo 21,* Año 6, March 1995. Copyright © 1995 by Editorial América.

Editorial Everest, S. A.: "¡Al trabajo!" from *Rubén Darío y los niños,* edited by Teodoro de Vega Domínguez. Copyright © by Heirs of Rubén Darío and Teodoro de Vega Domínguez.

Editorial Noguer, S. A.: Jacket cover from *El mar sigue esperando* by Carlos Murciano. Copyright © 1982 by Editorial Noguer, S. A. Jacket cover by Teo Puebla from *Pabluras* by Miguel Martín Fernández de Velasco, illustrated by Teo Puebla. Copyright © 1984 by Editorial Noguer, S. A.

Editorial Sudamericana S. A.: From "Cómo y por qué se fabrica el miedo" and "Posada de las tres cuerdas" from *La fábrica del terror* by Ana María Shua. Copyright © 1990 by Editorial Sudamericana S. A.

El País: "Quotation from *Aydin* from *El País,* April 1992 by Jordi Sierra i Fabra from *El País.* Copyright © 1992 by Diario El País, S. A.

Espasa-Calpe, S. A.: Jacket cover by Enric Satué from *Marcelino pan y vino* by José María Sánchez-Silva. Copyright © 1962, 1966 by José María Sánchez-Silva.

Firebrand Books, Ithaca, NY: "Kitchens" from *Getting Home Alive* by Rosario Morales and Aurora Levins Morales. Translated into Spanish by Holt, Rinehart and Winston, Inc. Copyright © 1986 by Aurora Levins Morales.

Fondo de Cultura Económica, S. A. de C.V. México: "Primero de secundaria" from *Béisbol en abril y otras historias* by Gary Soto; translated by Tedi López Mills. Copyright © 1990 by Gary Soto; copyright © 1993 by Fondo de Cultura Económica, México.

HarperCollins Publishers, Inc.: From *Paula* by Isabel Allende. Copyright © 1994 by Isabel Allende.

Rolando Hinojosa-Smith: "Fiestas quinceañeras" by Rolando Hinojosa-Smith. Copyright © 1994 by Rolando Hinojosa-Smith; Spanish translation copyright © 1997 by Rolando Hinojosa-Smith.

Heirs of Juan Ramón Jiménez: "Alegría," "El canario vuela," "Idilio de abril," and "Platero" from *Platero y yo* by Juan Ramón Jiménez. Copyright © 1975 by Heirs of Juan Ramón Jiménez.

Joaquín Salvador Lavado, "Quino": Illustration from *Humano se nace* by Joaquín Salvador Lavado, "Quino." Copyright © 1991 by Joaquín Salvador Lavado, "Quino"; copyright © 1991 by Editorial Patria, S. A. de C.V.

Harold Ober Associates Incorporated: From *The Big Sea* by Langston Hughes. Translated into Spanish by Holt, Rinehart and Winston, Inc. Copyright 1940 by Langston Hughes; copyright renewed © 1968 by Arna Bontemps and George Houston Bass. "The Negro Speaks of Rivers" from *The Collected Poems of Langston Hughes.* Translated into Spanish by Holt, Rinehart and Winston, Inc. Copyright © 1926 and renewed © 1953 by Langston Hughes.

Provincia Franciscana de la Santísima Trinidad: From "Apegado a mí" from *Ronda de astros* by Gabriela Mistral.

Siglo Veintiuno Editores, S. A.: "El nahual" by Rigoberta Menchú from *Me llamo Rigoberta Menchú y así me nació la conciencia,* edited by Elizabeth Burgos. Copyright © 1992 by Siglo XXI Editores, S. A. de C.V.

ÍNDICE DE HABILIDADES

Los números de las páginas en cursiva se refieren al GLOSARIO DE TÉRMINOS LITERARIOS.

Elementos de literatura

Estrategias de lectura y pensamiento crítico

ÍNDICE DE HABILIDADES

Investigación

Estudios interdisciplinarios

Arte/Teatro

Escena cultural

Literatura y ciencia

ÍNDICE DE ILUSTRACIONES

ÍNDICE DE AUTORES Y TÍTULOS

Los números de las páginas en cursiva se refieren a las biografías de los autores.